Christiane
Charbonneau
2 janvier 2013

COLLECTION « BEST-SELLERS »

JULIE BUXBAUM

L'AMOUR ET SON CONTRAIRE

roman

traduit de l'américain par Marie-Hélène Sabard

ROBERT LAFFONT

Titre original : THE OPPOSITE OF LOVE

ISBN 978-2-221-10933-5
(édition originale : ISBN 978-0-385-34122-6 The Dial Press/Random House, Inc., New York)

Pour mon père, avec amour et reconnaissance
Et pour ma mère, présente dans mon amour
et dans mon souvenir, tous les jours

Prologue

Ta photo est déjà sur le frigo. En noir et blanc, format 8×13 – sans pose, nature – toi, roulée en boule, de profil. Tu tiens tout entière en moi.

Voici ce que je sais : je mange des tonnes de viande rouge, jure comme un charretier et chante... faux, mais avec conviction. Je pleure quand ça me prend, ris quand ce n'est pas le moment, lis dans le *New York Times* la rubrique nécrologique et les avis de mariage, tout haut et dans cet ordre.

Toi : tu pèses moins qu'un verre de lait. Tu n'es plus théorique. Tu es une fille.

En nous l'annonçant aujourd'hui, le docteur a applaudi, comme si le mérite de l'affaire lui revenait. Comme si c'était lui qui allait faire de toi un événement qui déclenche les exclamations, lui qui allait te faire passer de l'intangible au concret : une petite fille. Je n'ai pas voulu le décevoir, mais nous le savions depuis le début que j'attendais une fille, à la seconde même où nous avons appris que j'étais enceinte, tout comme nous savions que tu t'appellerais Charlotte. (Ton papa n'arrête pas de rectifier – nous sommes enceintes, dit-il, il n'y a pas que toi –, mais est-ce lui qui a les chevilles tellement gonflées qu'on le dirait équipé d'un bracelet électronique et assigné à résidence ? Est-ce lui qui a les seins qui pendent comme des outres ? Il attend peut-être un enfant, mais c'est moi qui suis enceinte.)

« Des milliers de femmes ont pissé sur ces bâtonnets. Tu

peux y arriver, Emily. » C'est ce qu'il m'a dit pour me convaincre d'aller dans la salle de bains officialiser nos soupçons. Seulement j'étais tendue, j'ai mis une bonne heure et demie à approcher des toilettes, à laquelle il a fallu ajouter une autre heure et demie, vu qu'il est entré avec moi et que ça m'a fichu le trac. Mais j'y suis arrivée, comme ces milliers de femmes avant moi, et le signe plus est apparu ; après triple vérification de la notice, confirmation auprès du numéro vert et re-pipi sur une poignée de bâtonnets, nous savions tout ce que nous devions savoir.

C'est là que j'ai compris – et ce n'était pas tant un désir, plus un besoin peut-être – que tu serais une fille. J'ai aussi compris qu'allaient venir d'autres nuits comme celle-ci, je m'en faisais presque une joie, de ces nuits où je resterais debout pendant que ton papa dormirait, de ces nuits où mes émotions oscilleraient entre excitation et frayeur.

Ton papa, qui est d'une nature plus guillerette que moi, qui chante sous la douche et n'est pas du genre à toucher du bois, ton papa dont le corps se courbe vers le mien en ce moment même, dont les yeux tressautent au rythme de rêves remplis de superhéros, de remises de distinctions et de discours de remerciements, ton papa trouve que mon besoin de consigner ma vie pour toi, en mots et en photos, est une complaisance morbide. Il se demande pourquoi je flirte avec les paradoxes de l'existence : la lisière entre l'amour et son contraire, entre tenir et lâcher prise.

Mais ce n'est pas si simple, vraiment. Ce besoin chronique de faire une chronique, cette manie du panégyrique si l'on peut dire, ne relèvent pas chez moi d'un choix conscient. Parfois, j'essaie de rembobiner vingt semaines, de revenir à avant, de me rappeler l'époque où tu étais une idée, une chose dont nous rêvions dans le noir quand le sommeil refusait de venir. Mais même alors – même dans ce monde d'avant toi –, j'avais le besoin compulsif de nous sauvegarder dans une barrette mémoire, de nous rendre ineffaçables. Une garantie contre une éventuelle séparation temporelle : tu me trouveras toujours ici, dans ces pages, même longtemps après ma disparition.

Et puis, franchement, qui sait combien de temps je serai sur cette terre ? Les femmes Haxby ne brillent pas par leur longévité.

Mais ce n'est pas vraiment le problème : que je parte à quarante-trois ou à quatre-vingt-trois ans, tu oublieras des pans entiers de moi. C'est à la fois la bénédiction et la malédiction de la mort : tu ne choisis ni ce qui va tomber dans l'inéluctable dissolution de la mémoire, ni ce qui va subsister et te hanter la nuit, la tête lourde de souvenirs, pendant que ton mari rêve d'escalader les murs en combinaison de Spiderman.

Ma mère à moi, à qui tu dois ton prénom, a été perdue, remplacée par des anecdotes rebattues et abandonnée à la fantaisie de quelques photographies arbitraires. Finalement, pas tant perdue et abandonnée ; plutôt déformée et distillée. Et, si je trouve souvent du réconfort dans ce fac-similé retouché de la personne qu'elle était, des nuits comme celles-ci, la vraie personne me manque.

La vraie personne. En chair et en os.

D'une certaine manière, les séquelles de la perte – les bribes de souvenirs – ont peut-être laissé en moi des cicatrices plus profondes que la perte elle-même. La vérité, c'est que je n'ai jamais appris à faire du vélo, entre autres raisons parce que c'est une chose qu'on n'oublie jamais. Je suis comme ça : quelqu'un qui, en même temps, désire et redoute l'engagement qu'implique le souvenir. Il y a l'oubli, cette désintégration du souvenir, morceau par morceau ; et il y a l'impossibilité de l'oubli, le tissu cicatriciel, avec ses couches d'ouate isolante. L'un et l'autre me hantent, chacun à leur manière.

Tu ne connaîtras jamais la personne que j'étais autrefois, la personne d'avant toi, la personne d'avant moi-même, en quelque sorte. Pourtant, elle te revient autant qu'à moi, cette histoire qui raconte comment tu en es venue à exister, cette histoire qui nous raconte, nous.

Maintenant que ton portrait est sur le frigo, maintenant que je suis dans mon rôle de poupée gigogne, maintenant que je ne pourrai plus vivre dans un monde sans toi, je te transmets tout ce que je peux mettre en conserve : cette histoire qui dit comment nous sommes devenus une famille –

l'histoire de ton papa et de moi, de Ruth et de papi Jack, celle de mon père à moi, qui lui aussi est réveillé à l'heure qu'il est, et qui s'active pour monter un berceau avec une garniture rose. Cette histoire de ligne de démarcation, que j'aime, vis et te lègue : cette frontière entre se souvenir et oublier, se libérer ou s'engager, être abandonné ou abandonner.

La ligne, toujours la ligne, cette même ligne qui me sépare de ma mère. La même ligne qui me sépare de toi.

1.

La nuit dernière, j'ai rêvé que je découpais Andrew en une multitude de petits morceaux, comme un chef dans un restaurant japonais, et que je les mangeais, l'un après l'autre. Il avait goût de poulet. Après, je me sentais repue, mais un peu déçue. C'était de steak dont j'avais envie.

J'ai l'intention d'oublier ce rêve. Je ne vais plus penser à la texture granuleuse d'Andrew façon *moo shu.* L'envie dévorante de l'avaler d'un coup. Ce rêve va s'effacer totalement, ne laisser ni échos persistants, ni assommante impression de déjà-vu, et pourtant il n'est pas impossible qu'il soit à l'origine de tout, qu'il m'ait inexorablement conduite à cet instant.

Car je sais déjà que, contrairement au rêve, l'impasse à venir, elle, va rester. Je vis un souvenir que je ne peux éviter.

Aujourd'hui, je romps avec Andrew dans un restaurant avec crayons de couleur sur les tables et cosses de cacahouètes sur le sol. Une gamine éméchée, en plein enterrement de vie de jeune fille, vêtue presque uniquement d'un chapeau de cowboy et de pompons, s'efforce de mettre en place une ligne de danse country. Je m'en aperçois maintenant, j'aurais dû attendre une meilleure toile de fond. Là, on dirait que, pour moi, notre relation se résume à deux bières et quelques manchons de poulet à la texane, certes substantiels, mais très épicés. Ce n'était pas l'effet voulu.

J'avais imaginé un désengagement franc et civilisé, peut-être même un tout petit peu romantique. Dans ma tête, la rupture virtuelle se déroulait comme une pantomime : aucune explication, juste des sourires attristés, un baiser d'au revoir sur la joue, un geste d'adieu lancé par-dessus l'épaule. La morsure de la nostalgie et l'euphorie du soulagement, un mélange inflammable peut-être, mais que nous saurions comprendre et apprécier l'un et l'autre.

Au lieu de cela, voilà qu'Andrew me regarde bizarrement, comme une étrangère qu'il viendrait de rencontrer et dont il n'arriverait pas à situer l'accent. Je refuse de croiser son regard. Je réprime une folle envie de me ruer dehors dans les remous de la Troisième Avenue, de me noyer dans le déluge humain qui se déverse des bars pour se répandre sur les trottoirs. Ce serait sûrement mieux que de sentir le désarroi d'Andrew suinter de sa peau comme une mauvaise odeur. Je bloque mes jambes autour de mon tabouret de bar et fixe le globule de sauce barbecue qui lui colle à la lèvre supérieure. Voilà qui apaise ma culpabilité. Comment prendre au sérieux un homme qui se balade avec le menu sur la figure ? Il faut dire, pour être juste, qu'Andrew ne se balade nulle part. Il est juché sur son tabouret, abasourdi.

Moi aussi je suis décorée de condiments. Le ketchup sur mon débardeur blanc donne l'impression que mon cœur a une fuite.

— Il n'a jamais été question d'une histoire du genre ils-vécurent-heureux-et-eurent-beaucoup-d'enfants. Tu le savais, conclus-je, bien que son silence et les derniers jours disent assez clairement que non, il ne le savait pas.

Je me demande s'il n'a pas envie de me frapper. Je le voudrais presque.

À présent, je trouve étrange de ne pas avoir senti ce moment arriver, de n'avoir commencé que la veille mon entraînement mental. D'habitude, je suis bonne pour les fins – c'est même un objet de fierté chez moi – et, à mon avis, quiconque prétend que la rupture lui est tombée dessus comme ça est un hypocrite. Rien ne vous tombe dessus comme ça, sauf, peut-être, les coups du sort. Ou le cancer. Et même à ces choses-là, on devrait se préparer.

Certes, j'aurais simplement pu laisser passer le week-end,

suivre le plan originel avec une précision militaire et me réveiller demain avec Andrew dans mon lit, un bras jeté sur mon épaule. Plus tard, au bureau, j'aurais eu une anecdote rigolote du week-end à raconter à la machine à café, comme on dit, le week-end étant toujours plus rose en mode relecture. J'ai beau être convaincue que les histoires drôles font feu de tout bois, je m'aperçois maintenant qu'il n'y aura aucun potin à raconter demain. En tout cas, rien de rigolo. J'ai tout fait pour.

Les derniers instants de ce pont de la fête du Travail, je les passe assise face à Andrew, l'homme que je fréquente depuis deux ans, à essayer de lui faire comprendre pourquoi il faut qu'on arrête de se voir tout nus. J'ai envie de lui dire que nos âges seuls sont en cause : j'ai vingt-neuf ans, lui trente et un. Nous sommes victimes d'une hallucination culturelle collective, celle qui exige de s'apparier de façon aléatoire une fois franchi le quart de siècle et de passer les menottes à toute personne atterrissant à proximité dans le jeu de chaises musicales. Je ne m'explique pas autrement le fait qu'Andrew soit tellement sorti des clous hier, avec ses insinuations sur les bagues et le consentement, ses allusions à une demande en mariage imminente. Mais je n'en dis rien, bien sûr. Les mots ont l'air trop vagues, ils ont trop l'air d'un prétexte, peut-être, trop l'air de la vérité.

Nous n'avons jamais fait partie de ces couples hallucinés qui parient sur une fin heureuse ou choisissent les prénoms de leurs futurs embryons au premier rendez-vous. En réalité, notre premier rendez-vous à nous a eu lieu dans un restaurant très semblable à celui-ci et, au lieu de parler d'avenir, voire de nous, nous nous sommes lancés dans une compétition féroce pour savoir qui mangerait le plus d'ailes de poulet à la sauce piquante. Nous sommes sortis du restaurant avec les lèvres tellement enflées que, lorsque Andrew m'a donné un baiser de bonne nuit, je l'ai à peine senti. Quatre mois plus tard, il a reconnu avoir précipité le repas parce que le poulet sauce piquante lui donne la diarrhée. Il m'a fallu deux mois de plus pour reconnaître que je l'avais laissé gagner. Et il ne l'a pas très bien pris.

Et, chaque fois qu'il était question d'avenir, nous glissions dans nos propos des « si » fort pratiques, qui dégonflaient et allégeaient la suite.

Le bout de mes doigts traçait des cercles sur le ventre d'Andrew, et je disais :

— Si on avait des gosses, je voudrais qu'ils aient tes yeux et mes orteils.

— Si on avait des gosses, répondait-il, je voudrais qu'ils aient ton intestin. Comme ça, on pourrait les inscrire à des concours de gros mangeurs et se retirer au Mexique avec leurs gains.

Et il ramenait mes cheveux en une queue-de-cheval qu'il laissait ensuite glisser entre ses mains, comme si on ne pouvait qu'en emprunter les mèches.

Peut-être que la leçon à tirer de tout ça, c'est qu'il faut faire gaffe. (Il y a toujours une leçon, n'est-ce pas ? Il le faut, sinon à quoi bon ?) Donc peut-être que la leçon, cette fois, c'est d'être vigilante, de faire attention. Parce qu'à un moment donné, hier, sans que je le remarque, sans que je le *perçoive*, notre ligne de faille s'est déplacée.

L'idée, c'était de marcher jusqu'à Central Park avec nos amis Kate et Daniel, et de fêter ensemble ce temps libre à durée limitée, en le gaspillant sans modération. Au rideau humide enveloppant Manhattan s'était substituée une bise sifflante et, après un mois d'août étouffant[1], être à cheval sur deux saisons était un soulagement. Le reste des habitants ayant mieux à faire que rester là un week-end de pont, nous avions les trottoirs pour nous tout seuls. Andrew et moi avancions, reculions en zigzaguant : nous nous donnions des coups de coude, nous faisions des croche-pieds, jouions à chat en nous pinçant les côtes. C'était un plaisir sans mélange que j'éprouvais, pas un bonheur en pointillés. Aucun chuchotis d'angoisse, aucune chute libre dans l'estomac pour m'avertir de ce qui m'attendait.

Daniel et Kate marchaient devant nous. La bague de

1. Aux États-Unis, la fête du Travail est le premier lundi de septembre. *(N.d.E.)*

fiançailles de Kate, d'une présence démesurée eu égard à sa taille, attrapait le soleil de temps en temps et dessinait des ombres chinoises sur le trottoir. Nos meilleurs amis – on pouvait encore dire « nos » hier, on était encore un « nous » à ce moment-là – étaient aussi plus que cela : ils symbolisaient la façon dont les choses peuvent tourner pour certaines personnes, et comment on peut s'engager le plus naturellement du monde. Daniel et Kate étaient les adultes qui menaient notre petite bande, mais ils le faisaient d'un pas alangui : il fallait savourer cet ultime petit bout d'été avant que les arbres ne perdent leurs feuilles pour faire place à la neige.

Après que j'ai touché Andrew dans un assaut ultime et sournois – une manœuvre qui veut qu'on ne se laisse jamais ni distraire ni tromper –, il a mis fin au jeu en nouant ses doigts aux miens. On a marché comme ça un moment, main dans la main, et puis je l'ai senti jouer avec mon annulaire nu, l'envelopper dans la paume de sa main, comme le ferait un enfant. Il avait beau ne rien dire, c'était comme s'il parlait tout haut. Il allait me demander de l'épouser.

Ses pensées, je le savais, portaient uniquement sur la marche à suivre : pour lui, il s'agissait de savoir « comment » s'y prendre, il n'y avait ni « si » ni « pourquoi ». Trouver un jour de congé et sauter dans un train pour le Connecticut afin d'obtenir le consentement de mon père, ou pour Riverdale et le demander à papi Jack. Évoquer le nom de mon restau préféré et celui du joaillier de sa famille. Aucune interrogation sur le fait de savoir s'il me connaissait assez pour ficeler ensemble nos avenirs, aucune inquiétude sur le fait qu'il ne puisse déchiffrer les pensées infinies qui, à tout moment, traversent mon cerveau inaccessible. En fin de compte, c'est ça Andrew : quelqu'un qui ne s'encombre guère de « si » et de « pourquoi ».

Avant que j'aie pu me demander si ma panique croissante était le fruit d'une illusion, il m'avait attirée devant une vitrine de bijoutier, un bras autour de mon dos. Les bagues m'adressaient des clins d'œil, elles riaient de mon malaise, je le voyais.

— Quelque chose te plaît ? m'a dit Andrew.

— Ce bracelet-là est joli, ai-je répondu. Oh ! Ces boucles

d'oreilles sont magnifiques. J'aime bien qu'elles soient pendantes. Je n'ai jamais eu de boucles d'oreilles pendantes. Et puis regarde, elles ont une garantie « satisfait ou remboursé ». J'aime bien quand on peut récupérer son argent.

— Et ces bagues, qu'est-ce que tu en penses ?

— Trop brillantes. Je préfère les pendants d'oreilles.

— Allez, dis-moi quel genre de taille tu aimes : princesse, ovale, marquise ?

Manifestement, le bougre avait révisé. Je me suis dit : *C'est pas la première fois qu'il y pense. Merde.*

— Je ne fais pas la différence, ai-je répliqué. C'est pas mon truc.

C'était vrai : je croyais que Marquise était une île des Caraïbes. Puis, ne sachant pas quoi faire, j'ai tendu le doigt au loin.

— Regarde ! me suis-je écriée comme un enfant qui vient d'apprendre un mot nouveau. Un chiot.

Le reste de l'après-midi s'est dévidé comme une sitcom au scénario bien rodé où l'on nous aurait vus tous les quatre lancés dans une stupide partie de ballon chasseur en plein Central Park, ambiance compétition bon enfant et plaquages superflus. J'étais sans doute la plus stupide de tous, je surcompensais ma terreur et croyais, pour une raison ou une autre, que la niaiserie pouvait conjurer l'inéluctable.

Mais il n'y avait aucune échappatoire. J'avais promis de ne pas travailler ce week-end, ayant même « accidentellement » oublié mon Blackberry au bureau, chose qui ne m'est jamais arrivée en cinq ans passés au contentieux chez Altman, Pryor et Tisch. J'avais perdu ma laisse, ce qui m'avait semblé une bonne idée avant le week-end, du temps où je pensais avoir besoin de faire une coupure dans les heures facturables – pas dans ma vie. J'ignorais alors que me prendrait l'envie de replonger droit dans la pile de papiers sur mon bureau, de m'enfuir vers un lieu où les mots comme « nos » ou « nous » n'avaient pas leur place.

Mais travailler aurait été tergiverser. J'avais pris ma décision devant la bijouterie. J'allais rompre avec Andrew avant que, un genou à terre, il ne pose une question impossible. J'allais faire voler en éclats notre univers naïf et confortable, comme quand un gamin tripote une arme dans une série télé.

Seulement, être soi-même devient un exercice délicat quand on se retrouve en désaccord avec ce qu'on est « censé » faire dans la vie. Je comprends bien que je suis censée vouloir épouser Andrew. Que certaines femmes passent leur vie à attendre d'avoir un type à genoux devant elles, ou à fantasmer sur la pierre muette qui annoncera au monde entier : *Regardez, quelqu'un m'aime, quelqu'un m'a choisie.* Qu'elles rêvent d'ouvrir le bal avec leur nouvel époux avant une vigoureuse explosion de YMCA parmi les invités.

Je dirais même mieux : nous souhaitons quasiment tous avoir notre complice à nous, quelqu'un qui nous ramène en voiture de l'aéroport, applaudisse nos réussites et nous tienne la tête quand on vomit. Pour être franche, moi aussi je le souhaite, sous une forme ou une autre.

Mais me marier ? Avec Andrew ? Jusqu'à ce que la mort nous sépare ? Ça, c'est impossible. Ce serait de l'arnaque de ma part, je serais un simulacre d'adulte, un escroc dans le rôle de la future mariée. Même moi je ne veux pas passer le reste de ma vie avec moi. Comment Andrew le pourrait-il ? Et comment expliquer à quelqu'un qu'on aime qu'on ne peut pas se donner à lui, car, ce faisant, on ne sait pas trop qui on donnerait ? Qu'on ne sait même pas ce que valent nos paroles ? On ne peut pas dire ça à quelqu'un, surtout à quelqu'un qu'on aime. Par conséquent, je ne le dis pas.

Et je fais ce qu'il faut : je mens.

— Eh bien, j'imagine qu'on s'est tout dit, me dit Andrew d'une voix à peine audible à cause du juke-box.

Son ton est froid et résigné, pas le moins du monde suppliant. Il traite l'affaire sur le mode professionnel. Validation clinique.

— Je suis désolée.

Il se contente d'opiner du chef, comme s'il était pris d'une soudaine somnolence, comme si sa tête était trop lourde à porter.

— Je veux que tu saches que je tiens beaucoup à toi, fais-je. (On dirait que je suis en train de lire un livre sur l'art de la rupture. J'ai même le culot d'ajouter :) Tu n'y es pour rien. C'est moi.

Andrew laisse échapper un rire étranglé. J'ai fini par le provoquer. Après être passé du désarroi à la tristesse, il est enfin dans l'état avec lequel je suis le plus à l'aise : la colère.

— Putain, t'as raison. C'est toi, Em. T'inquiète. Je le sais que tout ça, c'est à cause de toi.

Il attrape sa veste, il va partir. J'ai envie de l'arrêter, de prolonger ces instants atroces avant l'irrévocable. Mais il n'y a plus rien à dire.

— Je suis désolée, dis-je dans un murmure tandis qu'il jette quelques billets sur la table. Vraiment désolée.

La tension retombe, et la raideur de ses épaules s'émousse au son de ces deux mots.

— Je sais.

Ses yeux sondent les miens. Bizarrement, ils ne sont remplis ni de colère, ni de tristesse, ni d'amour, mais d'une chose qui ressemble à s'y méprendre à de la pitié. Andrew s'éclaircit la gorge, m'embrasse sur la joue et sort calmement du restaurant.

En quelques secondes, il est avalé par la houle humaine de la Troisième Avenue. Et c'est moi qui me retrouve seule à fixer la porte en mordillant ses restes de poulet sauce piquante.

Je parcours à pied les trente blocs qui me séparent de mon appartement, ça m'aide à mettre de l'ordre dans mes idées. L'air picote mes narines, autre indice que l'automne va bientôt relayer l'été. Je prends Madison Avenue et regarde tous ces gens en train de savourer les dernières heures de la saison et de ce long week-end, assis avec des cocktails chatoyants sur des terrasses provisoires. Je leur envie cet ultime goût de liberté avant une semaine de boulot. L'espace d'un instant, j'envisage de prendre un cosmopolitan dans un bar chic ; je pourrais peut-être faire semblant d'être de leur monde, en camouflage, et repousser d'une heure ou deux tout sentiment, quel qu'il soit.

Mais non, je continue. En marchant, je me concentre sur les rues, compter ralentit les battements de ma pensée. *14e Rue, tu as fait ce que tu devais faire. 13e, toi et moi ça pouvait pas marcher. 12e, c'est ma faute. 11e, j'ai fait ça.* Je trouve du réconfort dans cette rythmique, dans le fait d'être seule responsable de la façon dont les choses ont tourné. J'ai laissé la relation aller trop loin, je le sais. Il y a des mois que j'aurais dû tirer ma révérence, à un moment où ça nous aurait fait moins de mal, à l'un comme à l'autre, bien avant d'être traînée devant la vitrine d'un bijoutier. Je me dis qu'au moins, oui au moins, j'ai repris les choses en main. *10e rue, je contrôle la situation. 9e, ça va aller. 8e, de toute façon, tôt ou tard il serait parti. De toute façon, il t'aurait quittée.*

Quand j'arrive à mon immeuble, Robert, mon concierge, m'ouvre la porte. Il a dans les soixante-dix ans, une tête blanche comique et une barbe assortie. Il ressemble à un bon Dieu ou à un père Noël plein de bienveillance, et, comme eux, il a tendance à se mêler de ce qui ne le regarde pas. La présence constante de Robert, même le feu roulant de ses questions, sont un réconfort pour les locataires de l'immeuble, lequel se compose essentiellement de studios ; on sait que quelqu'un sera là quand on va rentrer, qu'il nous demandera comment s'est passée notre journée, qu'il remarquera si on ne rentre pas du tout.

— Qu'est-ce que vous avez fait de votre moitié ce soir ? me demande-t-il.

— Il est resté chez lui. (Robert me sourit et s'écarte pour me laisser gagner la cabine vide de l'ascenseur.) Passez une bonne nuit.

— Bonne nuit, Emily.

À partir d'aujourd'hui, ma journée s'arrêtera pile à cet endroit. Devant la porte. La plupart des soirs, la voix de Robert sera la dernière que j'entendrai. Et son visage le dernier que je verrai.

2.

La première fois qu'Andrew a ri dans son sommeil, j'aurais dû le réveiller et le quitter sur-le-champ. Personne ne mérite d'être heureux à ce point.

Eh bien non, au lieu de cela, j'ai lové mon corps contre le sien, pressé mon ventre contre son dos et absorbé ses vibrations. J'espérais que la chose qui le rendait si *libre*, si *pur*, serait contagieuse. Elle ne l'était pas.

Quand je dors bien, je rêve en noir et blanc. Je vois des hommes me pourchasser dans des labyrinthes circulaires, suis aspirée dans une gouttière en forme d'enveloppe, disparais dans la foule sur Times Square. Parfois, mes rêves d'angoisse sont ordinaires, le genre de rêves que tout le monde fait : j'ai les dents qui tombent, je débarque toute nue au bureau, je crie jusqu'à perdre haleine. Même les rêves torrides peuvent se retourner contre moi, changer de registre et passer de l'idylle au roman noir. Dans ces rêves-là, après une nuit d'amour passionnée avec un inconnu, je me lève, laisse la fumée de ma cigarette s'élever en volutes par le rectangle noir d'une fenêtre, et contemple un amant que j'ai oublié et berné.

Je ne fais pas toujours des cauchemars. Il arrive que la nuit m'apporte juste un doux apaisement. En revanche, je suis sûre d'une chose : si j'ai pu rire de mes rêves au matin et me moquer de leurs effets spéciaux dignes d'un spectacle de patronage ou d'un porno de série B, jamais de ma vie je n'ai ri en dormant. Je ne suis pas heureuse à ce point, c'est tout.

Hier soir, je me suis couchée en plein milieu de mon grand lit double, je voulais reconquérir l'espace, éliminer toute preuve d'un partage passé. J'ai effacé le creux laissé douze heures plus tôt par Andrew en battant énergiquement des bras et des jambes dans les draps ivoire, comme on fait dans la neige pour dessiner des anges. Pour le sommeil, c'était cuit.

Le réveil sonne à huit heures, et je me traîne hors du lit. Un rapide coup d'œil au miroir me confirme ce que je sais déjà : j'ai une sale gueule. Des cernes sombres luisent sous mes yeux, comme si on m'avait attaquée au Stabilo violet. J'ai l'estomac vide et douloureux. Je me dis : *Tu l'as fait. Tu ne vas pas te plaindre maintenant. Prends le dessus.*

J'enfile mon tailleur noir préféré, celui qui me fait toujours me sentir déguisée, avec ses fines rayures qui m'allongent et cette coupe qui parvient à être tout à la fois professionnelle et sexy. Dès que je l'ai sur le dos, je deviens ce personnage de bandes dessinées qu'Andrew et moi appelions « Suuuuuper Avocate » – en chœur et avec une voix de tête. Je le mets aujourd'hui pour me doper le moral.

Le trajet me semble étrangement solitaire. Sur la ligne six, en temps normal déjà bondée quand je la prends à Bleecker Street, il n'y a que deux personnes : un sans-abri aux doigts tachés d'encre, une pile de journaux sur les genoux, et une jeune femme en jupe et baskets lisant *Harry Potter*. Aucun des deux ne lève les yeux quand je m'assois.

Je sors du métro à la gare de Grand Central et parcours à pied les deux rues qui me séparent de l'immeuble, un gratte-ciel en tous points semblable à ses voisins, avec des milliers de petites fenêtres qui ne s'ouvrent pas. On les scelle pour empêcher les gens de sauter.

Je montre rapidement mon badge à Marge, qui assure le contrôle au portique de sécurité. Elle doit mesurer un mètre quatre-vingt-cinq, en hauteur et en largeur : impossible de distinguer ses biceps de ses cuisses. Un palindrome humain. Son visage aussi a une symétrie qui fait froid dans le dos : ses traits forment des lignes parallèles ; quant à ses yeux, placés trop près du nez, ils sont le reflet de ses lèvres : fendus, écarquillés et bridés au milieu. Chaque jour que Dieu fait, Marge porte un costume en polyester bleu marine qui godaille dans le dos, des bottes à embout renforcé et un rouge à lèvres rose fuchsia vraisemblablement destiné à repousser une cinquantaine toute proche ou déjà là depuis peu. J'aimerais avoir la présence de Marge. Quand elle pénètre dans une pièce, j'imagine que les gens la remarquent. Qu'ils se disent : *Voilà une femme capable de me casser la gueule en dix secondes, voire moins. Une femme dont le maquillage ne coulerait même pas.*

Je suis passée devant Marge au moins deux fois par jour et cinq jours par semaine ces cinq dernières années, soit au total plus de deux mille six cents fois – j'ai fait le compte un jour –, et pas une fois elle ne m'a souhaité une bonne journée. À mes débuts chez Altman, Pryor et Tisch, il m'a paru déshumanisant, en quelque sorte, que notre rencontre quotidienne reste sans écho, et je me suis donné pour mission de me faire remarquer par Marge. C'était un moyen de rendre ma vie professionnelle plus intéressante, vu que je passais le reste de mon temps enfermée dans une salle à pointer des millions de documents comptables pour une affaire de détournement de fonds. J'ai appris par mon ami Mason que certains collègues masculins apaisaient quant à eux leurs souffrances en se masturbant dans les toilettes. Maintenant, au bureau j'évite les poignées de main, naturellement.

Marge m'a paru un projet plus constructif. J'essayais de me tailler mon New York à moi, un New York plus chaleureux. Ma tactique était inoffensive. J'essayais de sourire, de l'appeler par son prénom, de la complimenter sur sa coiffure. Un jour, j'ai même tenté de lui donner une bourrade. C'était une erreur, je l'avoue.

En dépit de mes valeureux efforts, Marge n'a jamais prononcé un seul mot à mon intention. Elle ne m'a même jamais souri. J'aime bien penser qu'elle a été formée au palais de Buckingham et que, si elle parlait, elle aurait de très chic inflexions britanniques et pas le grossier accent de Brooklyn des autres gardiens.

J'aime bien penser que c'est son devoir civique de regarder droit devant elle.

Au bout d'un an, j'ai fini par abandonner ma croisade. J'étais à bout d'énergie. New York produit cet effet-là sur les gens, semble-t-il : la ville vous a à l'usure, jusqu'à ce que vous fassiez les choses à sa manière. Aujourd'hui, je me contente d'adresser un signe de tête à Marge et d'imaginer qu'elle éprouve pour moi un sentiment quasi maternel.

Quand j'arrive à mon bureau, Karen, ma secrétaire, a déjà laissé douze messages sur mon fauteuil, plus un Post-it marqué « Bonne chance ! ! ! ! ». Quatre points d'exclamation, un pour chaque message de Carl MacKinnon, un associé notoirement pénible, qui exige de savoir pourquoi je n'ai pas répondu à ses six mails du week-end. Je lui écris un mot dans le style résistance passive, beaucoup moins déférent que d'habitude.

Aujourd'hui, je ne suis tout simplement pas d'humeur à faire des courbettes.

À : Carl R. MacKinnon, APT
De : Emily M. Haxby, APT
Objet : Week-end AVEC PONT
Ayant « accidentellement » laissé mon Blackberry au bureau, je n'ai eu tous vos mails que ce matin. En réponse à vos questions urgentes, notre date d'audience pour l'affaire Quinn est le 29 août 2010, soit dans deux ans environ. Et non, je n'ai pas commencé à préparer le dossier.

De : Carl R. MacKinnon, APT
À : Emily M. Haxby, APT
Objet : Rép : Week-end AVEC PONT
Emily, vous êtes dans le cabinet depuis assez longtemps pour savoir qu'oublier « accidentellement » son Blackberry est une excuse irrecevable. Passez à mon bureau à midi. Il faut qu'on parle.

Il y a quelques années, le mail de Carl m'aurait fait fondre en sanglots ; aujourd'hui, il me fait rire. S'il veut me virer à midi, ce sera une bénédiction.

De : Emily M. Haxby, APT
À : Mason C. Shaw, APT
Objet : Réexp : Rép : Week-end AVEC PONT
Et voilà le travail. Mason, peux-tu, s'il te plaît, demander à Marge d'aller casser la gueule à Carl ? Je parie qu'elle te laissera regarder.

À : Emily M. Haxby, APT
De : Mason C. Shaw, APT
Objet : Rép : Réexp : Rép : Week-end AVEC PONT
Ça marche. Mais, pour ce que j'en sais, à mon avis Carl apprécierait. Il est du genre à aimer les fessées.
On déjeune jeudi ?

Dieu soit loué, il y a Mason. À quatre heures du matin – quand je suis noyée dans une piscine de transcriptions et que j'ai dû dormir un maximum de deux heures dans la semaine –, Mason est capable de m'imiter pour la énième fois les associés directeurs du cabinet, histoire de me faire rire. Il réussit à faire de l'absurdité de notre quotidien chez APT une inépuisable source de divertissement et, par un tour de passe-passe, transforme le fastidieux en discipline sportive. Mason est le genre de gars qui savait tirer parti des petites victoires du lycée – capitaine de l'équipe de foot, président du bureau des élèves et dépuceleur de toutes les pom-pom girls –, mais, loin d'atteindre là son apogée, comme tant d'ex-rois de l'école, il a continué à opérer des ravages jusqu'au jour où il est sorti major de sa promotion, à l'école de droit de Stanford. Mason est un monogame en série à fréquences courtes, c'est-à-dire qu'il a toujours une petite amie, mais jamais assez longtemps pour que j'aie besoin de me rappeler son prénom. De toute façon, d'habitude elles sont interchangeables : blondes, siliconées et amadouées par ce qui brille. Elles exigent peu et obtiennent moins encore. J'ignore si Mason et moi nous serions rencontrés, et si nous serions devenus amis hors de cette étrange boule à neige que constitue la vie dans un cabinet d'avocats, mais maintenant que c'est fait, je ne le lâche pas.

À : Mason C. Shaw, APT
De : Emily M. Haxby, APT
Objet : Rép : Rép : Réexp : Rép : Week-end AVEC PONT
Si je suis encore en poste jeudi, d'accord. Sinon, c'est toi qui paies.

Avant que j'aie pu répondre aux autres messages et me sortir du grand cratère creusé par mes soins en ne consultant pas mes mails ce week-end, Kate passe devant mon bureau et glisse la tête dans l'encadrement de la porte. Elle a les cheveux tirés en un chignon serré, retenu par un fin bandeau, et une chemise cintrée rentrée sous la ceinture. Chaque chose est à sa place. Pourtant, les pattes d'oie aux coins de ses yeux adoucissent son allure ; je ne sais comment, mais les rides arrivent à lui donner l'air plus jeune, voire espiègle.

— Em, chuchote-t-elle. Qu'est-ce que tu as fait ?

Au début, je crois qu'elle veut parler de mon mensonge à Carl, je sursaute : peut-être vais-je vraiment me faire virer. Comment a-t-elle su si vite ? Avec quoi vais-je payer le loyer ? Puis la soirée d'hier me revient, et je vois son expression peinée, comme si c'était avec elle que j'avais rompu et pas avec Andrew.

— Les nouvelles vont vite, on dirait – un ton de voix monocorde contredit mon sourire.

— Andrew a appelé Daniel hier soir.

— Ah.

Après avoir refermé la porte d'un coup de talon aiguille, Kate s'assoit face à moi.

— Je m'inquiète pour toi, Em. Je ne comprends pas.

— Je sais. Je ne suis pas sûre de comprendre non plus.

— Mais vous étiez heureux tous les deux.

— Je suppose. Quelquefois. Mais de là à se marier ? Mauvaise idée.

Kate fronce les sourcils, et elle me dévisage, oui elle me dévisage vraiment, comme si, soudain, elle n'était pas sûre de me reconnaître.

J'ai envie de lui dire : *Je suis là. C'est toujours moi,* mais je m'abstiens. Sa réaction ne me surprend pas. Je savais qu'elle serait contrariée, voire furieuse après moi pour avoir cassé avec Andrew, vu que c'est elle qui nous a fait nous rencontrer. Kate avait monté un rendez-vous en vertu de la théorie des « amis de nos amis... » : il était logique que l'une de ses meilleures amies et l'un des meilleurs amis de son fiancé aillent parfaitement bien ensemble. Elle n'avait pas tout à fait tort.

La première fois qu'elle avait évoqué l'idée, elle avait décrit Andrew comme une « belle prise », ce qui m'avait instantanément rendue réticente. Même si tous les gens de ma connaissance semblaient soit se caser soit chercher à le faire, jamais je ne m'étais lancée dans la pêche au gros pour me trouver un petit ami. Et une « belle prise », ma foi, ça sentait le chagrin d'amour à plein nez.

Kate refusait de le croire, pourtant j'aimais bien ma solitude. Enfant unique de parents aisément distraits, je n'ai jamais eu de mal à m'occuper toute seule. Je préférais. Petite, même avant la mort de ma mère, même avant de me replier dans ma chambre et d'écrire le mot « Dehors ! » au crayon feutre sur la porte, je passais le plus clair de mon temps cachée dans des coins, à lire les enquêtes de Nancy Drew, un univers où les gamins semblaient plus dégourdis et capables que les adultes. C'est à peine si je remarquais mes parents qui m'envoyaient des baisers depuis la porte en sortant pour se rendre à leurs cocktails ; leur soulagement évident de partir pour un monde où je n'avais pas la hauteur minimale requise me laissait impassible. Adulte, je n'ai pas tellement changé.

Cela dit, pour être honnête, Kate avait absolument raison : Andrew était une prise de choix. Irrésistible, si toutefois j'avais eu l'idée de lui résister, ce qui n'était pas le cas. Il remplit toutes les cases : intelligence, carrière, humour. Il est beau, mais pas d'une beauté à faire peur. Il a l'œil gauche un chouïa plus bas que le droit et une façon adorable de pencher la tête pour les remettre à niveau. Il sort toujours la poubelle, change le rouleau de papier toilette, enlève les cheveux dans le tuyau d'évacuation de la douche. Certes, il oublie ses ongles de pied sur la table basse, a invariablement vingt minutes de retard et se régale incognito de pornos sur Internet, mais, je n'en doute pas, il fera un merveilleux mari pour celle qui aura la chance d'être sa *femme*. La vérité, c'est qu'avec moi, ç'aurait été du gaspillage.

« Tu as beaucoup plu à Andrew. Il l'a dit à Daniel. Tu t'en es bien sortie », m'a rapporté Kate, suite au premier rendez-vous. Comme si ce rancard était un spectacle où j'aurais eu de bonnes critiques. Plus tard, quand Andrew et moi sommes officiellement devenus un couple, ses talents de marieuse faisaient jubiler Kate. Aujourd'hui, je me sens coupable de ternir sa réputation. Elle voulait mettre un mariage sur son CV et aurait été tout excitée de compter parmi mes demoiselles d'honneur. Elle adore ce genre de trucs ; chose étrange, la perspective d'être emballée des pieds à la tête dans le taffetas ne trouble pas son sourire. En fait, je ne serais pas surprise qu'elle m'ait déjà commandé un T-shirt avec « Mme Warner » dans le dos.

— Je t'en prie, Em, dis-moi juste pourquoi.

Soudain, de toutes les forces qu'il me reste, j'ai envie que mon amie me comprenne. Seulement je ne sais pas trop comment m'y prendre. Je ne suis pas sûre de me comprendre moi-même.

— Je ne sais pas pourquoi. Je ne me voyais pas en Mme Warner, c'est tout. Ni en Mme Haxby-Warner. Ni en quelque madame que ce soit. Je ne peux pas l'épouser, Kate. Je ne peux pas. Si je le faisais, je ne suis pas sûre que je serais encore moi. (Je fixe mon attention sur les cœurs vides que je griffonne sur mon bloc.) Quel que soit le sens du mot « moi ».

— Tu n'es pas obligée de changer de nom.

— Je le sais. Ce n'est pas une question de nom.

Je me mets à dessiner de gros bouquets de fleurs, avec des boucles rondes pour les pétales.

— Je ne pige toujours pas. Il ne t'a même pas encore posé la question. Vous n'êtes pas tenus de vous marier tout de suite, si tu ne te sens pas prête.

Elle jette un œil à sa bague et pose ses mains l'une sur l'autre.

— Kate, je ne serai jamais prête. Andrew est formidable. On le sait l'une et l'autre. Mais ça ne suffit pas. Je ne peux pas devenir sa moitié. Tu vois ce que je veux dire ?

Je lui pose la question tout en sachant bien que non, elle ne voit pas. Elle n'a jamais eu à s'interroger sur son couple avec Daniel. Elle a toujours su, tout simplement. Le charme de Kate repose sur sa constance.

— Tu cours peut-être après une chose qui n'existe pas, me dit-elle.

— Ce n'est pas que je cherche mieux, ou quoi que ce soit de ce genre. Andrew est le meilleur. Mais il ne me comprend pas.

Je suis consciente de n'avancer que des prétextes boiteux, mais je ne peux pas me résoudre à dire ce que j'ai vraiment envie de dire. *Kate, je l'ai mangé, et il avait un goût du poulet. Kate, je l'ai mangé et je n'ai rien ressenti.* Ces pensées-là, je me les garde, elles n'ont pas de sens, je le sais.

À la place, je dis :

— La vérité, c'est sans doute que ça n'a rien à voir avec Andrew.

— Non. Non, en effet, répond-elle, et le regard qu'elle me lance est identique à celui d'Andrew hier soir : j'y lis quelque chose comme de la pitié.

Elle traverse la pièce et vient m'embrasser sur le front, un geste qu'elle seule peut se permettre. Aucune condescendance, aucun jugement, juste un mouvement pour rendre à l'humeur sa sérénité. L'eau se referme toujours derrière Kate ; elle fait en sorte d'aplanir les choses.

— Bien, dit-elle, on en reparlera plus tard. Il faut que je retourne bosser.

Kate a trois ans d'ancienneté de plus que moi dans le cabinet, elle vise le statut d'avocate-associée pour l'an prochain. En supposant qu'elle y arrive – et, s'il existe une justice en ce bas monde, elle y arrivera –, elle sera la deuxième femme avocate en contentieux en deux cents ans d'histoire de Altman, Pryor et Tisch. Quant à moi, je me suis entendu dire lors de mon dernier entretien que je devais travailler à mon *investissement* dans le cabinet.

— À propos, fais gaffe, Em. Aujourd'hui, évite Carl à tout prix. Il cherche à qui refiler la nouvelle affaire de pollution de l'eau par Synergon.

— Je t'en supplie, dis-moi que tu viens d'inventer ça. J'ai rendez-vous avec lui cet après-midi.

Il n'y a plus aucun doute : désormais, c'est sûr, ses yeux expriment de la pitié. Je suis anéantie. Dès le premier jour chez APT, les collaborateurs seniors vous disent qu'il y a trois choses à éviter absolument pour survivre dans ce cabinet : Synergon, Carl MacKinnon et le traiteur chinois du coin.

— Il y a pire, ajoute Kate. Carisse est déjà en charge du dossier, ce qui la place hiérarchiquement tout de suite en dessous de Carl.

Certes, il me plaît de penser que je ne déteste personne en ce monde, mais c'est un énorme mensonge. Je déteste Carisse. Même Kate, qui ne déteste personne, fait exception pour Carisse. Elle est de ces filles qu'on devrait exclure de la communauté des femmes. Au nombre de ses péchés, divers avocats mariés et les petits jeux auxquels elle s'amuse avec ses sous-fifres, du genre « Je te fais porter le chapeau » et « Cogne-toi le boulot, je récolte les lauriers ». Elle est célèbre pour dire des choses comme « Oh ! là, là ! tu es défigurée / exténuée / bouffie », ou pour vous congratuler sur votre grossesse alors que vous n'êtes pas enceinte. Elle a beau avoir juste deux ans d'ancienneté de plus que moi et être une collaboratrice comme une autre, elle donne des ordres comme si elle dirigeait le cabinet. Il m'arrive de me dire que, si je pouvais l'assassiner impunément, je n'aurais pas de mal à presser la détente. Le monde tournerait bien mieux sans elle.

— Désolée, Em, me dit Kate en sortant.

Je baisse les yeux sur mon bloc et y découvre une nouvelle série de gribouillis. Cette fois, j'ai dessiné des petits poignards.

À midi, je fais mon entrée dans le bureau de Carl avec un air que j'espère rebelle. Une allure hostile le dissuadera peut-être de me mettre sur cette affaire. J'invoque l'esprit de

Marge. Dans des moments comme celui-ci, il me donne de la force.

Carl se tient derrière un immense bureau en acajou totalement vide, à l'exception d'un moniteur à écran plat lisse et élégant. Carl n'est pas grand, mais on dirait qu'il a monté son fauteuil à trois mètres du sol. Je remarque que ses sièges visiteurs culminent à environ cinq centimètres. Il est au téléphone et me fait signe d'entrer d'un petit geste du poignet.

Je m'assois sur le minuscule fauteuil. Il remplit son office. J'ai l'impression d'avoir cinq ans et d'être convoquée dans le bureau du directeur. Des diplômes aux cadres impressionnants tapissent le mur, les noms sautent aux yeux. Princeton. École de commerce de Wharton. École de droit de Harvard. Est-il possible qu'il ait fait les trois ? Accrochée à côté, une récompense de « Save the Children » ; apparemment, Carl a été donateur de l'année en 1994, 1999 et 2005. Une photo de lui serrant dans ses bras un petit Africain squelettique partage le même cadre.

Carl me dévisage, il m'évalue, tout en baratinant un client au bout du fil. Je serre un bloc de papier contre ma poitrine afin d'éviter qu'il ne plonge un œil dans mon décolleté. Il est le genre de mec à trouver parfaitement opportun de hurler sur un collaborateur et, l'instant d'après, s'il se trouve que le collaborateur en question porte une jupe, de lui poser une main sur la cuisse. La rumeur prétend que, bien qu'on lui ait plus d'une fois retiré des parts dans la société pour harcèlement sexuel, il ne sera jamais viré car il pourrait emmener avec lui trop de gros clients, comme Synergon. La légende veut aussi qu'il ait un jour jeté le volume annoté de la jurisprudence new-yorkaise à la tête d'un collaborateur.

Ça a dû faire mal.

Oh, et sa femme enceinte, j'en ai parlé ? Non. Elle attend des jumeaux.

D'habitude, quand je sais que je dois voir Carl, je mets ce que j'ai de plus moche, oublie le maquillage et me fais un chignon de vieille dame. J'aime croire que c'est la raison pour laquelle il ne m'a jamais draguée. Certes, je suis résolument contre le harcèlement sexuel, mais, je dois l'avouer, l'efficacité de mon camouflage m'inquiète : je suis la seule femme du cabinet qui n'ait jamais eu droit à ses avances.

— Bien, je vous mets sur l'affaire Synergon, dit-il après avoir raccroché. Il y aura vous, moi et Carisse, mais comme vous êtes la plus novice, j'attends de vous que vous fassiez le gros du travail sur le terrain.

Et voilà. J'ai l'estomac en chute libre. J'avais beau le savoir, ça n'amortit pas le choc.

— Je vous demande de consacrer cent dix pour cent de votre temps à ce dossier. Il requiert toutes nos forces, et c'est une superbe occasion de montrer votre investissement dans le cabinet. J'espère qu'il n'y aura pas d'incidents comme celui de ce week-end ?

Je réponds oui d'un hochement de tête, et Carl se met à renifler comme s'il sentait une mauvaise odeur.

— Bien sûr, Carl. Excusez-moi.

Les mots d'excuse m'ont échappé avant que j'aie pu les arrêter, et j'ai honte de capituler si facilement. Autant lui tailler une pipe, et qu'on en finisse.

— Bien, maintenant passons aux détails. Synergon est poursuivi par une cinquantaine de familles devant la cour de justice de l'Arkansas. En fait, nous sommes face à une batterie de cas type Erin Brockovich, mais, par bonheur, cette fois, la garce n'est pas dans le coup. Vous savez qu'elle ne ressemble pas du tout à Julia Roberts.

— Ah.

— Ces malheureux du fin fond de l'Arkansas ont des cancers, il leur pousse un troisième œil, des trucs dans ce goût-là, et ils prétendent que c'est parce que nous avons pollué l'eau avec des produits chimiques.

— Il y a des preuves de cette pollution ?

— Oui, Synergon a déversé des résidus pétrochimiques dans la rivière Caddo pendant plus de cinquante ans. Ils ont juste cru qu'aucun de ces pedzouilles ne serait assez malin pour les poursuivre.

— Pedzouille ?

— Péquenaud. Mais, franchement, pollution n'est pas forcément synonyme de cancer. Oui, ils ont déversé des produits chimiques, mais rien ne prouve que ces gens soient tombés malades à cause de ça.

Je lève les yeux vers Carl et note un petit sourire aux coins de ses lèvres. Il adore ça, c'est visible, il adore écrabouiller les faibles. Carl a dû se faire mettre cul nu tous les jours au bahut, être tabassé à la cantine, peut-être même qu'on lui a plongé la tête dans les cabinets. À un tel degré de malfaisance, je ne vois pas d'autre explication. La vengeance gratuite.

— Dans le fond, poursuit-il, l'affaire se résume à ceci : des parties civiles qui essaient d'extorquer toujours plus de fric à l'Amérique des entreprises.

— Mais s'il y a bien eu pollution...

— Il faut vraiment vous le répéter ? Alors notez, Emily : pollution n'est pas forcément synonyme de cancer. Pollution est synonyme de pollution. Pas de cancer. Vu ?

— Je crois...

— Donc, voici notre plan d'attaque, sachant que je vous laisse les détails et le gros du boulot. On va leur faire le coup de *Préjudice*. Vous avez lu ce bouquin ?

— Oui, il était au programme en première année.

Je ne précise pas qu'il l'était dans le cadre d'un cours d'éthique, l'idée étant de nous montrer ce qu'il ne fallait pas faire en tant qu'avocats.

— Très bien, très bien. Voici les grandes lignes. Primo, on obtient les expertises d'une poignée de scientifiques disant qu'il n'existe aucun lien de cause à effet entre les substances chimiques et le cancer. Ce qui, à mon avis, est vrai. (Carl baisse les yeux sur ses notes.) J'ai ici la liste des experts que Synergon emploie toujours. Ensuite, on inonde les plaignants sous des tonnes de requêtes de documents, on en dépose autant qu'on peut pour faire grimper leurs frais de justice. Synergon a un pognon dingue à mettre dans ce procès, contrairement à la partie adverse. Une fois qu'on a gagné en procédure sommaire, et ce sera le cas, vu qu'ils n'ont pas l'ombre d'une preuve, on passe à l'acte trois et on les poursuit en dommages et intérêts. On ne les obtiendra sans doute pas, mais pour nous ce sera toujours gagnant-gagnant. Synergon sera impressionné par notre pugnacité, on aura plus d'heures à facturer et, surtout, ça apprendra aux gens à ne pas s'y frotter.

Il sourit à nouveau et, j'en jurerais, je vois son torse se gonfler.

— Commencez tout de suite à préparer la première salve de requêtes de documents. Je les veux demain matin sur mon bureau. Prévoyez aussi de vous rendre souvent en Arkansas dans les mois à venir. Procurez-vous une bonne valise. Encore une chose... (Il s'interrompt, puis ajoute avec un sourire) Joli tailleur, Emily.

Encore un clin d'œil, et me voilà autorisée à quitter son bureau. Je ne sais comment, mais pour moi ça ne fait aucun doute : il vient de m'imaginer toute nue.

Quand on entre dans un grand cabinet d'avocats, on vend son âme, on le sait. Quiconque tente de prétendre le contraire est un menteur, ou bien se raconte des histoires. Cependant, jusqu'à ce jour, j'avais toujours pensé vendre ma vie, et pas vraiment mon âme. Je savais que ce boulot me prendrait tout mon temps et ne me laisserait pas grand-chose qui ressemble à une vie sociale. Pour un avocat-collaborateur, annuler projets, rendez-vous médicaux et vacances fait partie des risques du métier. Nous sommes nombreux à croiser les doigts le vendredi après-midi, à prier pour que cette semaine soit l'exception et pour qu'aucun associé ne vienne lâcher sur notre bureau un travail à rendre « impérativement » lundi matin.

Cela dit, toute vente d'âme mise à part, être collaborateur reste une bonne affaire. D'accord, le plus souvent, je me sens débordée et absolument pas soutenue, mais le salaire me permet de rembourser le colossal emprunt contracté pour mes études et de payer le loyer de mon studio dans Greenwich Village. Il a beau ne faire que vingt-huit mètres carrés, à Manhattan, où les gens vendraient leurs organes pour se loger, avoir mon coin à moi me donne une impression de luxe.

Je commence à parcourir les plaintes déposées contre Synergon. Je lis ce qui est arrivé à certains plaignants, des gens pauvres qui habitent Caddo Valley, Arkansas, une ville minuscule dont personne n'a jamais entendu parler. Population : cinq cent soixante-cinq habitants. La première plainte est celle de la famille Jones ; ils engagent des poursuites parce que la mère, Jo-Ann, est morte d'une leucémie lymphoblastique aiguë. M. Jones reste seul pour élever cinq enfants, tous âgés de deux à neuf ans. Ils vivent à quatre cents mètres de la rivière, et Jo-Ann est la septième personne de Caddo Valley à qui on ait diagnostiqué une leucémie. Ce qui donne à la ville un taux de cancers cinq cents fois supérieur à la moyenne nationale.

J'examine le détail de la plainte, assise au quarante-cinquième étage d'une tour située en plein New York. Mon bureau est un vaste box tout en acier brillant et en verre, un perchoir en surplomb, avec vue sur le quadrillage qui organise le chaos de la ville. Mon seul point commun avec les Jones, c'est que ma mère aussi est morte d'un cancer. Tout d'un coup, ça ne semble pas un si gros point commun.

Une vague de honte me submerge quand je prends conscience que c'est ça mon boulot. Ce pour quoi l'on me paie. On me donne un chèque tous les quinze jours, plus un plan d'épargne retraite et une sécurité sociale (qui me couvre au cas où *moi* j'aurais un cancer) ; en contrepartie, je vais passer la soirée et les six mois à venir à faire en sorte que Synergon n'ait pas à redistribuer une infime portion de sa fortune à cinquante familles qui ont besoin de cette aide et la méritent. Chaque jour, aux urgences, Andrew ramène doucement des gens à la vie, il fait que *le monde tourne mieux*, je me demande ce qu'il penserait de cette affaire, puis le chasse de mon esprit. Ensuite, une fraction de seconde, je me demande ce que ma mère dirait, ma mère dont les cheveux tombaient mèche après mèche, dont on avait sectionné les seins, si elle savait quelle adulte je suis devenue. Je ne veux pas le savoir. Non, je préfère cliquer sur le site de la Ligue contre le cancer et faire un don de cent dollars, une toute petite pénitence, rien comparé aux cinquante millions en jeu dans le procès.

Après quoi je me mets à préparer les innombrables requêtes de documents réclamées par Carl, sans penser à rien d'autre. Je ne lève les yeux qu'une fois ma fenêtre obscurcie et la nuit tombée sur Manhattan. Le seul bruit audible, le bêlement régulier des sirènes au loin, est apaisant, une berceuse new-yorkaise.

Pas une fois il ne me vient à l'idée de démissionner.

3.

Chez moi, je retrouve une pile de linge sale au milieu de l'appartement. Sa hauteur prodigieuse fait passer le seuil d'alerte du jaune (élevé) à l'orange (critique) : aucun sous-vêtement propre à mettre pour demain. Je décide d'entrer en rébellion contre la dictature de la culotte : personne ne viendra regarder sous ma jupe au bureau. Fût-ce le cas, on n'aura que ce que l'on mérite.

Le voyant de mon répondeur clignote deux petits coups : Cling. Cling-cling. Cling. Cling-cling. En langage répondeur, cela signifie qu'on a deux messages.

— Salut, Emily, c'est ton père. Je voulais juste prendre des nouvelles. Clic.

— Salut, Em... (Les murs de mon appartement renvoient la voix de Jess : elle me rappelle que j'habite un carré parfait.) J'espère que tu tiens le coup après l'histoire Andrew. On dit vendredi soir. Toi et moi. Au *Merc Bar*. On sort. Je ne tolérerai aucun refus.

Je dois ma rencontre avec Jess aux hasards de l'attribution des chambres en première année, à Brown College ; de camarade d'études, elle s'est métamorphosée en sœur siamoise/boule de cristal/mère juive/spécialiste en développement personnel/et personnalité codépendante. J'ai envie de la rappeler, mais je sais qu'elle doit déjà être couchée. Tous les soirs de semaine, Jess va se coucher à vingt-deux heures quarante-trois, seul vestige des TOC contre lesquels elle a dû lutter enfant.

Alors j'attrape le téléphone et me rabats sur mon père qui, contrairement à Jess et à d'autres d'ailleurs, ne croit pas aux vertus du sommeil.

— Lieutenant gouverneur Haxby.

Voilà ce que répond mon père quand il décroche, comme si toute personne appelant sur son portable à une heure du matin ne le savait pas déjà qu'il est lieutenant gouverneur du Connecticut. Ou en avait encore quelque chose à faire. Je me demande si c'était une bonne idée de lui téléphoner finalement. Je me demande si je n'aurais pas dû continuer notre interminable partie de cache-cache téléphonique. Parler à mon père a cet effet secondaire fâcheux de me faire me sentir très seule au monde.

— Salut, papa. C'est Emily. Comment vas-tu ?

— Bien, ma chérie. Bien. Je garde la forme. J'ai couru neuf kilomètres ce matin. À cinq heures.

— Ouah ! fais-je, comme s'il ne me le disait pas à chaque coup de fil.

À mon avis, il doit s'agir d'une forme de critique passive à mon égard : il sait que je n'ai pas – que je n'ai jamais – fait la même chose.

— Oui, c'est important de se tenir en forme. Tu devrais essayer un jour. À Central Park, peut-être.

— Papa, j'habite Greenwich Village.

— Ah. Dans ce cas, tu pourrais peut-être courir jusqu'au parc. Au fait, il faudra que je vienne voir ton nouvel appart un de ces jours.

— Il n'est pas si nouveau. Il y a plus d'un an que j'y habite.

— C'est vrai, c'est vrai. Alors, sur quelle affaire la superstar des avocates est-elle en ce moment ?

Je raconte Synergon à mon père, surtout parce que parler de mon travail nous facilite les choses. Mais, tout en lui décrivant ce qui se passe à Caddo Valley, sans doute pour la première fois de ma vie, j'ai peur de lui donner une bonne raison d'avoir honte de moi. Après tout, il est commis de l'État.

— Ouah, ma fille ! C'est bien d'avoir des relations chez Synergon. Tu ferais bien d'y consacrer du temps. Voilà le genre de chose qui peut faire ta carrière.

— Mais, papa, je défends Synergon. Je veux dire... d'accord, il n'y a pas de preuves, mais tout de même.

— Les affaires sont les affaires, Em. Tu le sais. Et ça ne fait jamais de mal d'avoir des amis haut placés.

J'attendais une autre réaction de mon père, je m'en rends compte : j'avais envie qu'il crie, me donne tort, me dise que mon travail rend ce monde pire qu'il n'est. J'avais envie qu'on se dispute là-dessus ; franchement, c'est ridicule. Mon père et moi ne nous sommes jamais disputés. Juste parce que c'est le genre de chose que ne fait pas mon père. Pour lui, se disputer est mesquin, rebutant, c'est bon pour les enfants.

Mon père a cet aspect papier glacé propre aux hommes politiques : le brillant, le charme, l'air beau garçon et les tempes grisonnantes. Quand il vous serre la main, il y met les deux siennes, histoire de bien vous montrer à quel point il est enchanté de faire votre connaissance. Il vous regarde droit dans les yeux aussi, comme pour dire : *Je m'intéresse à vous.* Pourtant, j'ignore ce qu'il y a sous tout ce vernis. Il ne me l'a jamais montré.

La vérité, c'est que j'aime mon père, mais qu'il ne me plaît pas particulièrement. Et s'il ne me plaît pas particulièrement, c'est que je ne suis pas sûre de lui plaire non plus.

Après la mort de ma mère, il n'y avait plus que nous deux dans la maison, un créneau qu'on aurait pu saisir pour, au moins, essayer de communiquer. On aurait pu crier, pleurer, dire tout un tas de choses impardonnables en temps normal. On aurait pu sangloter ensemble et comprendre qu'on avait perdu l'un de nos très rares liens. On aurait pu avoir des fous rires hystériques, de ceux que j'ai eus en douce avec mes copines après la veillée funèbre, ceux qui disent *même pas mal, même pas mal, même pas mal.*

Au lieu de quoi, ma mère est morte un jeudi après-midi et, le lundi matin, j'étais de retour à l'école. On ne m'a pas donné le choix de rester à la maison. Chacun de notre côté, nous nous sommes débrouillés pour manger, séparément, et avons vaqué à nos occupations habituelles. Comme si on avait toujours vécu comme ça, comme si rien n'avait changé, comme si on n'avait pas tout d'un coup l'impression de marcher sur trois pattes.

Je sais que mon père pleurait, tard dans la nuit. Quand j'étais couchée dans la chambre à côté, j'entendais son chagrin prendre la forme de respirations rapides, étranglées, et ses sanglots étouffés dans son oreiller faisaient écho aux miens, mais je n'ai pas frappé à sa porte, et il n'a pas frappé à la mienne. L'idée m'en est venue, bien sûr. Il m'est arrivé de rester devant sa porte, immobile, incapable de lever le bras, incapable d'effleurer le bois de mes phalanges. Je ne sais trop ce qui rendait nos portes si infranchissables. Peut-être nous sentions-nous un droit de propriété sur notre chagrin, peut-être avions-nous peur, en le partageant, de perdre le peu qui nous restait d'elle. Mais, si nous ne trouvions plus la force de consoler l'autre dans les profondeurs terrifiantes de la nuit, c'est sans doute aussi parce que nous avions épuisé toute notre énergie dans la journée, à encore et toujours faire semblant d'aller bien.

— Papa, il faut que je te laisse, lui dis-je. Il me reste du boulot pour ce soir.

Pieux mensonge numéro un.

— OK. Passe le bonjour à Andrew de ma part.

— Ça marche.

Pieux mensonge numéro deux. Je ne suis pas prête à lui dire qu'on a rompu. Tout comme mon travail, mes amours sont source de satisfaction pour mon père : ils signifient que mon bonheur n'est plus de son ressort. J'ai ma part de complicité dans l'affaire. Au fil des ans, j'ai religieusement respecté notre règle unique et tacite : me débrouiller seule, chaque fois que possible. Être veuf est déjà assez dur sans que s'y ajoute le fardeau de devoir paterner.

— Au fait, je vais passer voir papi Jack dimanche. Tu veux m'accompagner ?

— Je peux pas, Em. Tu sais ce que c'est. Dis à mon père que j'ai trop à faire. J'ai un boulot dingue au bureau.

— Ça marche.

Pieux mensonge numéro trois. Jamais je ne ferais l'affront à mon grand-père de lui servir l'excuse favorite de mon père.

— Continue à faire du bon boulot, ma fille, me dit ce dernier avant que la tonalité du téléphone ne se substitue au son de sa voix.

Je me traîne sous les couvertures, exténuée, et jette un œil vers mon appui de fenêtre, vide, à l'exception de quelques photos. Andrew et moi à mon dernier repas d'anniversaire, des bougies jettent une lueur inquiétante sous mon menton, on dirait mon visage éclairé de l'intérieur. Jess et moi au mariage de sa sœur, l'une et l'autre en taffetas violet et maquillage coulé. Et une petite photo de ma famille : nous posons tous les trois sur les marches de notre maison, dans le Connecticut. Vêtue d'une salopette courte en jean, je lève fièrement ma boîte à goûter Wonder Woman vers l'objectif. C'est mon premier jour de maternelle, et j'ai l'air intrépide. La seule chose qui me fasse tenir en place, c'est la seconde pendant laquelle je dois attendre le déclic de l'appareil.

Ce soir, je laisse la lumière allumée dans la salle de bains et vérifie deux fois le verrou de la porte d'entrée. Je m'installe à nouveau au milieu du lit et bats encore des bras et des jambes dans les draps. L'exercice reste infructueux : quand j'ai fini de remuer dans tous les sens, je me retrouve pile là où j'ai commencé.

4.

— Alors, *comment vas-tu* ? me demande Jess lorsque je la rappelle le lendemain matin.

Sa façon de peser sur les mots donne l'impression qu'il vient d'y avoir un mort.

— Je vais bien.

— Je me fais du souci pour toi.

Je l'imagine au bout de la ligne, assise dans son box aux cloisons rose vif. Je parie qu'elle enroule le fil du téléphone autour de ses doigts pour produire des formes animales compliquées, comme du temps de nos études. Ses cartes de visite ont beau la dire graphiste, Jess est payée pour gribouiller sur un ordinateur.

— Inutile de te faire du souci. Je vais bien. C'est moi qui ai cassé, n'oublie pas. C'était ma décision.

— C'est bien ce qui m'inquiète.

— Jess...

— Non, sérieux, c'est vrai. J'y ai beaucoup réfléchi. Tu es sans doute la meilleure personne que je connaisse, tu n'aurais jamais fait de mal à Andrew sans y être absolument obligée. J'essaie juste de trouver une logique à tout ça. Vous aviez l'air si bien ensemble.

— Jess, c'est pas pour botter en touche, mais on ne pourrait pas en reparler plus tard ? Je suis au bureau.

La première fois que j'ai appelé Jess pour lui dire qu'on avait rompu, Andrew et moi, j'espérais naïvement qu'elle suivrait cette règle universelle en cas de rupture qui consiste à casser du sucre sur le dos de l'ex. J'avais envie de l'entendre me dire : « J'ai jamais aimé ce type », ou bien « Je l'ai toujours trouvé louche, mais je voulais pas la ramener ». Au lieu de quoi, les réactions de Jess ont été : (a) « Je croyais qu'il était ce qui t'était arrivé de mieux », (b) « Parfait, si tu ne veux pas l'épouser, moi je le fais ». Et (c), ma préférée : « Bordel de merde, t'as perdu la tête ou quoi ? »

— OK, dit-elle. Si je lâche l'affaire, c'est juste parce qu'il est pas midi et que t'as pas encore pris ton café, je parie. Mais, vendredi soir, on sort, ajoute-t-elle d'une voix qui n'est pas abrutie par le travail, contrairement à la mienne.

Le bureau où travaille Jess a l'énergie contagieuse des start-up de l'Internet. Puissant effet d'une combinaison mêlant mobilier moderne, machine à café high-tech, billard électrique et équipe composée exclusivement de porteurs de lunettes à montures branchées.

— Pas de problème.

À l'heure qu'il est, je voudrais être dans ce bureau, en jean, avec une boisson énergisante à la main. D'accord, ce serait troquer un conformisme contre un autre, mais le sien est tout de même préférable. Dans son monde à elle, on encourage le port des tongs.

— Pas de problème ? répète-t-elle, sans pouvoir, ou vouloir, dissimuler sa surprise.

— Oui, bien sûr. Il me tarde d'être à vendredi.

— Sérieux ? Je m'apprêtais à te convaincre. J'avais un discours tout prêt. Tu veux l'entendre ?

— Pas vraiment.

— Tu es sûre ? Il est très motivant.

— Je suis déjà motivée, mais si tu veux que je joue la comédie, d'accord.

— Non, le discours ne sera plus aussi bon maintenant. Inutile de faire semblant avec moi.

— Sans plaisanter, je me ferais une joie de jouer la comédie. Tu t'attendais à quoi ? À me trouver trop désespérée pour sortir ? Ou trop débordée de boulot ?

— Trop débordée de boulot, bien sûr. Tu ne prendrais jamais l'option cœur brisé. C'est pas ton style.

— Oui, tu dois avoir raison.

— Em, tu n'es peut-être pas prête pour un Andrew.

— S'il te plaît, on arrête. Je ne vois même pas de quoi tu parles.

— Je peux juste te poser encore une question ? Juste une ?

— Bien sûr, dis-je.

— Tu vas vraiment bien ?

— Je crois. Je crois que j'ai fait ce qu'il fallait. Pour tout le monde. Je le crois vraiment.

— Si tu le dis.

Son ton est assez clair, elle ne me croit pas, mais, dans l'immédiat, elle n'a pas le temps d'approfondir. En fond sonore, elle parle à l'un de ses collègues :

— Il faut grossir les nichons, Mark veut voir un soupçon de téton. Ça donne l'air en bonne santé.

— Tu travailles sur quoi ?

Je pose la question, trop heureuse de pouvoir changer de sujet.

— Une étiquette de vitamines pour enfants.

5.

Pendant les jours qui suivent, je suis noyée dans le travail. Carl n'arrête pas de me charger de missions Synergon, des tâches interminables, abrutissantes, que je surmonte, l'une après l'autre. La monotonie et son lent ronflement cadencé laissent peu de place aux pensées, quelles qu'elles soient. Je passe vingt heures par jour dans mon bureau et ne quitte mon fauteuil que lorsque mes yeux fixent le vide et que j'ai des fourmis dans les pieds. Je prends tous mes repas dans cette cellule carrée – des repas qui tombent d'un distributeur automatique –, et je jonche des documents importants de miettes et de salissures. Dans un cabinet d'avocats, ces taches sont une distinction honorifique.

Je ne pense pas à Andrew. Non, je sens un espace vide, un bruit blanc à l'endroit où vivait tout ce qui se rattachait à lui. Mon appartement me fait le même effet : il y règne désormais une tranquillité écrasante. Les corn-flakes sont rangés dans le placard, la lunette des toilettes est baissée, il n'y a pas de bosse sur l'oreiller d'Andrew. Il faut dire que je n'ai guère été à la maison.

Je pars tôt le matin, quand les rues sont encore silencieuses, n'était le bruit des camions poubelles emportant les ordures. Les rares personnes qui partagent les rues avec moi à cette heure-là marchent tête baissée et col relevé. Nous avons tous des airs de coupables. Quand je sors du bureau, juste avant le lever du jour, je prends une voiture aux vitres teintées pour rentrer. Je regarde sans la voir la ville qui défile dans un brouillard noir. Je me mets au lit, trop hébétée pour remarquer l'absence d'Andrew, et dors à peine deux ou trois heures avant de tout recommencer depuis le début.

Une partie de moi trouve du plaisir à avoir des valises sous les yeux et un corps douloureux à force de manque d'exercice. Je me surprends à prononcer des phrases comme « Je vais facturer pas loin de trois cents heures ce mois-ci » ou « On dirait que je me prépare encore une nuit blanche », en croisant mes collègues dans le couloir sur le chemin des toilettes : à croire qu'elle est un motif de fierté, cette autoflagellation. J'aime les penser un peu admiratifs de mon *investissement*, mais sans trop d'illusions.

Je voudrais me persuader que ça m'amuse de jouer la grande avocate dans la grande ville, et de bosser nuit et jour, entre un téléphone qui sonne et une croûte de pizza de la veille. Je voudrais me persuader que j'adore cette vie caricaturale.

Mais ce serait mentir ; la vérité, c'est que je n'éprouve pas grand-chose. Juste une douleur sourde aux entournures.

— Prête ? fait Mason en frappant à ma porte.

Il jette un regard effaré dans la pièce. Mon bureau, d'ordinaire raisonnablement ordonné, ressemble à une scène de crime, on dirait que les tueurs ont vandalisé les lieux pour que le meurtre ait l'air accidentel. Je vois aussi qu'il note l'odeur de renfermé, celle du dîner d'hier et sans doute aussi celle de quelques jours sans douches, mais il est trop poli pour relever. Avec ses cheveux encore humides et bien peignés, il détonne.

— Prête à quoi ? dis-je.

— À déjeuner, répond Mason en rajustant ses manchettes, comme si mon chaos était contagieux.

— Oh, impossible. Désolée. Totalement oublié. Trop à faire. Je vais facturer pas loin de trois cents heures ce mois-ci.

À l'évidence, ce sont les seuls mots que j'arrive à assembler en une phrase complète.

— Boucle-la. On croirait entendre Carisse. Maintenant soulève ton adorable petit cul de cette chaise. On sort. Au fait, tu as la mine et le parfum du petit cadeau que Rambo m'a laissé hier soir.

Rambo n'est autre que le basset de Mason : cent pour cent bave et bajoues. Finalement, Mason n'est peut-être pas si poli.

— Je te remercie, dis-je.

— Viens. On va chez Charlie. Tu vas manger ce steak dont tu parles toujours.

Une main dans le creux de mes reins, il me guide jusqu'à la porte ; ses gestes sont comme ses inflexions, à la fois impérieux et nonchalants. Mason est texan, et bien qu'il ait passé ces dix dernières années chez les Yankees, au nord de la ligne Mason-Dixon, il n'a pas abandonné les lentes et sensuelles intonations sudistes. La première fois qu'il m'a appelée « chéééérie », j'ai fondu ; maintenant je n'y prête plus trop attention. Encore qu'il m'arrive de regarder Mason et ses mains gigantesques en me disant qu'il est *le dernier cow-boy de New York.*

Je le suis hors du bureau ; il m'entraîne à la lumière éblouissante du jour, avant, Dieu merci, de me ramener dans l'obscurité. Chez Charlie, il y a des box en cuir couleur chocolat, des murs lambrissés et des serveurs en gilets de feutre vert. Tout y crie : *Ici, les hommes mangent de la viande.* Et tout m'enchante : les petits groupes d'hommes d'affaires aux manches retroussées en train d'attaquer leurs côtes de bœuf, la généreuse quantité d'olives accompagnant un Martini, et Charlie en personne, debout derrière le bar, qui accueille certains clients en les appelant par leur nom.

Mason s'installe face à moi et se laisse tomber dans le box de tout son poids. Il aime occuper l'espace et s'étale sur toute la longueur de la banquette. Je crois que c'est sa manière à lui d'exprimer sa virilité, ce minutieux déploiement de bras et de jambes longs et musclés.

— J'ai appris que tu bossais sur Synergon, dit-il. Toutes mes condoléances.

— Ce n'est pas si terrible.

— OK. Qu'est-ce qui t'arrive en ce moment ? D'habitude, je dois te virer de mon bureau pour pouvoir travailler un peu, et voilà que, soudain, tu te mets à bosser comme une damnée.

— Oui, ben, tu sais ce que c'est que travailler pour Carl. Je ne manque pas d'ouvrage.

Je me demande si je dois lui parler de ma rupture avec Andrew. J'ai l'impression que le fait de formuler la chose, surtout à lui, la rendra plus réelle, plus officielle. J'ai toujours eu le sentiment qu'il n'aimait pas Andrew, mais lui dire maintenant me fait un peu l'effet d'une trahison.

Je m'exerce mentalement. *Andrew et moi, on a cassé. J'ai cassé avec Andrew.* Ces comptes rendus pèchent par imprécision. Ils manquent d'exactitude. *La vérité, c'est que j'ai cassé Andrew et moi. Je nous ai cassés.*

— J'ai cassé avec Andrew, dis-je enfin.

— Je vois, répond Mason sur le ton de quelqu'un qui a besoin de quelques secondes pour réfléchir à ce qu'il va dire. (Contrairement à mes autres amis, il ne me bombarde ni de regrets ni de témoignages de compassion.) Que s'est-il passé ?

— Il allait me demander en mariage.

Mason hoche la tête comme s'il n'y avait rien de plus à ajouter. Comme si, me connaissant, c'était parfaitement logique. Comme si je n'étais pas folle. Autre hypothèse : il manifeste juste un empressement très masculin à ne pas parler de ces choses-là.

— On va commander, dit-il en faisant signe à l'un des serveurs – pour l'instant du moins, le débat semble clos. Je vais prendre un double cheeseburger au bacon, avec des beignets d'oignons. Et pour madame, ce sera trois cent cinquante grammes de steak dans le filet. Et rajoutez-lui une portion de frites, il lui faut bien ça, conclut-il d'une voix traînante en levant un sourire vers le garçon. Elle vient de briser le cœur d'un malheureux.

Il ne sera plus question d'Andrew pendant le déjeuner. En revanche, nous parlons de tout le reste. Du boulot, de Carl, de Rambo. Nous parlons de Laurel, l'actuelle petite amie de Mason, qui a fait faire un double de ses clefs sans lui poser la question. À la fin du repas, je suis rassasiée de conversation autant que de steak. Quand nous sortons de *Chez Charlie* pour retrouver la lumière, le soleil aussi me fait du bien, j'apprécie sa chaleur sur mes paupières.

Je me sens presque normale.

La puanteur qui règne dans mon bureau me saisit à peine y ai-je posé le pied. Je me jure de rentrer de bonne heure ce soir, d'avoir une bonne nuit de sommeil et, peut-être, de prendre un long bain afin d'éliminer toute odeur résiduelle. Cette seule idée me rafraîchit, jusqu'à ce que je découvre Carisse, debout devant ma table. Elle ressemble à ces figurines à grosses têtes branlantes – le crâne de Cro-Magnon posé sur des pattes d'échassier. Elle va droit au but. Toutes dents dehors.

— Andrew a cassé avec toi, paraît-il. C'est nul. Il était supermignon.

Qui dit encore « supermignon » passé la classe de troisième ? J'envisage un instant de rectifier, de préciser qu'en fait, c'est moi qui ai cassé, mais, je m'en aperçois avec joie, je me fiche de ce qu'elle pense.

— Tu devrais peut-être ranger ça maintenant, ajoute-t-elle.

Carisse frappe là où ça fait mal, le doigt braqué sur cette photo d'Andrew et moi que je garde sur mon bureau. Nous sommes épaule contre épaule, main dans la main et couverts de boue après nos quelques jours de camping dans le New Hampshire, l'été dernier. Je n'avais encore rien décidé pour cette photo. Je ne sais pourquoi, mais la cacher dans un tiroir me semblait mal. Un peu comme si j'avais éliminé une preuve qui pouvait le disculper.

— Oui, j'imagine, dis-je.

Je dois avoir l'air triste parce qu'elle me gratifie d'un petit sourire affecté, le genre de sourire qu'elle aurait si elle marquait un point contre moi au tennis. Ses lèvres maigres affichent une moue assez semblable à celle du méchant dans les dessins animés ; si je lui flanque une claque derrière la tête, est-ce que sa figure restera comme ça ?

Elle attend un peu, comme si nous étions amies et qu'elle espérait une confidence. Quand il devient évident que je ne vais pas me confier, elle lâche un énorme dossier sur mon bureau. Qu'est-ce qu'elle croyait ? Qu'on allait se parler à cœur ouvert ? Que j'allais pleurer sur son épaule ? Si je le faisais, elle reprendrait son dossier ?

— Carl veut que tu rédiges une requête de présentation de preuves et que tu m'envoies la première ébauche. Tous les éléments sont là.

Elle entame sa sortie en tirant sur l'ourlet d'une jupe fourreau grise à laquelle il manque au moins dix centimètres pour être portable au bureau – l'inverse de ses talons. Elle s'arrête et jette un œil derrière elle, comme si elle venait brusquement de penser à quelque chose.

— Il me la faut pour demain matin neuf heures.

Jeu, set et match.

Carisse est partie, mais son infect parfum demeure. Je consulte le dossier et m'aperçois qu'elle m'a laissé à peu près quatorze heures de travail.

Je bâcle le boulot. Nous déposons cette requête à seule fin de contraindre la partie adverse à débourser des frais de justice inutiles – ça ne me semble pas une raison suffisante pour perdre encore une nuit de sommeil. Pourtant, même en écrivant le plus vite possible, je ne finis que longtemps après minuit.

Avant de quitter le bureau, je programme le mail et la pièce jointe pour qu'ils parviennent à Carisse à quatre heures et demie du matin. Ça lui apprendra à se vanter de dormir avec son Blackberry sous l'oreiller. J'imagine son réveil en sursaut à la réception du mail. Le signal sonore la fera baver comme le chien de Pavlov.

Au moins, on a entamé une nouvelle partie. Quinze A.

6.

— Oui, je porte du blanc après la fête du Travail et je m'en fiche[1]. Passe-moi les menottes, qu'on en finisse, annonce Jess le vendredi soir tout en me tendant ses deux mains, en guise de bonjour.

Elle franchit la porte de mon appartement en pantalon moulant et cache-cœur blancs, sans oublier le ruban jaune noué autour du cou. Une tenue que seules peuvent se permettre deux ou trois personnes en Amérique. Jess se trouve être l'une d'elles.

— De toute façon, fait-elle, d'après *Vogue*, c'est tout à fait permis de nos jours.

— Depuis quand tu lis *Vogue* ?

— Je ne le lis pas. Je viens d'inventer. Tu m'as crue ?

— Non, dis-je en souriant.

Jess ne suivrait jamais *Vogue*. Il ne lui viendrait jamais à l'idée de regarder des photos pour pouvoir se fringuer comme les autres. Quant à moi, je m'habille afin de me fondre dans la foule.

— Bien, jeune fille. Laisse-moi te regarder.

Jess me tracte vers le miroir en pied. Attrapant ma trousse de maquillage, elle entreprend de me peindre le visage et fait des ajouts considérables aux rares traces posées par mes soins.

1. Aux États-Unis, l'usage veut qu'on ne porte plus de vêtements blancs après la fête du Travail. *(N.d.T.)*

Comme le même numéro se reproduit depuis des années, Jess connaît mes limites, quelle dose de couleur je vais supporter, quelle dose de maquillage me fait intérieurement basculer de la séduction au pathétique, et elle ne dépasse pas les bornes.

Nous avons mis au point une division des tâches. Elle est ma styliste et décoratrice d'intérieur personnelle. Je suis son conseiller fiscal.

Jess sort de son sac une baguette magique, et des petits points viennent scintiller au-dessus de mes yeux. J'ai tout de suite l'air plus réveillé. Avant de sortir, nous nous plaçons côte à côte face au miroir et prenons plaisir à nous voir physiquement aux antipodes l'une de l'autre. Elle est grande et anguleuse, avec des arêtes aux coudes et aux genoux. Mes contours à moi sont plus ronds, plus courbes ; mes os ont un rembourrage confortable. Elle a des cheveux blonds, presque blancs, plaqués sur le crâne, et une coupe dont l'irrégularité dit assez qu'elle se la fait toute seule. Mes cheveux à moi sont longs et ondulés, et d'un noir si profond que leur couleur vire sur les photos. Quand nous entrons ensemble dans un bar, tout de suite les hommes se retournent pour mieux la regarder. Moi, en général, on ne me repère pas dans une foule. Parfois, on me remarque, avec le temps on me *reconnaît*. Je m'en fiche, vraiment. Les hommes qui s'intéressent à une femme comme Jess ne risquent pas de s'intéresser à moi, et vice versa. À tous égards, nous ne sommes pas de la même race.

En nous préparant, nous buvons deux verres d'un vin à bon marché, ce qui fait que, une fois dehors, je me sens plus légère. Jess passe un bras sous mon coude, et nous nous enfonçons dans la ville en chaloupant sur nos talons. Un moment, on se croirait revenues au temps de la fac, toutes deux en proie aux gloussements de rire et à l'optimisme. Un véritable spectacle, mais indifférent à ses éventuels spectateurs.

— Tu as parlé à Andrew ? me demande Jess, et ma légèreté flanche.

— Non. Et il ne risque pas de m'appeler.

Je hausse les épaules d'un air d'impuissance. Pas l'air de

quelqu'un dont on vient de percer la bulle d'un coup de talon.

— Tu devrais peut-être l'appeler.

— Nooon. Pour dire quoi ?

— Je sais pas. Il te manque, pas vrai ?

— J'en sais rien. J'ai été beaucoup trop débordée cette semaine pour me poser la question.

— Pourquoi tu continues à te faire ça ?

Jess s'arrête pour se tourner vers moi et me dévisager, là sur le trottoir.

— Me faire quoi ?

— Tu es ta pire ennemie. On dirait que tu prends plaisir à te faire du mal.

Elle secoue la tête en me regardant, comme si j'étais drôle à force d'être incorrigible, incorrigible comme ces vieux bonshommes qui racontent des histoires cochonnes.

— C'est faux, lui dis-je. C'est juste que ç'aurait été mal, Jess. Je ne pouvais pas l'épouser. Je ne pouvais tout simplement pas.

Ma lèvre inférieure se met à trembler. J'enfonce mes doigts dans les paumes de mes mains, et la menace des larmes s'estompe.

— Oh, Emily, fait Jess en m'attirant vers elle pour me prendre dans ses bras. (Employer mon prénom en entier est une fausse note ; et puis je lui arrive à la clavicule, sa taille est un affront.) Comment peux-tu être la personne la plus marrante que je connaisse et aussi la plus malheureuse ? Ça ne t'épuise pas ?

Ne sachant pas quoi répondre à cela, je ne réponds rien. J'ai envie d'aplanir les choses avec une plaisanterie, une allusion au lapin à piles de la pub peut-être, mais ça ne ferait qu'apporter de l'eau à son moulin. Alors, c'est en silence que nous parcourons le reste du chemin. Je n'arrête pas de me dire que j'aurais dû rester chez moi et louer un DVD. Et me masturber devant la mini-série d'*Orgueil et Préjugés* peut-être. Elle dure plus de six heures.

Ç'aurait été moins fatigant.

Le bar est rempli d'étudiants auxquels viennent se greffer quelques rares, et très récents, ex-étudiants. Les filles arborent des mini-T-shirts ornés d'images enfantines – Mickey Mouse, le S de Superman, les Schtroumpfs – au-dessus du piercing de leur nombril. Pour le bas, elles portent des jupes en jean coupées court dont les fils pendouillent. Les garçons ont des chemises noires ajustées, avec les deux premiers boutons ouverts. L'air empeste le gel coiffant.

— C'est une impression, ou tout le monde ici a une douzaine d'années ? fait Jess, et je m'étonne qu'elle aussi ait remarqué.

— J'ai envie de prendre un cocktail Shirley Temple pour être dans le coup.

Elle se faufile jusqu'au bar et nous commande deux vodkas tonic, que nous sifflons en une demi-minute.

— Tequila ? me demande-t-elle.

Trois verres plus tard, le bar ne me fait plus du tout le même effet. Je me dis : *Ça, ça me manque. Le fait de ne jamais savoir quand je vais rencontrer quelqu'un qui va changer ma vie.* New York, qui palpite inlassablement de tous les possibles, peut être un endroit dangereux pour qui a trop d'imagination : chaque individu croisé est un itinéraire éventuel vers un autre avenir. Le gars avec des baskets vertes à l'épicerie, qui réclame des œufs de poules élevées en plein air, l'homme en costume-cravate qui vous effleure le dos quand le métro démarre, cet autre avec des favoris et une barbe de plusieurs jours, en train de lire une revue littéraire chez un libraire d'occasion. Autant de styles de vie à l'état d'archétypes, peut-être, mais aussi autant de renaissances possibles, comme si on recommençait tout depuis la première année de fac.

Mais un coup d'œil jeté aux hommes réunis par petits groupes près du comptoir me fait vite changer d'avis. Ils ont tous l'air de petits garçons, avec leurs cheveux hérissés et leurs yeux clairs. Je me sens trop habillée et pas à ma place. *Qu'est-ce que je fous là ?*

Ça m'arrive souvent, le moment n'est jamais tout à fait à la hauteur de ce que j'en attendais. Reste au moins à espérer que plus tard, beaucoup plus tard, ma mémoire, tel un historien révisionniste, retouchera cette soirée pour en effacer les angoisses existentielles. Je me souviendrai d'avoir ri et de m'être saoulée avec Jess ; je ne me souviendrai pas d'avoir eu envie de rentrer.

Il y a des années, avant notre premier séjour à Paris, Jess et moi avons passé des mois dans un état d'excitation avancé, à apprendre par cœur les guides touristiques et à cultiver un français inexistant. Je me souviens qu'au bout de deux jours de vacances, nous pique-niquions d'un sandwich baguette-fromage sur la pelouse d'une énième église, avec l'impression de paraître très adultes, alors que nous n'avions pas vingt ans.

On était assises là, à vanter les mérites d'un fromage amer, quand j'ai ressenti le pinçon familier de la déception. *C'est donc ça que j'attends depuis une éternité ? Est-ce que je ne devrais pas éprouver autre chose ?* Plus tard, je dansais avec un beau Français dans une boîte de nuit, je savais que j'avais l'air insouciante, que je devais savourer ma jeunesse, pourtant j'ai encore eu besoin de répéter dans ma tête, comme un mantra : *je m'amuse, je m'amuse, je m'amuse.* Certes, fourrer ma langue dans sa bouche a un peu mis les voix en sourdine. Mais il a fallu des mois pour que, dans mon souvenir, ces vacances deviennent idylliques et pour plaisanter sur ma conquête française qui, comme de juste, s'appelait Jacques. Le voyage fut rentabilisé par le plaisir que j'en tirais après coup.

À présent, je jette un œil à Jess, elle bavarde avec un type qui a un seul sourcil. Il ressemble à Frida Kahlo. Je tapote l'épaule de mon amie pour lui dire que je sors passer un petit coup de fil. Elle m'attrape le poignet. Fort.

— T'appelles Andrew ?

— Non.

— Ne fais pas ça. Si tu dois l'appeler, attends d'avoir dessoûlé. Fais-moi confiance. Demain, tu me remercieras, dit-elle, comme si elle faisait autorité sur les dangers du téléphone en état d'ivresse.

— J'appelais juste pour dire bonjour.

— Donne-moi ce téléphone.

Je le lui tends. Bien que maigre, Jess est plus forte que moi et pourrait me flanquer une raclée. Elle coupe mon portable et me le rend. Je dois être vraiment très saoule parce que l'affaire me semble close.

Quatre heures et un nombre incalculable de verres plus tard, assises sur des tabourets, Jess et moi discutons avec Frida et l'ami de Frida. L'ironie de la chose, c'est que Frida est peintre. L'ami de Frida, dont je ne sais ou ne me rappelle pas le nom, dit qu'il est chef d'entreprise, mais quand je lui demande dans quelle branche, il me fixe d'un air absent. Je passe une bonne partie de la conversation à contempler ses sourcils qui, contrairement à la moustache frontale de Frida, ont été dessinés et récemment épilés à la cire par un professionnel. Des équerres parfaites.

Quand le bar commence à tourner et que j'en ai assez de m'interroger sur les mérites comparés de l'excès ou de l'absence de toilettage, il est temps de rentrer. Jess, qui a la plus grosse libido de ma connaissance – elle se targue d'être une « féministe pro-sexe », attitude que je soupçonne fondée moins sur la philosophie que sur le plaisir –, reste, vraisemblablement pour poursuivre Frida de ses assiduités. J'admire son approche si simple du sexe. Une bonne dose de sa nonchalance ne me ferait pas de mal.

Je rentre seule et salue Robert à la porte de l'immeuble. Tandis que je titube vers l'ascenseur, il me crie de boire deux ou trois verres d'eau avant de me coucher. Après quelques vaines tentatives, je finis par introduire la clef dans la serrure et zigzague en direction de la salle de bains.

Accroupie sur le sol, la tête contre le siège des toilettes, heureuse de sentir sa fraîcheur contre ma joue, je ne bouge plus jusqu'à ce que le soleil, pénétrant par ma fenêtre, annonce le matin.

De toute la semaine, je n'ai si bien dormi.

7.

J'ai mal partout. Impossible de traverser la pièce sans succomber au roulis. Je jette un œil à la pendule, mais remue la tête trop rapidement et provoque un nouvel assaut nauséeux. Je suis censée retrouver mon grand-père à dix heures à Riverdale. Il est huit heures cinquante-cinq, et je dois prendre le train de neuf heures quinze. Ce qui signifie que j'aurais dû partir pour la gare de Grand Central il y a dix minutes. Merde. L'idée me vient d'annuler, mais je suis incapable de faire ça à mon papi Jack. À n'importe qui, oui, peut-être, mais pas à mon papi Jack. Lui, il est toujours venu pour moi.

Je m'arrache au sol, me brosse les dents et me gargarise avec un bain de bouche. Mieux vaut ne pas se pointer dans sa maison de retraite avec des relents de tequila. Trop pressée pour prendre une douche, je me tapote les dessous de bras avec une lingette désincrustante. Ça pique. J'attrape un T-shirt et un jean miteux dans la tour de linge sale, jette mon sac sur mon épaule, sors en courant, dévale à pied les six étages – pas le temps d'attendre l'ascenseur – et me retrouve dans la rue. Pas de concours d'hygiène aujourd'hui. Un rapide regard à ma montre fait s'évanouir tout rêve de café. Je pique un sprint désordonné vers le métro et envisage l'éventualité suivante : je suis encore saoule. J'arrive sur le quai juste au moment où la rame démarre. Re-merde.

J'attends la suivante au moins six minutes. *Je ne peux pas manquer le train pour Riverdale,* voilà ce que je me marmonne à moi-même, peut-être à voix haute. Oui, c'est sûr, à voix haute. Je suis encore saoule. Putain. Les autres passagers s'éloignent de moi, comme si mon genre de maladie mentale s'attrapait. J'ai envie de leur dire de ne pas avoir peur, que j'ai juste bu, mais je m'aperçois que ça ne va sans doute rien arranger, car il est seulement neuf heures du mat. Alors je plonge la tête dans mes mains et gémis doucement. Les secousses du wagon accentuent ma gueule de bois.

— Emily ? fait une voix désincarnée au-dessus de moi.

Je vois des chaussures noires cirées de frais, mais ne lève pas la tête. *Ça ne peut pas arriver. Je dois rêver. Je vous en prie, mon Dieu, dites-moi que ce n'est pas ça.* Si je garde la tête basse, si je fais semblant de ne pas l'entendre, peut-être qu'Andrew va s'éloigner. Je ferme très fort les yeux, en espérant que ça va le faire disparaître. Ça ne marche pas. Il est toujours là quand je les rouvre. Des chaussures noires cirées de frais.

C'est vraiment en train d'arriver.

— Salut, dis-je.

Il me regarde d'un air curieux, et je sais, à sa manière de rentrer le cou dans les épaules, qu'il se retient pour ne pas rire. Je baisse les yeux et me rends compte que je porte son vieux T-shirt de l'équipe de natation du MIT, celui qu'il m'avait promis de jeter. Les mots « Rasez-vous le castor » barrent ma poitrine de leurs lettres noires. Si, en entendant pour la première fois l'histoire du T-shirt, je l'ai trouvée relativement drôle – le castor est la mascotte de l'école, l'équipe se rase les jambes pour nager plus vite, on comprend la suite –, aujourd'hui elle ne m'amuse plus du tout. Le seul avantage dans le fait d'être saoule, c'est que je n'éprouve pas toute la profondeur de mon humiliation.

— Tu as besoin d'aide ?

Je suis sûre qu'il est ravi, je ne l'en blâme pas.

— Merde, dis-je tout haut, alors que je voulais juste le penser. Merde. – Je le répète tout haut, cette fois parce que je l'ai dit alors que je voulais juste le penser. *Ressaisis-toi, Emily.* – Salut. Désolée. Pas dessoûlé d'hier soir.

— Je vois ça.

— Tequila. Vais voir papi Jack. À la bourre. Je garde la tête baissée pour éviter les remous.

— Tu es sortie avec Jess, pas vrai ?

Jess a la triste réputation de me ramener anéantie de nos sorties. Elle trouve sain, apparemment, de perdre de temps à autre le contrôle de ses fonctions corporelles. Pour elle, vomir est signe qu'on a passé une bonne soirée.

— Ouais. Bu des coups. Et le T-shirt, à cause du retard.

Mes lèvres continuent de me trahir. Dans ma tête, les phrases sont claires, mais elles refusent de se traduire par des mots. Andrew s'assoit près de moi, il commence à avoir l'air inquiet.

— Tu es sûre que ça va ?

— Très bien, juste à la bourre. Et un peu barbouillée.

La voix électronique annonce la gare de Grand Central.

— C'est ma station, dis-je, fière de former une phrase entière et soulagée de pouvoir m'échapper.

Chose surprenante, Andrew se lève et descend de la rame avec moi. Il gravit les deux escaliers en me tenant le coude parce que je vacille. On arrive dans le hall principal, qui semble étrangement vide et presque intime dans son immensité ; on dirait que les constellations peintes au plafond flottent plus bas que d'habitude. L'endroit est assez désert pour qu'on entende le tic-tac de la grosse horloge ; j'imagine qu'elle doit symboliser quelque chose, seulement, dans mon état, impossible de dire quoi.

Je sens Andrew près de moi, j'ai des frissons dans le bras, la chaleur monte. Je pense : *Arrête. C'est pas le moment.* Soudain, les frissons m'angoissent, ils me rappellent les secousses du métro, il n'est pas exclu que je dégobille sur les chaussures d'Andrew. Je cale ma respiration sur les tic-tac – inspire sur le tic, expire sur le tac – et, Dieu merci, la nausée passe.

— Tu n'es en état d'aller nulle part, fait Andrew.

Je dirais bien un truc juvénile et finaud, du style *t'es pas mon boss* ou *tu te prends pour mon père*, mais je m'abstiens. Il a mille fois raison. Je le laisse me piloter vers un café et m'assois. Il me demande mon portable, je le lui tends. Il est toujours éteint depuis hier soir. Andrew l'ouvre et fait défiler les noms pour trouver le numéro de mon grand-père.

— Papi Jack, dit-il. C'est Andrew – je n'entends pas la réponse de mon grand-père, mais elle est sûrement enjouée, car Andrew sourit dans le téléphone. – Emily va hélas avoir un peu de retard, reprend-il en tournant les yeux vers moi, les sourcils froncés. Non, non, rien de grave. Il y a eu un problème dans le métro, elle a manqué son train. Elle sera sans doute dans celui de dix heures quinze. Je n'y manquerai pas, papi Jack. Moi aussi, j'espère bientôt vous voir. Mes amitiés à Ruth.

Il raccroche et me rend le portable. Il me lance un regard qui dit : *J'ai dû mentir à papi Jack, j'arrive pas à le croire.* Puis il se dirige vers le bar et en revient avec deux tasses de café et deux pains au chocolat.

— Merci, dis-je.

Il ne répond pas. Il s'assoit face à moi, et ses épaules se mettent à trembler un peu, avant de se secouer franchement. On dirait qu'il pleure, la culpabilité me chavire le cœur. Jamais je n'ai voulu lui faire de mal. En réalité, Andrew n'est pas du tout en train de sangloter : non, il se tord de rire. Il commence par de petits gloussements et, en quelques secondes, il est plié en deux, la tête entre les jambes. Je me mets à rire aussi. Je ne peux pas m'en empêcher – Andrew a toujours eu un rire contagieux –, de grosses larmes roulent sur mes joues.

Nous nous calmons, la crise semble passée. C'est alors que je commence à avoir le hoquet : la crise de rire repart de plus belle. Andrew se tape sur les cuisses, je presse mes mains sur mon ventre. Nous rions si fort que ça fait mal ; nos bouches sont trop petites pour une hilarité pareille.

Je lève les yeux, nos regards se croisent et, tout d'un coup, comme ça, nous ne rions plus, l'instant se dissout dans un silence gêné. Si seulement on pouvait oublier de se ressaisir. Pour détendre un peu l'atmosphère, je lui demande :

— Alors, comment vas-tu ?

— Bien, répond-il. Très bien. Vraiment très très bien.

— Ça me fait plaisir.

— Et toi ? dit-il, comme s'il s'adressait à une simple voisine, comme si, il y a quinze jours à peine, on n'était pas en train de faire l'amour par terre dans ma cuisine.

Et dans ma baignoire. Et dans une cabine d'essayage.

— Ça va. Du boulot. Beaucoup de boulot.

Je serre ma tasse entre mes mains pour me réchauffer les doigts. Je bois une gorgée de café, elle est brûlante.

— Une affaire intéressante ? fait Andrew.

Il mord dans un pain au chocolat. Une miette reste collée à sa bouche, il a toujours les lèvres moites, j'ai envie de lécher cette miette. Ce ne serait pas la première fois.

Je réponds un mensonge :

— Fraude comptable. Vraiment fascinant. Et toi ? Des cas intéressants aux urgences ?

— Un accouchement, hier. C'était cool. Le miracle de la vie, tout ça.

— Ouaouh ! dis-je. Ouaouh.

— Oui. Bon, c'est pas tout ça...

Il se lève, signe que la conversation est close, et jette nos deux pains au chocolat entamés dans la poubelle. Je ne suis pas encore prête à partir – même pas fini mon petit déjeuner –, mais je marche derrière son dos qui avance dans le hall principal jusqu'à ce qu'il s'arrête devant la grosse horloge.

— Prends soin de toi, dit-il.

Je me tourne vers lui, espérant un baiser d'au revoir. Je sais que je n'en mérite pas tant, mais j'ai envie de sentir ses lèvres sur les miennes, de sentir encore une fois, rien qu'une fois, les frissons d'Andrew. Même une bise sur la joue ferait l'affaire, en frère, ou en cousin éloigné. Ça me permettrait de tenir.

— Prends soin de toi aussi. Et merci de ton aide, dis-je, mais il ne m'entend pas.

Quand je lève les yeux, la tête penchée, attendant le baiser, je ne rencontre que le vide. Andrew est déjà à l'autre bout de la gare, il court à petites foulées et aussi vite que possible vers la sortie.

La maison de retraite de Riverdale me fait penser à un hôtel de Las Vegas. Elle a un hall d'entrée très enjolivé – plafonds à moulures dorées, canapés à accotoirs sculptés –, et même une réception avec concierge. Le rez-de-chaussée comporte une salle de cinéma, une salle à manger et un café, tous disposés autour d'un salon central, et l'agencement des lieux rend presque impossible de trouver la sortie. Dans les ascenseurs, des écrans agressent les sens pour annoncer des événements qui réclament du temps et de l'attention : « *Terminator* : soirée film d'action ! », « Politique au Moyen-Orient : y a-t-il un espoir de paix ? », « Votre argent : comment faire fructifier votre épargne ? » De la maison de retraite ou de Las Vegas, je ne sais ce qui est le plus déprimant, mais ils ont en commun cet optimisme artificiel que vient ternir une clientèle vaincue. On les fréquente pour mourir à petit feu.

Cela dit, dans le genre maison de retraite, celle-ci est ce qu'on fait de mieux. Mon grand-père a un deux pièces à l'étage des « seniors actifs », un appartement « grand standing » avec vue panoramique. Son décor est ordonné et efficace, chaque objet ayant plusieurs fonctions, comme il aime. La table basse a un tiroir caché pour les jeux de société, le grille-pain fait des poulets grillés, la lunette des toilettes chante des chansons. Quand il a emménagé ici il y a quelques années, après une attaque sans gravité, Riverdale semblait un compromis honnête. En apparence du moins, il conservait son indépendance. Certes, ses menus sont programmés comme ceux d'un écolier à la cantine, et il se promène avec des plaques d'identification où sont gravées ses informations médicales, mais, le soir, il a sa porte d'entrée à lui ; il était inflexible sur ce point : avoir sa porte d'entrée à lui.

Le plus gros problème, outre le fait qu'une fois entré ici le résident ne repart presque jamais, c'est la relation obligée avec les personnes âgées et infirmes. L'appartement de papi Jack a un ascenseur commun avec l'étage des « soins continus », un petit rappel, à chaque voyage, de ce que réserve l'avenir. Personne n'a envie de voir ces potences omniprésentes où des poches de liquide pendent tels des fruits en plastique, ni les grandes infirmières qui soignent de tout petits humains. Personne n'a envie d'entendre ces plaintes qui ressemblent atrocement à des adieux.

En les apercevant à l'autre bout du hall, je fais signe bonjour à papi Jack et à Ruth, sa voisine et amie. En traversant le sol de marbre de la pièce, je vois Ruth se pencher pour ôter une peluche sur la chemise à carreaux de mon grand-père.

— Tu as bu, ma chérie ? fait celui-ci après que je lui ai embrassé la joue.

Cet homme-là a un flair digne de la brigade des stups.

— Oui, trop de tequila hier soir. Désolée.

— Je le savais. C'est pour ça que tu étais en retard, pas vrai ? Tu avais la tête dans les toilettes ?

— Quelque chose dans ce goût-là.

— Merci. Tu viens de me faire gagner trente dollars. Ruth ?

Il tend la main, paume ouverte.

— Qu'est-ce que tu racontes, papi ?

— J'ai parié avec Ruth qu'il n'y avait pas de problème de métro ; elle, elle disait que tu ne me mentirais pas. Mais je te connais mieux que ça.

Mon grand-père effleure du doigt sa casquette Gavroche, une relique de son adolescence. Je suis tentée de la lui voler, comme je lui ai volé son manteau Burberry. Je sais qu'il n'y verrait pas d'inconvénient. Il est heureux de savoir que ses vêtements font un deuxième tour de piste dans Manhattan.

— Désolée, dis-je en étreignant Ruth. J'ai tout appris de mon maître.

Je n'exagère pas. À la vérité, tout ce que je sais dans la vie, je le dois à papi Jack. Lacer mes chaussures, avoir toujours un livre sur moi, dire s'il vous plaît, merci, envoyer un petit mot, avoir la rêverie pour loisir, laisser de bons pourboires, me demander si Dieu existe, sourire quand ça fait mal. Venir.

Quand j'étais petite, il était, avec ma mère, ma personne préférée. Un superhéros de la réalité, qui se matérialisait et se dématérialisait en fonction des besoins. Quand j'ai raté mon permis, quand on m'a opérée de l'appendicite, quand Toby Myers a dit que j'avais de la moustache et m'a fait pleurer devant toute ma classe de sixième, c'est lui qui a apaisé la douleur. C'est encore vrai, en grande partie.

Maman disait toujours que mon grand-père s'était métamorphosé à ma naissance ; à presque soixante ans, d'homme, il était devenu père. Je ne sais pas qui il a été pour mon père enfant – peut-être était-il lointain, occupé, comme mon père avec moi aujourd'hui –, toujours est-il que, toute ma vie, et surtout depuis la mort de maman, pour moi il a été papi Jack, la personne qui rend supportable mon statut d'enfant unique, la personne qui me fait me sentir moins seule.

Nous quittons tous les trois la maison de retraite, mon grand-père au milieu, entre Ruth et moi qui lui donnons le bras. Nous nous retrouvons dans la fraîcheur de l'air. Nous avançons lentement ; de temps à autre, sans un mot, ils conviennent de s'arrêter et de faire une pause. C'est papi Jack, j'en suis sûre, qui a besoin de reprendre son souffle, pas Ruth, mais je ne pose pas la question. Par bonheur, nous n'allons pas bien loin, juste au petit restau du coin. Je n'ai pas besoin que me soient rappelées les limites de son endurance. J'y pense déjà quotidiennement.

Mon grand-père et moi nous heurtons à des impossibilités statistiques. J'ai étudié les probabilités – autre savoir-faire hérité de lui et de son passé d'actuaire –, et quelque chose cloche dans les chiffres. La froide mathématique dit qu'il ne verra pas la fin de la décennie ; mon déni total dit que si.

Je ne peux pas, je ne veux pas imaginer la vie sans papi Jack.

Une fois au restaurant, nous réquisitionnons un box en vinyle rouge et commandons des pickles et du café. On vient souvent ici : c'est le genre d'endroit qui donne l'impression d'être n'importe où en Amérique, vraiment n'importe où ; cette banalité nous fait nous sentir à des kilomètres de Riverdale. Mon grand-père est maigre, je l'oblige à prendre un milk-shake à la fraise. Il doit se pencher en avant pour atteindre le bord du grand verre et finit avec une moustache rose au-dessus de la lèvre. Je ne le lui dis pas, je le trouve adorable avec sa moustache, il a l'air d'un enfant. Elle masque un peu le fait que son visage a l'air vieilli aujourd'hui. Sa peau semble plus lâche, comme si elle se détachait des pommettes. Dessous se creusent des cratères profonds, acceptables uniquement chez les top-models. Et celles des années quatre-vingt encore.

— Alors, Em, où est Andrew ? me demande papi Jack.

Andrew m'accompagnait souvent à Riverdale, nous passions

la journée à jouer au poker tous les quatre. Et, neuf fois sur dix, Ruth nous flanquait une déculottée.

— On a rompu.

— Comment ? Pourquoi ça ?

Mon grand-père se redresse, il baisse vers moi un regard fixe.

— Tu sais, ce sont des choses qui arrivent. Et vous deux, quoi de neuf ?

— Allons, Emily. Tout le monde se fiche de savoir que Ruth et moi avons appris à tricoter hier. Crache le morceau. Tu vas bien ?

— Je n'ai rien à cracher. Je vais bien. Il arrive que les choses se terminent, tout simplement.

— Qu'est-ce qui s'est passé ?

— Rien.

— Une rupture, ce n'est pas rien.

— Laisse-la tranquille, Jack, fait Ruth, avant de boire une gorgée de son milk-shake.

Contrairement à mon grand-père, Ruth a l'air fringante, presque coquine. Pas jeune, bien sûr, puisqu'elle a dans les quatre-vingts ans, mais juvénile. Elle porte un tailleur Chanel en bouclettes et, autour de sa tête, la laque maintient ses cheveux en un globe blond platine. Je peux l'imaginer il y a des années, jolie comme une reine du bal, pourtant je ne peux pas me la figurer plus belle qu'aujourd'hui. Ruth a cette sorte de beauté – les rides, les taches, le vécu dans la peau – dont il est impossible de détourner les yeux, une beauté qui donne envie d'en explorer chaque recoin. De désigner telle cicatrice dans son cou, comme pourrait le faire un nouvel amant, et de dire *raconte-moi son histoire.*

Même si je ne connais pas tous les paramètres de la relation qui unit Ruth à papi Jack, ni s'ils partagent juste une simple amitié, de toute façon, mon grand-père a touché le gros lot. Ruth Wasserstein est une légende vivante. Elle a siégé pendant plus de quarante ans à la cour d'appel de l'État de New York, il fut même question, un temps, d'une nomination à la Cour suprême. (Mais une « autre juive appelée Ruth », pour reprendre son expression, l'a emporté.) Mon grand-père la taquine : il ne croit pas, dit-il, qu'elle soit vraiment la fameuse Ruth Wasserstein, car elle est bien trop rigolote pour avoir été juge. Disons, pour sa défense, qu'elle prononce souvent le mot « objection ».

— Voyons, Ruth, je ne martyrise pas la petite, fait papi Jack. Je veux savoir ce qui s'est passé. C'est important. Est-ce que c'est lui qui a rompu ? Il a paniqué ? Si c'est lui, je lui casse les deux jambes. Mieux, j'engage un tueur pour le descendre. J'ai des relations, tu sais.

— Papi, inutile de descendre qui que ce soit. C'est moi qui ai rompu.

— Vraiment ? s'écrient en chœur Ruth et papi Jack.

— Ouais. Vraiment.

— Mais c'était un si gentil jeune homme, ajoute Ruth.

— Et il m'avait inscrit à ce club de buveurs de bière qui vous envoie la bière du mois, fait mon grand-père. Tu crois qu'il va résilier, maintenant ?

— Jack ! s'écrie Ruth.

— Du calme, je plaisante. Encore que cette bière à l'abricot était une merveille, pas vrai, Ruthie ?

— C'est vrai, répond-elle. Emily, si tu me permets cette question : pourquoi ? Je veux dire qu'il semblait tellement, eh bien... je ne trouve pas d'autre mot, tellement parfait pour toi.

— Non, il ne l'était pas vraiment. On ne se serait jamais mariés. Ça m'a paru le bon moment pour arrêter.

— Mais il allait te demander en mariage, dit papi Jack.

— Quoi ? Bon sang, mais comment tu sais ça ?

— Il me l'a dit. En fait, il m'a posé la question. Je lui ai répondu de foncer.

— Tu as quoi ? papi, pourquoi ne m'as-tu rien dit ? Pourquoi ne m'as-tu pas *prévenue* ? Je peux pas le croire.

— J'ai pensé que tu préférerais avoir la surprise. Tu aurais voulu que je lui dise non ? Comment dire non à ce garçon ? Désolé, Emily, mais il est formidable. De nos jours, on n'apprend plus aux garçons à devenir des hommes, mais ses parents à lui ont fait du bon boulot.

— Ce qui te plaît en lui, dis-je, c'est qu'il est médecin.

— Faux. Andrew est vraiment un gars bien. Il s'est donné la peine de faire le trajet jusqu'ici pour me demander ta main.

— Il est venu ici ? À Riverdale ? Quand ça ?

— Je ne me souviens plus au juste. La semaine dernière peut-être.

— Donc, il suffit que quelqu'un te demande ma main pour que tu la donnes ?

Je dis cela avec légèreté, je sais que je ne peux pas en vouloir à mon grand-père de la façon dont les choses ont tourné. C'est ma faute. Ma décision.

— Ouais. N'oublie pas la bière. La bière y est pour beaucoup.

— Qu'est-ce qu'il a dit ?

— Je ne vais pas te mentir. Ce n'était pas joli à voir. Il était tendu. Il avait du mal à parler. Mais il était poli et sérieux. Tu dois reconnaître qu'il a essayé de faire les choses dans les règles.

— On était sur des charbons ardents, dit Ruth. On attendait que tu appelles pour nous annoncer que tu étais fiancée. On était tellement excités.

Ils me regardent avec, dans les yeux, encore un soupçon d'espoir. Comme si tout cela n'était qu'une farce, comme si Andrew allait passer la porte d'un instant à l'autre. La culpabilité me pèse sur l'estomac ; j'ai déçu pas mal de monde ces derniers temps.

— Je suis désolée. Je ne pouvais tout simplement pas l'épouser. Je ne voulais pas vous décevoir, vous aussi.

— Tu ne nous as pas déçus, dit papi Jack. C'est juste que ce garçon me plaisait bien, ma chérie. Depuis deux ans que tu étais avec lui, je me faisais moins de souci pour toi. Il avait l'air de bien s'occuper de toi. Voilà tout.

— Je peux m'occuper de moi toute seule. Je suis une adulte. – Mes arguments sont ceux d'une ado en train de pleurnicher pour conduire la voiture familiale. – Mon Dieu, tu sais s'il a posé la question à papa ?

— Je ne pense pas, répond papi Jack. J'ai parlé à Kirk il y a deux jours, et il ne m'en a pas dit un mot, ni moi non plus.

— C'est bien. S'il te plaît, ne lui dis rien. Je ne suis pas encore prête à parler à papa, ni de ça ni du reste, tu comprends ?

— Pas de problème. Emily ?

— Oui ?

— Tout ce que je veux, c'est ton bonheur.

— Je sais, papi.

— Et j'ai peur que tu ne saches pas si bien le faire toute seule, ton bonheur.

— Je vais bien, vraiment. Je suis heureuse. Oui. Vraiment heureuse.

— Foutaises, fait papi Jack, mais sans méchanceté.

— Qu'est-ce que j'y peux ? J'ai tout appris de mon maître.

Mon grand-père se contente de hocher la tête avec une mimique soudain empreinte de gravité.

— Est-ce que ça veut dire qu'on ne pourra plus l'inviter à jouer au poker ? me demande-t-il.

— Sans doute.

— Mince alors, dit Ruth. Il était si facile à battre.

— Je sais, reprend papi Jack. Ce n'était même pas du jeu.

Deux heures plus tard, je raccompagne Ruth et mon grand-père à leurs portes, appartements 1 et 2.

— À bientôt, Emily, me dit papi Jack en m'embrassant. Et passe le bonjour à...

Il s'interrompt au milieu de sa phrase, laisse les mots en suspens deux ou trois secondes de trop.

— Oui, papi ?

— Passe le bonjour à..., tu sais bien, comment s'appelle-t-il déjà ?

— Kirk, s'empresse de compléter Ruth. Passe le bonjour à Kirk de sa part.

— Oui, dis-lui qu'il devrait venir me rendre visite de temps en temps.

— Bien sûr, papi. Je lui dirai.

Mon grand-père rentre s'allonger, tandis que Ruth m'invite à prendre le thé. Elle pense que ça va me donner le courage de reprendre le train. Je suis heureuse d'avoir ce prétexte pour passer un peu de temps chez elle. J'adore son appartement : il est drôle de voir à quel point il est aux antipodes de celui de mon grand-père. En effet, ici, tout n'est que superflu. Au lieu d'exposer ses deux ou trois photos favorites, Ruth en a tapissé les murs, recouvert chaque surface. Il y a deux jetés de canapé sur son divan à fleurs, l'un uni et l'autre à motifs, faute d'avoir pu décider lequel lui plaisait le plus. Elle possède aussi quatre pendules, toutes anciennes, qui fêtent toutes les heures avec tapage.

Quand je vais chez elle, je visite son deux pièces comme un musée. Je commence par la bibliothèque, encastrée, capitonnée et remplie de trésors : des premières éditions signées, des auteurs que j'ai oubliés mais ai toujours eu envie de lire, des traités écrits par Ruth elle-même. Ensuite, je suis l'évolution des photos, ses trois enfants depuis leur plus jeune âge jusqu'à celui où ils sont eux-mêmes parents. Mais mes clichés préférés sont ceux où elle figure seule, jeune femme vêtue de la robe noire du tribunal. Sur l'un d'eux, sa peau n'a pas une ride et ses cheveux, plus longs qu'aujourd'hui, sont ramenés en chignon sur sa nuque. L'expression est la même pourtant, avec les deux dents de devant obliquant l'une vers l'autre et la lèvre inférieure amincie par l'ampleur du sourire.

— J'avais à peine plus de quarante ans sur celle-ci, dit Ruth en posant un plateau couvert d'une multitude de thés différents. Je ne sais pas ce que j'ai le plus de mal à croire : que j'aie été si jeune avant, ou que je sois si vieille aujourd'hui.

— Tu es toujours très belle.

— Merci, ma chérie. Écoute, excuse-moi pour Andrew. Je ne voulais pas que tu te sentes encore plus mal à cause de moi.

— Ce n'est pas le cas. Absolument pas.

— Si jamais tu as besoin de parler, je suis là. Je sais que tu discutes de ces choses-là avec ton grand-père, mais si tu avais besoin de l'avis d'une femme...

— Merci, c'est très gentil à toi, dis-je en regardant une autre photo de Ruth, une Ruth d'une vingtaine d'années que je n'ai pas connue ; elle tient un nourrisson dans les bras : c'est une image de mère. Je répète : Très gentil, vraiment.

— C'est ma Sarah. C'était un bébé magnifique, fait-elle, et je m'aperçois que, pour elle, cette photo est une image de fille.

— Elle est très mignonne.

— Maintenant, elle est avocate elle aussi, à Washington. Elle va bientôt prendre sa retraite. Elle est en fin de carrière, alors que toi, tu n'en es encore qu'au début. (Ruth jette encore un regard à la photo, secoue la tête et la repose sur le manteau de la cheminée.) Écoute, je voulais te parler de Jack, si tu veux bien. Il ne t'a pas paru changé ces derniers temps ?

— Pas vraiment. Enfin, il a l'air fatigué peut-être, il a sans doute besoin de sortir davantage. L'idée qu'on vous fasse tricoter me déprime. Pourquoi ? Que se passe-t-il ?

— Je ne sais pas. Il lui arrive souvent d'être désorienté. Il oublie des choses, il en perd...

— À mon avis, c'est juste son côté Haxby. Je suis pareille. Aux toilettes, tout à l'heure, j'ai réalisé que j'avais enfilé ma culotte à l'envers. Les Haxby sont un peu barjos. Je suis sûre qu'il n'y a rien de grave.

— Peut-être, mais...

— Si ça n'allait pas, il m'en aurait parlé. La dernière fois qu'on a vu les médecins, ils ont dit qu'il risquait de commencer à avoir des pertes de mémoire. Qu'à son âge, il faut s'attendre à ces choses-là.

— Mais Emily...

— Si quelque chose ne tournait pas rond, je le saurais, Ruth. Non, vraiment, mon grand-père va bien.

Je le vois, elle sait ce que je veux dire en réalité : *Il faut qu'il aille bien. Il le faut, un point c'est tout.*

— OK, répond-elle avec un geste de la main, geste que je traduis par : *Fais comme si je n'avais rien dit.*

Et c'est exactement ce que je fais. Nous finissons notre thé d'une manière merveilleusement civilisée, le petit doigt en l'air, et parlons de ce que ce fut, pour Ruth, d'être l'une des quatre seules femmes de sa promotion à l'école de droit. Nous bavardons, nous cancanons, nous rions et nous n'échangeons plus un mot sur papi Jack.

8.

Deux semaines plus tard, je suis dans la file d'attente du guichet Continental Airlines à l'aéroport de Newark avec Carl MacKinnon. Je trimbale un ordinateur portable, un sac à bandoulière, quinze chemises contenant des dépositions et traîne une valise avec une roulette cassée. Il est quatre heures et demie du matin et, bien que mes bras souffrent d'une surcharge de bagages, il n'est pas exclu que je m'endorme debout, je le sens. Le sommeil me gagne, ma tête ne cesse de rouler sur le côté, la bave me monte aux coins de la bouche. En bonne professionnelle, je l'essuie avec ma manche de tailleur. Et ça laisse une trace.

Quand notre tour arrive à l'enregistrement, malgré cette heure cruelle, la femme derrière le comptoir nous fait un grand sourire. Je m'efforce de lui témoigner autant d'enthousiasme, mais mes lèvres ne trouvent pas l'énergie nécessaire. L'effet produit se rapproche plutôt du froncement de babines. Je commence à lui dire que nous nous rendons à Little Rock, Arkansas, mais Carl me coupe la parole.

— Il y a une grosse erreur, fait-il en articulant haut et fort chaque syllabe de chaque mot. Ma collègue est enregistrée en classe économique. J'exige qu'elle soit immédiatement placée en première classe, et à côté de moi.

La femme prend acte de la gravité de l'affaire en tapant furieusement sur son clavier. Je ne dis rien, mais il n'y a aucune erreur. C'est moi qui ai réservé le vol, la secrétaire de

Carl se chargeant de l'hôtel. J'ai délibérément pris une classe éco pour moi et un siège en première pour Carl, l'exiguïté étant le petit prix à payer pour avoir le grand bonheur d'être loin de lui.

— Désolée, monsieur, dit l'hôtesse. Il n'y a plus de place en première.

J'ai retenu ma respiration, je m'en aperçois quand je souffle enfin, lentement. L'idée de devoir passer les trois heures et demie à venir à côté de Carl est presque insoutenable.

— C'est inadmissible, dit-il en abattant sa main sur le comptoir. Je fais chaque année cent soixante-dix mille kilomètres sur Continental Airlines. Quel est votre nom ? J'exige de parler à votre responsable.

Carl jette devant l'hôtesse une poignée de cartes. Une carte de fidélité couleur platine, une American Express noire, une carte donnant accès aux salons de la classe affaires. La femme réagit en tapant violemment sur le clavier de l'ordinateur, quelques gouttes de sueur perlant sur son front.

— Eh bien, on dirait qu'une place vient de se libérer, monsieur. Désolée de cet incident, fait-elle en lançant l'impression des documents avant de maladroitement les assembler. Hélas ! il y a un supplément de deux cent soixante-quatre dollars. Cela vous convient-il ?

Elle tape encore sur son clavier, juste pour avoir l'air occupé.

— Tout à fait, répond Carl en lui tendant sa carte de crédit, et il me gratifie d'un clin d'œil. C'est Synergon qui paie.

— Vous avez les sièges 1A et 1B. Je vous souhaite un excellent vol.

Voilà comment s'évanouit ma matinée de liberté. L'hôtesse nous remet nos cartes d'embarquement : la mienne porte un tampon pour la sécurité, pas celle de Carl. Cela signifie qu'avant l'embarquement, tous mes bagages feront l'objet d'une fouille manuelle. Que, pour elle, de nous deux, je sois la plus susceptible d'être une terroriste, voilà qui ne manque pas de sel ; peut-être est-ce ma punition pour fréquenter un trou du cul pareil.

Tout en franchissant les portiques de la sécurité, Carl me

fait un sermon sur la confiance en soi ; sans elle, je n'arriverai jamais à rien dans ce monde, me dit-il. Manifestement raffermi par son coup de force, il est d'humeur joviale. Nous nous arrêtons pour prendre un petit déjeuner arrosé de café dans l'aérogare, et il me fait un peu la conversation. Sa personnalité semble totalement dépendante des circonstances. Aux comptoirs d'enregistrement et derrière les bureaux, il écrase les gens de son agressivité. Mais, assis dans un fauteuil en plastique fixé au sol, avec des bagels en équilibre sur les genoux et un café sur l'accoudoir, il se montre humain, voire amical, on dirait qu'il se réjouit d'avance de nos trois jours dans l'Arkansas.

Pas moi. Je vais vivre les vingt-quatre heures qui viennent seule avec Carl. Après avoir atterri, nous nous rendrons à Arkadelphia (un bled tellement paumé qu'il n'apparaissait même pas sur Expedia quand j'ai fait une recherche d'hôtels) et nous passerons trois jours dans une salle de conférences poussiéreuse, à recueillir le témoignage de M. Jones. L'idée, c'est de le cuisiner sur tous les détails sordides de la mort de sa femme. Les mots exacts de Carl ont été « Faites-le chialer », je crois. Et demain, ce sera encore pire. Le vol de Carisse arrive à midi, et elle vient nous rejoindre.

Comme nous nous apprêtons à embarquer, la sécurité me fait sortir du rang pour ouvrir mes bagages, au grand amusement de toute la file d'attente. On regarde l'agent trier mes sous-vêtements à l'aide d'un bâton en plastique. Carl n'en perd pas une miette, histoire sans doute de s'offrir un frisson bon marché avec un string en dentelle. Je suis ravie de le décevoir. Cela dit, quand nous prenons nos places en première, mon patron et tous les autres passagers de l'avion savent : a) que je prends la pilule ; b) que j'achète mes slips en coton en grande surface.

Après cette humiliation, le vol se déroule sans incident. Il y a bien quelques turbulences et beaucoup d'agitation autour du signal « attachez vos ceintures », mais Carl me fiche la paix pendant l'essentiel du voyage, heureux de me laisser faire son travail. Et moi je suis heureuse qu'on me fiche la paix. Carisse ne pouvant être là avant demain, c'est moi qui vais prendre la plupart des dépositions et ébaucher la requête en procédure sommaire. C'est un gros coup. Si nous gagnons, et quand je dis « nous », je veux dire Synergon, toute l'affaire sera classée sans procès. La compagnie ne paiera rien – que dalle, néant, *nada* – aux habitants de Cado Valley. En revanche, eux nous paieront plein de frais de justice. Et, quand je dis « nous », je veux dire APT.

Sans être fan du sujet, rédiger cette requête est ma première occasion, en presque cinq ans de boîte, de montrer aux associés que j'ai un cerveau et suis capable de faire autre chose que pointer jour après jour des documents dans une salle de conférences. Voilà un vrai boulot d'avocat ; voilà ma chance. Et j'ai bien l'intention de la saisir.

À notre descente d'avion, la distance qui nous sépare de New York se fait tout de suite sentir et de manière patente. Tout va plus lentement ici, et cette modification de la cadence est un peu un soulagement. Le parler traînant du Sud a un effet laxatif sur Carl et le débarrasse, comme par magie, du parapluie qu'il a dans le derrière. Il est passé de la folie furieuse contre la fille de Continental Airlines à une relative cordialité devant les bagels, et maintenant le voici franchement pote. On nous croirait débarqués en Arkansas pour faire deux ou trois parcours de golf, et pas pour « niquer M. Jones ». (Ce sont les mots de Carl, hier. Pas les miens.)

Bien que le loueur de voitures mette vingt minutes à trouver notre réservation, Carl s'abstient de faire un esclandre. L'American Express reste sagement dans le portefeuille et les mains dans les poches. Il bavarde avec moi et se met à m'appeler « petite ». « Ça fait du bien de quitter un peu la ville, pas vrai, petite ? » ou « j'espère que les associés ne vous ont pas mené la vie trop dure ces derniers temps, petite ».

Je souris et hoche la tête sans relever la condescendance ; à vrai dire, moi aussi je ne me sens plus la même ici. L'air est moins lourd, il y a plus d'espace dans les blancs entre chaque chose – entre mes mots, mes pas, mes respirations.

Pour se rendre à Arkadelphia, il suffit d'emprunter la grande route et d'aller tout droit ; nous roulons vitres baissées. Je savoure la vacuité d'un orchestre de bruit blanc : pas de klaxons, pas de trottinements de pieds innombrables, pas de camions qui chargent et déchargent. La route suit un paysage désert qui ne se définit que par ce qu'il n'est pas.

Dans ce monde-ci, il n'y a ni gratte-ciel ni minicentres commerciaux. Nous parcourons des kilomètres sans croiser une voiture, sans voir un McDonald's. Juste de la terre brune et grumeleuse, avec çà et là des plantes, toujours épineuses, qui marquent l'horizon de leurs pointillés. Juste Carl et moi sur cette route vide, le bras à la portière, luttant contre tout cet air.

Nous finissons par nous arrêter sur le parking d'un hôtel Hampton Inn. D'habitude, quand je voyage pour le boulot, l'un des rares agréments, c'est de dormir dans des cinq étoiles, des Ritz ou des Four Seasons, des hôtels où je ne mettrais jamais les pieds si c'était moi qui payais la note. Mais celui-ci est apparemment le seul hôtel d'Arkadelphia, juste le cran au-dessus du motel. Je sens que ce séjour ne va pas me permettre de compléter ma collection de petites bouteilles de shampooing, que je ne vais pas dormir nue dans des draps de percale et, hélas, que je ne commanderai pas un repas dans ma chambre pour échapper au dîner avec Carl.

Nous pénétrons dans l'hôtel, un rectangle en ciment qui pourrait très bien servir d'établissement scolaire. Il en a l'odeur, comme s'il jouxtait une cantine servant des hamburgers et des beignets de patates. Le garçon derrière le comptoir a les cheveux lissés en arrière, un badge disant qu'il s'appelle « Bob » et cette sorte d'acné tragique qu'il est impossible de ne pas regarder. Il a, au-dessus de la lèvre, un minuscule brin de fourrure, une moustache d'avant la moustache. Son pantalon tombe assez bas pour montrer qu'il porte un caleçon Calvin Klein et, je ne sais pourquoi, cette information – les goûts de Bob côté lingerie – me met un peu mal à l'aise.

— Bienvenue à l'Hampton Inn, dit-il.

— Les réservations au nom de MacKinnon, fait Carl en reprenant sa voix protocolaire et prétentieuse.

— Une chambre double, c'est ça ? demande Bob.

Carl ne répond rien. Au contraire, il semble soudain passionné par une petite impureté logée sous son ongle.

— Euh, non, dis-je. On a dû vous réserver deux chambres.

— Je vais j'ter un œil, seulement m'est avis qu'y a qu'une réservation dans la machine.

Bob tapote lentement sur son clavier, sans se soucier le moins du monde du téléphone qui se met à sonner.

— Peut-être, dis-je, mais il nous faut deux chambres, quelle que soit la réservation. S'il vous plaît.

Je garde un ton ferme, comme pour dire : *ce n'est pas négociable.* Bob tapote encore et semble faire défiler une liste.

— Impossible, ma petite dame. On est complet. C'est l'époque de la foire du comté.

— Mais j'ai une réservation.

— Non, impossible, ma petite dame, répète Bob.

— Vous n'avez pas l'air de comprendre. Il nous faut deux chambres. Et j'ai une réservation.

J'essaie d'attirer l'attention de Carl. Pourquoi ne vient-il pas à mon secours ? Où est passée son American Express ? Je sens mon corps me trahir – ma première réaction, ce sont les larmes, pas la colère – et faire le jeu de ce Bob qui voit en moi une « petite dame », et de Carl dont je suis la « petite ».

— C'est inadmissible, dis-je, imitant le ton employé par mon patron dans la matinée.

Bob pouffe de rire. Je ne l'intimide absolument pas.

— Désolé, mais notre ordinateur, il dit qu'y a qu'une réservation, une chambre avec un lit double, fait-il en tournant vers moi son écran.

Je dois me hisser sur la pointe des pieds pour me pencher par-dessus le comptoir et voir quelque chose.

— Regardez, y a une note qui dit que vous avez expressément demandé un lit double et pas des lits jumeaux. Y a rien que je puisse faire.

Instantanément, les larmes se métamorphosent en colère. Je jette un œil à Carl, qui n'est toujours pas intervenu, et constate qu'il feuillette, l'air dégagé, un dépliant sur la bibliothèque Clinton de Little Rock.

— Carl ?

J'ai encore l'espoir de le voir voler à mon secours, l'espoir qu'il n'a pas fait ça exprès, que sa secrétaire s'est trompée.

Hurler sur le réceptionniste ne servira à rien. Je n'obtiendrai qu'un autre pouffement dédaigneux. Voire de l'ironie. Plongé dans la contemplation d'une photo de Clinton en compagnie d'un groupe de rock, Carl fait comme s'il ne me voyait pas.

— J'exige de parler à votre responsable, dis-je.

— C'est moi le responsable, répond Bob avec un sourire.

Notre petite bagarre a l'air de lui plaire : moi, la bêcheuse du Nord, il me remet à ma place. J'ai presque l'âge d'être sa mère.

— Désolé, reprend-il, mais comme j'vous ai dit, y a rien que je puisse faire.

— Et le motel ? Vous avez leur téléphone ?

— Il est complet. On a récupéré leurs clients, réplique Bob d'une voix toute pleine de la fierté de travailler dans le deuxième établissement hôtelier le plus prisé d'Arkadelphia.

— Allons, Em, ne vous inquiétez pas, dit Carl en fourrant le dépliant dans sa poche arrière. (Depuis quand il m'appelle Em ?) Bob, on va partager cette chambre. On ne va pas en faire un plat, n'est-ce pas ? Nous sommes tous les deux des adultes.

Carl lance un clin d'œil à Bob, lequel se dépêche de lui tendre la clef. Je ne sais pas quoi dire, mais je sais que j'ai perdu. Je n'ai pas le choix. Continuer de protester paraîtrait infantile, et Carl n'aurait jamais la bêtise d'avouer qu'il s'agit d'autre chose que d'une erreur. Je m'efforce de sauver le peu de dignité qu'il me reste.

— Il va nous falloir un lit de camp, dis-je.

Bob me jette un regard, puis enroule ses doigts dans l'élastique de son Calvin Klein pour le remonter encore plus haut.

— Sûr, dit-il.

Et il est clair que, tant qu'il sera de service, il n'y aura aucun lit de camp.

Quatre heures plus tard seulement, au beau milieu d'une déposition, je m'aperçois que le pire reste à venir : je n'ai pas emporté de pyjama.

Respire profondément. Inspire, expire. Inspire, expire. Un sténographe judiciaire consigne chaque mot que je prononce ; par conséquent, tout bégaiement ou balbutiement sera retranscrit pour la postérité. Oublie les histoires de couchage pour l'instant. Finis-en avec la déposition. Fais ton boulot. Fais semblant d'être une professionnelle. Tu es une professionnelle.

Nous sommes assis autour d'une longue table pliante rectangulaire qui tient tout juste dans le carré confiné de la pièce. Nos chaises frottent les murs, nos genoux frottent les genoux du voisin. J'ignore pourquoi les avocats du plaignant nous ont installés ici ; pour ce que nous avons vu de leurs bureaux en les traversant, ils ne manquent pourtant pas de place. Peut-être est-ce un truc pour nous faire craquer ?

M. Jones est assis face à moi, il répond à mes questions consciencieusement, avec respect même. Il porte d'épaisses lunettes en plastique, des montures marron qui lui tombent sous les pommettes, et les manches de sa veste de sport s'arrêtent à trois centimètres au-dessus de ses poignets. Il m'appelle « M'dame » et hoche souvent la tête, comme pour se montrer coopératif.

Je jette un œil à mes notes et m'efforce de me concentrer. Je pose une série de questions en apparence stupides, mais qui, dans ma tête, sont le socle de ma requête en procédure sommaire. Carl veut que je suive le parcours classique, qui consiste à rejeter la faute sur la victime. Mon but est de prouver que des dizaines d'autres variables sont en jeu dans le cancer de Mme Jones, tout plutôt que l'eau polluée par Synergon.

— M. Jones, quel était le poids de votre femme ?

— Cent vingt-neuf kilos.

— Un médecin lui a-t-il jamais conseillé de perdre du poids ?

— Objection. Question non pertinente.

— M. Jones, vous pouvez répondre.

— Oui.

— Et l'a-t-elle fait ?

— Non.

— Était-elle inscrite dans un club de sport ?

— Non.

— Faisait-elle de l'exercice ?

— Non. Elle disait toujours qu'on n'a qu'une vie. Inutile de perdre son temps à faire de l'exercice.

— Fumait-elle ?

— Oui. Mais elle avait arrêté. Le jour où la petite Sue Ann lui a eu caché ses cigarettes. Ça l'a émue.

— Combien de temps a-t-elle fumé ?

— Quinze ans.

— Quel était le petit déjeuner typique chez vous du vivant de votre femme ?

— Des œufs et du bacon. Parfois des saucisses.

— Est-il vrai que Caddo Valley est célèbre pour ses beignets de barres chocolatées ?

— Oui, m'dame. Vous devriez profiter de c'que vous êtes là pour les goûter.

— Merci, monsieur. Je n'y manquerai pas. Habitez-vous près des installations électriques de FarmTech ?

— Oui.

— À quelle distance à peu près ?

— Oh, pas loin du tout. Environ quatre cents mètres plus bas, sur la route.

— Synergon est-il propriétaire de ces installations ?

— Non, m'dame. Je crois pas.

J'ai honte de l'avouer, mais cette déposition est un vrai plaisir. Je m'en sors drôlement bien, me dis-je tout en coinçant M. Jones, réponse après réponse. Je dois faire du bon boulot parce que Carl me laisse mener la danse. Après m'être fait envoyer sur les roses avec rudesse par le réceptionniste ce matin, il est gratifiant de réaffirmer mon propre pouvoir. Les « petites dames » ne font pas économiser des centaines de millions de dollars à leurs clients.

— Dites-moi, M. Jones, y a-t-il des antécédents de cancers dans la famille de votre femme ?

— Objection. Question non pertinente.

— M. Jones, vous pouvez répondre.

— Oui, m'dame, y en a. Les deux parents de ma femme en ont eu un. Ils sont morts à deux ans d'intervalle.

Elle tire, elle marque le point, et la foule entre en liesse.

L'espace d'un instant, j'éprouve une fierté sans mélange, jusqu'à ce que mes yeux croisent ceux de M. Jones. Lui me regarde, tout simplement. Triste et un peu déconcerté.

— J'ai adoré le moment où vous avez amené ce salaud à nous raconter tous les cancers de la famille. Bel argument génétique, me dit plus tard Carl avec l'énergie d'un gamin de douze ans en train de revivre son film d'action préféré. Et vous avez bien manœuvré en changeant de sujet assez vite pour qu'il n'ait pas le temps de dire qu'ils buvaient l'eau de Synergon. Génial, Haxby. Génial.

Nous sommes encore une fois en tête à tête, et nous dînons dans un restauroute, à deux ou trois kilomètres de notre hôtel. Carl a toujours sur le visage la mine qu'il réserve à ses clients : le charme et la sincérité lui sortent par tous les pores de la peau. Il joue le monsieur plus âgé et affable qui émaille la conversation d'intéressantes anecdotes de guerre, histoire de mettre en valeur son pedigree. Il lâche au moins à deux reprises le mot Princeton et évoque le temps passé à Cambridge, Massachusetts, langage codé des avocats pour dire qu'ils ont étudié le droit à Harvard. Il feint de se plaindre de tout le travail qu'exige le conseil d'administration du Museum d'art moderne de New York. Je me demande s'il existe des femmes pour les trouver attirants, lui et cet étalage continu d'argent et de pouvoir.

Carl n'est pas laid, encore qu'à mon avis il aimerait autant rapprocher un peu ses yeux de son nez. Contrairement à la plupart des hommes du bureau, il a encore la tête garnie de cheveux argentés coupés ras, épais et bien coiffés, et ses rides profondes lui donnent l'air plus distingué que vieux. Comme il ne prend jamais de vacances et habite New York, son bronzage omniprésent doit trouver sa source soit dans une cabine UV, soit dans un flacon. Et il s'habille de manière à masquer les ravages de la pesanteur : ses deux nichons d'homme grassouillet et son large cul aplati sont cachés dans des costumes Armani à fines rayures et des chemises coupées en Asie.

Seulement, ici, il est ridicule, avec ses boutons bleu vif

piqués dans des manchettes marquées à son chiffre, en train de manger une salade compliquée au milieu des assiettes en plastique, des distributeurs de sodas gratuits et des familles en jean et T-shirts qui se régalent d'un filet de porc pané. Je commande deux cent cinquante grammes de viande hachée et, en garniture, une purée de pommes de terre à l'ail, avec un supplément d'ail, juste au cas où.

On m'a dit que, non content de draguer les femmes du cabinet, Carl sort souvent des mannequins dans Manhattan, avec son alliance cachée dans sa poche. Je ne vois pas ce qu'elles peuvent leur trouver, à lui et à sa cruauté désinvolte. Même si j'imagine que, pour certaines femmes, la richesse est une séduction, je ne crois pas en avoir jamais rencontré, excepté Carisse. Toutes les femmes de ma connaissance cherchent Lloyd Dobler dans *Un monde pour nous*, pas Gordon Gekko dans *Wall Street*.

À la fin du repas, Carl me demande si j'aimerais partager un gâteau au chocolat. Je décline son offre. Plonger nos cuillères dans la même assiette aurait l'air trop intime et, à coup sûr, trop amoureux. En sortant, je jette un rapide coup d'œil à la boutique du restaurant, en quête d'un pyjama : il y a à peu près un millier de mangeoires à oiseaux différentes, mais pas un seul T-shirt ni caleçon. Je ne sais pas ce que je ferai quand viendra le moment d'aller au lit. Je n'ai apporté que des tailleurs et des sous-vêtements.

Carl nous ramène à l'hôtel, et plus je sens le calme de la nuit nous envelopper, plus je suis tendue. J'espère qu'il a compris le message ce matin, en voyant ma réaction à la perspective de partager sa chambre. Tout de même, il ne peut pas croire que j'aie envie de coucher avec lui. Si ? Il a le double de mon âge. Il est marié. Il est mon patron. Peut-être que Bob m'aura installé un lit de camp ? Je ne vois pas Carl proposer de dormir par terre et je frémis à l'idée de coucher tout habillée sur la moquette poussiéreuse de l'Hampton Inn.

Quand nous arrivons dans le hall de l'hôtel, je tremble de tout mon corps. Je songe bien à glisser un herpès génital dans la conversation, mais ne vois pas comment amener la chose avec naturel, sans compter qu'il n'est peut-être pas judicieux d'amorcer ce genre de rumeur. Même en cas de légitime défense. J'ai fait deux ou trois allusions à « mon petit ami » dans la voiture, Carl n'a pas tiqué. Si une épouse enceinte ne l'arrête pas, un petit ami imaginaire ne le fera pas non plus.

J'avise une supérette au coin de la rue et dis à Carl que je le rejoins dans une minute. Il me sourit en hochant la tête, je me demande s'il s'imagine que je vais acheter des préservatifs. Je me raisonne : *Mais non, tu te fais des idées. Il ne va pas te sauter dessus et, s'il le fait, tu vas le repousser bien poliment.* Je n'ai pas de meilleur plan. *Mon Dieu, je vous en prie, faites qu'ils aient quelque chose qui ressemble à un pyjama.*

Dieu merci, je vois un T-shirt accroché au mur. Je ferme les yeux sur le « IL Y A QUELQU'UN QUI M'AIME EN ARKANSAS », ma seule alternative étant un dessin humoristique représentant Clinton en train de fumer un cigare. Ce n'est décidément pas le message que je souhaite faire passer. J'achète le premier T-shirt en taille XXL, ainsi qu'un caleçon marqué « EMBRASSE MES ARKAN-FESSES ». Je ne peux rien faire de mieux.

— Nous voilà, dit Carl quand j'entre dans la chambre.

Il est couché sur le lit, vêtu seulement de sa chemise à pinces et de son caleçon à carreaux. Je baisse involontairement le regard et vois son pénis pointer sa tête rose par la fente. *Je viens de voir le pénis de Carl MacKinnon ; je peux pas le croire, je viens de voir le pénis de Carl MacKinnon.* Je me le répète en boucle et, bientôt, le mot « pénis » me paraît ridicule. Mais l'image imprègne aussi mon cerveau, et je me demande si je pourrai jamais l'oublier. J'ai beau avoir conscience d'être dans la mouise, une partie de moi a toujours envie de pouffer de rire. La situation m'échappe tellement que je ne serais pas étonnée de le voir sortir une paire de menottes en fourrure.

— Où est le lit de camp ?

Je pose la question comme si mon patron n'était pas couché en caleçon sur un lit, et comme si le caleçon était boutonné.

— Bob n'a pas dû l'apporter, répond Carl en haussant les épaules. Vous êtes superbe dans ce tailleur, mais sûrement pas très à l'aise. Peut-être devriez-vous l'enlever.

Il me dévisage comme si de rien n'était, comme s'il venait

juste de me réclamer un dossier. Sait-il que son engin dépasse ? Non, c'est impossible.

— Non, je suis à l'aise. Vraiment. Euh, je vais appeler la réception pour le lit de camp.

Je ne quitte pas le téléphone des yeux, le regard rivé sur son cadran rond démodé.

— C'est inutile. Ce lit est assez grand pour deux, répond Carl en tapotant l'édredon.

— Ce ne serait pas très indiqué, Carl.

J'espère que mon ton résolu laisse clairement entendre que partager un lit avec lui ne m'intéresse pas. Et ne m'intéressera jamais.

— Voyons, Emily. Ne sois pas si timide. Viens coucher chez moi, on va bien s'amuser, ajoute-t-il avec une voix de petit garçon.

On ne lui a jamais dit que parler comme un bébé ne redevient mignon qu'à partir de soixante ans. Je ne sais ni quoi faire, ni quoi dire. Je regrette de n'avoir eu aucun cours de droit sur la conduite à tenir quand on voit le sexe de son patron.

— Je ne crois pas. Si vous avez l'idée que j'imagine que vous avez... à mon avis, elle est mauvaise.

Je tourne le dos à Carl et, d'un doigt tremblant, actionne le cadran du téléphone jusqu'à ce que j'obtienne la réception. Par chance, Bob a terminé son service.

— Le lit de camp sera ici dans cinq minutes.

— Je vais te dire, me répond Carl, j'ai encore faim ; on n'a pas pris de dessert, et j'ai envie de te bouffer, toi. Ça te plairait, pas vrai ?

Il commence à se toucher. Non, ça ne peut pas être en train d'arriver. J'ai envie de pleurer, de rire et de vomir, tout en même temps. Comment pourrai-je encore regarder les gens dans les yeux au bureau ? À leurs visages se substituera l'image des parties génitales de Carl. Pire, l'image de Carl se massant lesdites parties.

Maintenant, il bande haut et fort.

— Non, dis-je. Non, ça ne me plairait pas. En fait, je refuse d'avoir cette conversation. Ça ne va pas se passer. Arrêtez ça immédiatement.

— Je le savais que tu serais du genre dure à cuire. Fais-toi prier. T'inquiète, j'aime ça.

— Carl.

Il y a dans ma voix une dose d'imploration embarrassante.

— Emily.

— Carl.

— Emily.

— Non. Une fois pour toutes, c'est non. Je ne peux pas faire ça. S'il vous plaît, fichez-moi la paix, je vous en prie.

Je ne sais pas pourquoi, toujours est-il que c'étaient ceux-là les mots magiques : du coin de l'œil, je constate qu'il a fourré les mains sous sa tête.

— Très bien. À votre guise, dit Carl en haussant les épaules, comme si j'avais refusé à mon patron l'oreiller – et non le cunnilingus – qu'il vient de me proposer. Au fait, ajoute-t-il avec désinvolture, j'ai demandé un réveil à six heures et demie, pour qu'on puisse se préparer avant la déposition.

— Bien sûr, fais-je, en collaboratrice toujours dévouée. Bonne idée.

Carl se détourne de moi et éteint la lumière. Je reste assise dans le noir, à attendre qu'on frappe à la porte. J'ai la chair de poule, alors que je n'ai pas quitté mon lourd tailleur de laine.

Quand le lit de camp arrive enfin, je donne cinquante dollars de pourboire au garçon. Je trouverai un moyen de les facturer à Synergon. Seulement, bien sûr, lit de camp ou pas lit de camp, impossible de dormir. Qu'est-ce que je m'imaginais ? Il m'est impossible de partager cette petite chambre avec Carl, même si ses ronflements – un véritable homme-orchestre – sont signe qu'il ne va plus s'en prendre à moi pour cette nuit. Alors je m'enferme dans la salle de bains avec un oreiller et une couverture, et je me couche dans la baignoire. Je tiens la pomme de douche entre mes mains, comme une arme, et regrette de ne pas en avoir acheté une vraie. Ça doit pourtant pouvoir se faire à Arkadelphia.

9.

Le lendemain matin au réveil, la soirée me revient par éclairs et envahit mon cerveau. Je vois un caleçon à carreaux. Je vois Carlito pointer le bout de son nez pour dire bonjour. Je vois des mains descendre pour jouer avec. *Pitié, arrêtez ça.*

Pendant le petit déjeuner, l'attitude de Carl envers moi ne change pas, comme si l'incident ne s'était jamais produit. Sa normalité me fait me demander si je n'ai pas rêvé. Bizarrement, je lui témoigne une grande déférence. Mon comportement témoigne d'un instinct de survie défectueux.

Vers midi, pendant une pause dans les dépositions, je vois Carisse arriver en courant, les poings serrés en deux boules. Pour la première fois de ma vie, je suis heureuse de la voir. Quand elle m'aperçoit, ses traits se figent dans un sourire de façade, et ses lèvres s'étirent le long d'une invisible ligne horizontale. Comme d'habitude, elle a le visage terreux, on dirait un personnage de pâte à modeler que son créateur aurait oublié de terminer. Une raie au milieu partage ses maigres cheveux bruns clairsemés, retenus en queue-de-cheval sur sa nuque. On voit son crâne rose à travers et, l'espace d'une seconde, je comprends qu'on puisse trouver cela touchant.

Avant même qu'elle puisse me dire bonjour, je lui annonce que nous devons partager une chambre d'hôtel, qu'il y a eu une erreur dans les réservations. Elle me fixe d'un air interrogatif, comme si je divaguais. Les deux arcs de ses sourcils se rejoignent au centre de son front, formant un surplomb au-dessus de ses yeux. Ça doit être pratique par temps de pluie.

— Tu ne voudrais pas que je partage cette chambre avec Carl, n'est-ce pas ?

Je lui pose la question en la regardant droit dans les yeux, pour qu'elle comprenne le message. Il a beau s'agir de Carisse, j'envisage de solliciter sa miséricorde. Je ne supporterai pas de revoir le spectacle d'hier soir.

— Non, bien sûr, répond-elle sur un ton qui dit exactement le contraire.

Ce soir, nous dînons tous trois dans un restaurant de grillades, un de ces établissements dont la décoration intérieure doit donner l'impression de manger à l'extérieur. Faux palmiers sur les murs, étoiles autocollantes au plafond, et foin sur le sol. Nous sommes au cœur du plus pur folklore américain : toiles cirées à carreaux rouges et blancs, enfants crasseux, doigts poisseux, et bavoirs réglementaires. Je bâfre en me régalant de la mine contrainte de Carisse et de Carl quand le serveur apporte leur chou cru, c'est ce qui se rapproche le plus de la salade par ici. Je peux presque voir Carisse calculer mentalement les lipides contenus dans la mayo.

Pourtant, ils se ressaisissent l'un et l'autre avec une singulière rapidité et, après une ou deux bières, je dois dire que nous passons tous un assez bon moment. Chose étonnante, je chasse de mon esprit les images de la veille au soir. Carl se comporte à nouveau au mieux, il nous raconte les changements survenus dans le cabinet depuis dix ans. J'apprends que les associés vont ouvrir un bureau à Moscou et me retiens de suggérer une mutation à mes compagnons de table. Il n'y a qu'un moment délicat, lorsque Carl nous quitte pour prendre une communication avec sa femme.

— Alors comme ça Carl et toi avez partagé la même chambre cette nuit ? me demande Carisse.

Elle chuchote en dressant si haut son sourcil droit qu'il va se mêler à ses cheveux.

— La secrétaire de Carl a fait une erreur, et il n'y avait plus une seule chambre dans toute la ville. Mais on n'a pas partagé le même lit.

— Tiens donc, pourquoi ça ?

Les sourcils de Carisse sont revenus à la même hauteur, maintenant ce sont ses lèvres qui se pincent, comme si elle se mettait du rouge à lèvres devant une glace. À mon avis, elle aime montrer que son visage a une flexibilité digne d'un dessin animé.

— Je ne partagerais pas le lit de mon patron.

— Allons, il est plutôt mignon. On est amies. Tu peux me le dire.

— Je ne ferais pas une chose pareille. En plus, il est marié.

Je n'ajoute pas que nous n'avons jamais été – et que nous ne serons jamais – amies.

— Et alors ?

— Et alors ? Mais tu plaisantes ou quoi ?

— Tu veux vraiment me faire croire que tu n'as pas couché avec Carl la nuit dernière ? (Avant que je puisse répondre, il est de retour à la table, et Carisse se dépêche de changer de sujet) Tu as eu des nouvelles de ton ex ? me demande-t-elle.

— Quel ex ? fait Carl avec une feinte naïveté.

Bien sûr, il y a moins de vingt-quatre heures, je n'arrêtais pas de le seriner sur mon petit ami dont j'étais tellement amoureuse et sur mon engagement dans notre histoire.

— Oh, il a rompu avec Emily le mois dernier. C'est vraiment dommage, c'était une belle prise.

Elle pose sa main sur la mienne, histoire d'avoir l'air de me consoler. C'est rusé de sa part, ça m'empêche de lui flanquer un pain.

— Merci, Carisse.

Soudain, ma surconsommation de lanières de porc me donne la nausée. Carl accroche mon regard, il a l'air déconcerté. À l'évidence, inventer un petit ami pour éviter de coucher avec lui est une chose qui passe son entendement.

Après le dîner, il nous propose de boire un coup au bistrot qui se trouve en face de l'hôtel, de l'autre côté de la rue. Il dit qu'il a envie de se « siffler un godet ». Qui emploie encore ces mots-là ? J'ai beau être d'une humeur massacrante que n'arrangera pas la boisson, je m'entends accepter de les accompagner. Je ne sais pas ce qui me pousse à faire plaisir à Carl, surtout vu la débâcle de la nuit dernière. Pourtant je le fais. Oui, je le fais quand même. Comme une femme battue qui croit l'avoir mérité quelque part.

Je n'envisage pas sérieusement de dénoncer Carl au cabinet. Il me faudrait raconter toute l'histoire – « et alors il a dit », « et alors je lui ai répondu » –, et l'affaire ne serait pas traitée dans la discrétion, ça j'en suis sûre. On ne tarderait pas à murmurer sur mon passage, à me regarder d'un air bizarre dans les couloirs, l'ambiance deviendrait si pesante que je devrais démissionner. Certes, je pourrais engager des poursuites, mais ce serait la fin de ma carrière d'avocate. Personne ne prendrait le risque d'embaucher une « semeuse d'embrouilles ».

C'est joué d'avance, je ne ferai rien. Je n'ai pas envie de lutter.

Seulement, ce qui me fait le plus chier dans le fond, c'est de me sentir stupide ou, pire, *chochotte*, d'en faire tout un plat. Franchement, il n'y a pas de quoi fouetter un chat. D'accord, c'était gênant et désagréable, mais à quoi bon se monter le bourrichon ? Carl a accepté mon refus, non ?

Néanmoins, mes émotions ne cessent d'aller et venir, de se faire écho, de se dilater ; je me sens puérile d'être scandalisée, puis scandalisée de me sentir puérile.

Le bar s'appelle *Au bassin de Sunny*, et la bière n'y est qu'à un dollar. Des bouées et des gilets de sauvetage sont accrochés au blanc sale des murs dans ce que je suppose être une tentative de décoration artistique. J'ai toujours adoré les petits bars de quartier et suis déçue que mon escorte gâche instantanément mon plaisir. Nous délaissons les tables, vides pour la plupart, pour trois tabourets alignés le long du comptoir. Mon patron au milieu, entre Carisse et moi. Le barman nous balance des serviettes en papier marquées Burger King, et Carl me surprend en commandant trois tequilas.

— Non, merci, dis-je.

— Voyons, Haxby. Arrêtez de jouer les rabat-joie, fait-il en poussant vers moi un verre déjà servi.

Je me demande s'il me punit de lui avoir menti pour Andrew. Je ne proteste plus et, après avoir compté jusqu'à trois, nous vidons nos verres et plantons nos dents dans la tranche de citron vert. Je sens la brûlure descendre dans ma gorge, je commence à avoir des fourmis dans les bras. Dans trente secondes, je le sais, j'aurai l'intestin en feu.

Nous prenons tous une autre tequila, et c'est la nausée qui recommence.

— Que se passe-t-il, Haxby ? me demande Carl, tandis que Carisse réclame une troisième tournée au serveur. On ne peut pas jouer dans la cour des grands ?

J'en ai assez. Je réponds :

— Il faut croire que non, Carl – et, en signe de reddition, je descends de mon tabouret, une main sur le comptoir parce que j'ai la tête qui tourne. Je suis épuisée. Je rentre direct à l'hôtel. Carisse, la clef ?

Elle me regarde d'un air de triomphe. Je ne sais pas pourquoi tout tourne à la compétition avec elle, tant pis si j'ai encore perdu.

— Merci pour le dîner, dis-je, et je quitte le *Bassin de Sunny*, ravie que l'envie de vomir soit passée.

Mon sentiment de libération est immédiat ; je ne cille même pas en passant devant Bob à la réception et éprouve un plaisir sans mélange quand je constate que la chambre de Carisse est équipée de deux lits doubles. J'enfile à la hâte mon nouveau pyjama de l'Arkansas et me blottis sous les couvertures.

Mais, tout aussi soudainement, l'euphorie s'évanouit. La veilleuse de la salle de bains projette sur le mur des ombres malfaisantes, et le fauteuil calé dans un coin de la chambre se fait menaçant. Apeurée et seule, tout ce qui me vient à l'esprit, c'est de décrocher le téléphone pour appeler Andrew. J'ai besoin de partager les détails sordides de ce voyage. De l'entendre me consoler, me dire que tout va bien se passer. Je compose son numéro, vite, avant que ma raison ne mesure les conséquences de mon geste.

Andrew décroche à la deuxième sonnerie :

— Allô.

Je panique. Et je ne dis rien, rien du tout, parce que maintenant qu'il est au bout du fil, je ne suis plus si sûre d'avoir quelque chose d'intéressant à raconter. Il se fiche de ma nuit passée en boule dans la baignoire, ça ne fait pas de doute. Mes problèmes ne le concernent plus.

— Allô ? répète-t-il. Qui est à l'appareil ? J'entends respirer.

Le téléphone pèse dans ma main, il devient trop lourd à tenir. Je raccroche.

Une toute petite rechute. Une erreur.

Je me dis que j'avais juste envie d'entendre sa voix. Que j'avais juste envie d'entendre son souffle.

Au réveil, j'ai des élancements dans les tempes, c'est la revanche des tequilas. Le lit à côté du mien n'a pas été défait, son chocolat est toujours posé sur l'oreiller. Quand je descends pour le petit déjeuner, Carl et Carisse sont déjà là, ils se partagent le *Wall Street Journal*.

— Bonjour, dis-je en les rejoignant à la table.

— Bonjour, répond Carl avant de jeter un coup d'œil à sa montre. Vous êtes en retard. Vous savez que vous n'êtes pas en vacances.

— Il n'est même pas huit heures, rétorque Carisse en lui donnant un petit coup de journal. Fichez-lui la paix.

— Oui, eh bien, nous on bosse depuis des heures, fait Carl, et il foudroie Carisse du regard, troublé par son espièglerie, puis il me dévisage, un lent balayage vertical. Bien. Emily..., Carisse et moi avons discuté de cette requête en procédure sommaire. Ça m'ennuie de vous le dire, mais j'ai décidé que vous n'étiez pas prête pour la rédiger. Je suis désolé.

Il n'a pas l'air désolé, plutôt assez content de lui. Un vrai coq en pâte, la pâte étant Carisse.

— Et pour quelle raison ?

Je pose la question tout en sentant la désillusion s'étendre dans mon ventre.

— Parce que c'est moi qui vais la rédiger, répond Carisse en baissant son journal.

Maintenant, sa main droite est posée tout près de celle de Carl, si près que leurs auriculaires se touchent presque.

Elle me décoche un regard, et son visage est si expressif qu'elle pourrait aussi bien dire ça tout haut : *Il a suffi d'une pipe, c'est tout. Et encore, j'ai même pas eu besoin d'avaler.*

10.

Parfois, quand je n'arrive pas à dormir, je m'imagine mon enterrement et j'écris mon oraison funèbre dans ma tête. Dans mes rêveries, j'ai presque toujours une mort tragique mais inéluctable. Fauchée par un chauffard. Ou par une rupture d'anévrisme. Je fais en sorte de souffrir peu, mais de mourir avec courage, dignité et sous-vêtements propres. Je préfère penser aux funérailles plutôt qu'à ma mort. Qui viendrait ? Qui surmonterait sa peur de parler en public et bougerait son cul jusqu'au pupitre ? Qui déciderait qu'il a mieux à faire et ne viendrait pas du tout ? Je me demande si les gens pleureraient, et s'il y a une seule personne en ce monde qui retiendrait ses larmes de crainte de ne plus jamais pouvoir les stopper.

Je vois aussi la suite, chez mon père, dans le Connecticut, mes amis sont tous réunis dans ma chambre d'enfant. Ils se font l'impression de gamins dans une réunion de grandes personnes, bien qu'eux aussi soient des adultes aujourd'hui. Quelqu'un sort une bouteille et la fait circuler. Réchauffés par l'alcool, ils tuent le temps en feuilletant mes photos de classe qui viennent de passer dix ans à ramasser la poussière. Quelqu'un s'arrête sur une photo de moi à quatorze ans : j'ai une permanente, de l'acné et une molle poitrine naissante. Il rit en la montrant au groupe.

— C'est ce qu'Emily aurait voulu, dit un autre avec un geste vague et circulaire pour désigner ma chambre.

À la cérémonie funèbre, mon père ferait un discours brillant, peut-être le meilleur de sa carrière, il y évoquerait son rôle de père et la tragédie que constitue la perte d'un si beau potentiel fauché dans la fleur de l'âge. Je ne sais pas pourquoi, mais je le vois employer le mot *dilapidé*. À mon avis, il ne parlerait guère de moi, sauf peut-être pour lister mes exploits. Je suis sûre que Yale serait cité plus d'une fois.

Vanter son gosse n'est pas vulgaire quand le gosse est mort.

Je parie que Kate lirait un poème, peut-être celui de *Quatre mariages et un enterrement*, et sa déclamation atteindrait la perfection : pleine d'émotion, de tristesse, de gratitude aussi, peut-être, pour les moments vécus ensemble. Il n'y aurait plus un œil sec dans toute l'assistance. Jess, elle, retournerait l'auditoire ; elle ferait rire les gens et leur ferait oublier un instant la présence du corps mort dans la pièce. Elle raconterait toutes les anecdotes incorrectes du temps de nos études, les trucs que mon père ne devait jamais savoir : les situations compromettantes, les personnages que je me fabriquais, cet horrible passage aux urgences. Depuis le ciel – même si, en dehors de mes fantasmes funèbres, je ne crois pas vraiment au ciel –, je regarderais vers la terre et je serais fière de Jess : elle seule aura su restituer ma personnalité pour cette vaste assemblée.

Parce que, bien sûr, il y a une vaste assemblée.

Depuis notre rupture, je n'ai pas encore trouvé où caser Andrew dans le scénario. Avant, je le voyais debout au pupitre, mon corps reposait juste derrière lui dans le cercueil fermé. Il portait son costume noir, qui le fait paraître plus grand et large qu'il n'est en réalité, et il commençait par un cliché, mais un cliché touchant, du genre : « Emily aurait voulu nous voir rire aujourd'hui, et non verser des pleurs. Elle aurait voulu nous voir fêter sa vie et non pleurer sa mort. » Et, tandis que les larmes roulaient sur son visage, il racontait quelques histoires amusantes survenues pendant le bref laps de temps que nous avons passé ensemble ; l'assistance riait avec lui d'un rire triste, seulement, cette fois, c'était le rire de la mémoire, pas celui du lâcher prise.

Dans mes nouvelles rêveries, le mieux que je puisse faire,

c'est de le voir assis au dernier rang. Il a la mine sombre, mais pas anéantie. Il n'est même pas en noir.

Aux obsèques de ma mère, dont je n'ai qu'un montage de souvenirs, je n'ai ni pleuré ni parlé. Ce n'était pas le genre d'obsèques à ça. Un homme qui ne l'avait jamais connue s'est levé devant l'église bondée et a prononcé quelques mots sur elle. Des mots vagues qui pouvaient s'appliquer à n'importe qui, comme un horoscope. Mon père et moi étions assis au premier rang, silencieux – la seule fois, à ma connaissance, où il n'a pas sauté sur une occasion de parler –, et j'avais l'impression que tout le monde me regardait, ce qui était sans doute le cas. Qui se priverait d'un discret coup d'œil sur un drame ?

Je me souviens d'avoir veillé à garder le dos bien droit pour que, au moins, les gens puissent dire en rentrant chez eux : *Ma foi, la fille se tient très bien.* Bien que gênée par mes dessous, qui n'arrêtaient pas de remonter, je suis restée parfaitement immobile. La veille, papi Jack m'avait acheté un collant et un ensemble noir au centre commercial. Je n'ai jamais trouvé le bon moment, avant l'enterrement, pour lui dire qu'il leur manquait une taille.

Mon père aussi bougeait différemment ce jour-là – raide et mécanique comme un robot – et il n'arrêtait pas d'aller aux toilettes, un prétexte dont nous usions l'un et l'autre pour éviter de serrer toutes ces mains idiotes. Nous étions trop fatigués pour entendre des choses comme « nous sommes vraiment désolés » et « c'était une femme merveilleuse ». Il était trop tôt pour le réconfort, trop tôt pour ce qu'on attendait de nous. Trop tôt pour l'imparfait.

Pendant la cérémonie, j'avais l'impression que tout cela arrivait à quelqu'un d'autre. Le cercueil exposé en haut de l'église ne contenait pas ma mère, comment l'aurait-il pu ? Pour ce que j'en savais, les mères ne mouraient pas. Surtout pas dans une banlieue du Connecticut, dans un monde où les ongles et les pelouses sont manucurés, à des kilomètres de chemin de fer de la réalité. Surtout pas quand on a quatorze ans. Dans mon monde à moi, le pire qui pouvait arriver, c'était de me faire poser un lapin au bal du bahut.

Ça me paraît bizarre aujourd'hui, mais je me rappelle qu'au lieu de me concentrer sur le fait que je venais de perdre ma mère, j'ai passé cette journée à me soucier de l'image que je donnais aux autres. J'aurais aimé verser quelques larmes, non tant par tristesse, ce que je ressentais était plus profond et plus vide que triste, mais parce que les larmes semblaient de circonstance. Mais comme je n'étais pas sûre de pouvoir arrêter – pas sûre, si je me laissais aller, de ne pas frapper l'homme au col de prêtre qui débitait des lieux communs dans sa chaire –, j'ai gardé les joues sèches et les poings serrés.

Mon père a fait de même. Des obsèques classiques n'étaient pas ce qu'il fallait pour ma mère – il le savait, je le savais, toute l'église le savait –, mais il n'y pouvait rien. Nous étions tous les deux en apnée.

Après l'enterrement, une fois de retour à la maison, papi Jack m'a réclamé l'ensemble noir, et je le lui ai donné, soigneusement plié dans son sac d'origine. J'ai enfilé un jean et un T-shirt, comme un enfant normal, et j'ai pensé à ce qu'il avait dû lui en coûter d'aller chez Macy's choisir ma tenue de funérailles. J'espère qu'il a dit qu'il me fallait cet ensemble pour une remise de récompense des meilleurs élèves ou pour mon diplôme de fin d'année ; j'espère qu'il n'a pas eu à prononcer un seul mot.

Plus tard, à l'insu de tous, après avoir quitté la veste et la cravate et remis sa casquette Gavroche, mon grand-père m'a emmenée dehors, derrière la maison, où il avait déjà installé une grosse poubelle métallique. Il a sorti ma tenue noire de son sac et l'a jetée sur le tas d'ordures – sur les assiettes en carton, sur les fourchettes et les couteaux en plastique des gens, sur leurs bouts de quiche entamés. Papi Jack m'a laissé frotter l'allumette, et nous sommes restés là un moment, loin des mains, des condoléances et de l'imparfait. Ensemble, nous avons regardé les flammes lécher le tissu et le réduire en cendres.

Ma mère est morte lentement, et pendant longtemps. Mais la fin n'a pas été pour nous le soulagement qu'elle doit être parfois, j'imagine. Les adieux sont quand même venus trop tôt, sur tous les plans. Elle a été soignée pendant un an, une année pendant laquelle elle vomissait sans bruit derrière des portes closes, demandait qu'on la laisse seule, fumait des joints en solitaire dans le jardin, derrière la cabane à outils. Cette année-là, j'ai appris à reconnaître l'odeur des hôpitaux, la cadence des mauvaises nouvelles. Cette année-là, j'ai regardé mon père se décomposer et se ratatiner, comme si c'était lui, et pas elle, qui mourait lentement. Comme si c'était lui, et pas elle, qui était en train de mourir depuis longtemps.

Lors de notre dernier Thanksgiving en famille, il a porté un toast à la santé de ma mère : à l'époque, elle était revenue à la maison, et les choses semblaient vouloir s'arranger. Nous avons fait tinter nos verres, mon père m'a même permis de boire un peu de vin, il avait un goût aigre-doux qui m'a fait monter les larmes aux yeux. J'ai détesté ça. Ma mère portait un foulard de soie sur la tête, je me rappelle avoir pensé qu'elle était plus belle chauve, les traits libérés des nuances de la chevelure. Juste des yeux noisette, sans sourcils, délicats, doux, chaleureux ; jeunes aussi, car leur éclat se rebellait contre la désagrégation du corps, contre les ombres nouvelles sur son visage.

Je me dis aujourd'hui, si je dois réduire ma mère à des bribes de souvenirs, à une pile d'adjectifs, voilà qui elle était, voilà ce à quoi je dois me raccrocher, à ces yeux-là, ces yeux provocants et vifs qui se battaient comme des fous pour nous garder.

Mon père et moi avons mangé des tonnes de dinde, compensant à l'excès le fait que ma mère ne faisait que repousser les morceaux dans son assiette. Je me demande si elle savait qu'elle était en train de mourir, si elle ne nous donnait pas une dernière parade de Thanksgiving à ranger dans nos mémoires, car c'était le dernier que nous devions passer ensemble autour de la grande table en chêne. Peut-être mon père le savait-il aussi ; dans ce cas, la parade était pour moi toute seule, trop jeune alors pour remarquer la fragilité du sourire de mes parents. Ou bien juste assez jeune pour jouer le jeu, pour laisser la volonté d'y croire encore avoir le dessus sur ce que disaient si clairement leurs visages.

Pourtant, cette année-là, ils n'ont pas fêté Noël, parce que Noël c'était le domaine réservé de ma mère et qu'elle était trop mal pour quitter le lit. Certes, mon père aurait pu faire les courses, installer l'arbre et accrocher les décorations avec le même soin que ma mère, mais ç'aurait été une parodie, un simulacre de Noël, et nous avions fini de faire semblant.

Quand on m'a annoncé que nous ne fêterions pas Noël comme nous l'avions toujours fait – il y aurait moins de cadeaux et pas de sapin –, j'ai claqué la porte de ma chambre pour bouder, enfant impossible, adolescente typique, voire un peu des deux. J'ai juré tout haut contre mes parents, hurler des mots habituellement bannis de la maison me donnait une impression de puissance. Je profitais de l'unique avantage offert par la maladie de ma mère, celui de pouvoir repousser les limites imposées.

— Putain, faut toujours que tout tourne autour d'elle, merde ! ai-je hurlé aux murs, à mes parents de l'autre côté des murs, et à Dieu, bien qu'à l'époque, j'en suis sûre, j'aie déjà cessé d'y croire.

Sauter Noël, c'était leur manière à eux de me dire que c'était fini, et quand elle a été hospitalisée à la toute fin de l'année, nous savions que c'était la dernière fois. Personne ne m'a fait asseoir pour me l'expliquer ; je ne sais pas si quelqu'un l'aurait pu. Non, je l'ai compris par déduction, et parce que ma mère devenait de plus en plus petite. Comme Lilly Tomlin dans *La Femme qui rétrécit*, sauf que c'était loin d'être aussi drôle.

Le dernier jour, mon père m'a réveillée et m'a demandé de m'habiller. Il a juste dit : « Ça y est. »

C'était l'hiver, j'ai enfilé un col roulé en laine qui me chatouillait la mâchoire et me faisait transpirer sous les bras. Pendant le trajet jusqu'à l'hôpital, nous n'avons pas prononcé un mot. De temps à autre, mon père prenait de courtes inspirations, comme pour dire quelque chose, puis se ravisait ; chacune de ces retenues, qui lui ressemblaient si peu, était une déclaration de peur. J'ai passé mon temps le nez au carreau, incapable de le regarder, de regarder ni son menton orné d'une barbe qui avait largement plus d'un jour, ni ses yeux humides bordés de rouge, exactement pareils aux miens.

Quand nous sommes arrivés, ma mère était endormie, ou dans le coma, ou assommée par la morphine. On ne me l'a jamais dit, et je n'ai pas pensé à poser la question. Nous avons pris chacun un côté du lit. Mon père lui tenait la main droite, moi la gauche ; ses doigts me semblaient étrangers : rêches, froids et anormalement lourds. Juste pour faire quelque chose, j'ai ajusté son foulard pour qu'il ne glisse pas sur son front nu et lui ai dessiné des sourcils avec du maquillage pris dans sa trousse sur le rebord de la fenêtre. Nous sommes restés des heures assis là, sans un mot. Simplement à écouter chaque souffle. Prêts à tout pour entendre le suivant.

Vers deux heures de l'après-midi, le médecin est passé, il a donné une petite tape sur l'épaule de mon père pour attirer son attention et a dit : « Ce ne sera plus très long maintenant. » Il m'a fait un simple signe de tête, comme à une adulte dont la présence mérite d'être remarquée.

Elle est morte à dix-sept heures pile, on aurait dit qu'elle pointait la fin d'une journée de travail. Nous l'avons compris parce que le souffle suivant n'est pas venu ; pourtant, nous l'attendions. Nous espérions bêtement, tout en pensant l'un et l'autre : *Voilà, c'est comme ça. Comme ça que ça finit.* Rien à voir avec les films, où un bruit avertit le spectateur, où une machine émet un bêlement sonore pour que les médecins puissent se précipiter et marteler la poitrine du mourant. Un crescendo dramatique.

Non, c'est l'absence de son qui nous a dit que c'était fini. Immobilité et silence complets. Si ça n'avait pas été moi et si ça n'avait pas été ma mère qui venait de s'arrêter, ç'aurait été magnifique, vraiment, comme la fin d'une symphonie, la pause minuscule qui précède les applaudissements. Mais c'était moi et c'était ma mère, et aujourd'hui, oui aujourd'hui, c'est le silence que je trouve le plus obsédant de tout.

Plus tard, sur le chemin du retour, avant les coups de téléphone et les bla-bla, mon père et moi nous sommes arrêtés au supermarché afin de remplir le coffre de victuailles pour les gens qui viendraient nous présenter leurs condoléances dans la semaine. J'ai pris le même plateau de viandes froides que ma mère avait choisi pour mon anniversaire l'année d'avant, je me disais que ça semblait approprié. Nous avons rempli le caddie sans parler de ce qu'il nous fallait exactement.

Nous avons acheté des cookies. Des lasagnes surgelées. Un gargarisme. Et un stock de cotons-tiges pour dix ans.

Quand nous sommes remontés en voiture, mon père a mis la radio à fond, et nous avons fait le reste du trajet comme ça. Les paroles des chansons des années cinquante – *Wake Up Little Susie, Breaking Up Is Hard To Do, Love Potion Number Nine* –, nous les avions sur le bout de la langue, nos bouches remuaient par habitude. Dieu merci, les sons nous hurlaient aux oreilles. Nous sommes restés un moment dans l'allée de la maison, laissant le moteur tourner, ni l'un ni l'autre nous ne voulions que la musique s'arrête.

11.

— Je ne veux être ni un putain de chat, ni une putain d'infirmière, ni une putain de garçonne, ni quoi que ce soit ayant un rapport avec le caoutchouc, dis-je tout en effleurant les côtes d'un blazer en velours dans la friperie vintage de l'East Village. Mais, putain, je veux avoir l'air sexy.

Jess se contente de sourire en hochant la tête. Elle me laisse faire mon petit *speech*, je lui sers le même tous les ans et à la même époque.

Je continue, comme si elle n'avait pas déjà entendu tout ça :

— Je ne veux pas faire partie de ces femmes pour qui Halloween est prétexte à se balader à poil. C'est la première fois que je vais revoir Andrew depuis le jour où il m'a trouvé suintant la tequila dans le métro. Il faut que je sois belle. Mais je veux aussi un vrai déguisement.

— Dominatrice ? fait Jess en agitant un bikini clouté avec des trous à l'endroit des tétons. Ça attirera son attention – et elle me claque les fesses avec un long fouet en cuir. Ça fait un mal de chien, mais je ne réagis pas. – D'accord, d'accord, trop banal.

— Jess, je t'en prie, aide-moi.

— Et si tu te déguisais en Monica Lewinsky ? Ou, mieux, en Anita Hill[1] ?

---

1. L'affaire Anita Hill, contrairement à celle de Monica Lewinsky, n'a eu que peu d'échos en France. Elle opposa, en 1991, Anita Hill à son ancien patron, Clarence Thomas, juge à la Cour suprême, qu'elle accusait de harcèlement sexuel.

Apparemment, j'ai eu tort de raconter à Jess ce qui s'est passé en Arkansas. Après avoir poussé dix minutes de jurons, puis avoir voulu me convaincre de poursuivre le cabinet en justice, elle a dû décider que c'était plutôt marrant. Et ça l'est, quand ce n'est pas à toi que ça arrive.

— Sois sérieuse. J'ai besoin de ton aide.

— Tu lui as parlé ?

— À qui ? À Carl ?

Je sors le blazer de son portant et le renifle. Pour je ne sais quelle raison, je m'attends à ce qu'il ait la même odeur musquée et chaude que papi Jack. Ce n'est pas le cas. Il sent la poussière. Il sent la mort.

— Non, idiote. À Andrew.

— Non.

— Tu l'as appelé ?

— Non.

— C'est vrai ?

— Je ne l'ai pas appelé.

Elle me fouette à nouveau, plus fort cette fois.

— D'accord, je l'ai appelé une fois. – Je flanque violemment le blazer sur son portant. – Mais on n'a pas parlé. J'ai paniqué et j'ai raccroché.

— Fais gaffe, Em. T'es encore plus à la masse que je le croyais. Il faut vraiment que tu te fasses aider.

— Je vais bien. C'est vrai.

— C'est pour ça que tu fais une farce téléphonique à ton ex ? Le gars que *toi*, tu as choisi de plaquer ? Ouais, pour sûr, t'as l'air d'aller bien.

Nous passons le reste de la journée à écumer le quartier pour trouver des costumes. Quelques jours nous séparent encore de Halloween, pourtant la plupart des passants ont déjà l'air déguisés. Nous croisons un homme en couche-culotte, un autre en justaucorps et patins à roulettes, mais Jess me jure les avoir déjà vus sur la Première Avenue.

Comme elle veut se déguiser en sorcière, nous lui achetons un grand chapeau conique, des paillettes et une robe en velours rasé. Dans l'immédiat, quand elle réunit ces divers éléments, Jess a plutôt l'air d'une maquerelle sur le pavé, mais je suis sûre qu'elle va trouver moyen de transformer son déguisement en un somptueux costume. À notre dernière halte, l'une de ces boutiques de Manhattan où l'on vend de tout, depuis le boa en plumes jusqu'à l'appareil photo numérique, je découvre un diadème en strass dans une vitrine remplie de pipes à eau en verre soufflé. Je demande à la vendeuse s'il est à vendre et où elle l'a trouvé.

— Ça remonte au temps où j'étais Miss Mississippi, en 1983, me répond-elle en lissant le gros « I Love New York » qui lui barre le ventre. (Sa peau a une pâleur jaunâtre maladive, et il lui manque une dent de devant. Les deux dernières décennies ne lui ont pas fait de cadeau.) À qui je vais faire croire ça maintenant ? Pour vingt dollars, il est à vous.

Le ton de sa voix me dit que c'est juste une capitulation supplémentaire dans une série déjà longue.

— Marché conclu.

La femme sort le diadème de la vitrine, en prenant soin de ne pas toucher les fausses perles et diamants qui se croisent en arcs répétés. Il est beau. Il est ridicule. Il est parfait.

Je lui donne l'argent, et elle emballe le diadème dans du papier de soie, en recouvrant tendrement, encore et encore, chaque arête acérée. Elle prend son temps.

— Qu'il vous porte chance, oui, qu'il vous porte chance, dit-elle en lui jetant un ultime et long regard, avant de le glisser dans le sac qu'elle me tend.

Le soir de Halloween, je me métamorphose en reine du bal. J'enfile ma robe de demoiselle d'honneur qui vient du mariage de la sœur de Jess, et goûte la fraîcheur du taffetas sur ma peau. Je m'imagine que le décolleté plongeant et la fente sur la jambe compensent le fait que je suis couverte de paillettes chatoyantes.

— Ma petite fille est une adulte désormais, dit Jess qui pose le diadème sur ma tête tout en feignant de fondre en larmes.

— Comment tu me trouves ?

À son intention, je pivote une dernière fois sur moi-même, sachant que, tout bien considéré, je suis drôlement belle. Le tissu colle partout où il faut, et je me sens sexy. Peut-être pas dominatrice, mais sexy tout de même. Un diadème, ça y fait.

— Vachement sexe, répond Jess. Et moi ?

— Vachement plus sexe encore, lui dis-je, et c'est vrai.

Elle a repris la robe pour en faire une cape scintillante ; dessous, elle porte une robe noire moulante. Son chapeau de sorcière est posé sur sa nuque, d'une manière un peu provocante et espiègle. Son visage scintille de mille paillettes qui font briller ses yeux charbonneux.

— Tu appréhendes de revoir Andrew ? me demande-t-elle.

— Oui.

Jess prend sa baguette magique et jette un sort au-dessus de ma tête, afin que tout se passe bien. Je ferme les yeux très fort, dans l'espoir de contribuer ainsi à l'efficacité du sortilège.

— Fort bien, dit-elle d'un ton neutre, puisque sa formule magique a tout réglé. (Elle m'attrape le bras et nous donne tout de suite de l'élan, comme si nous embarquions pour l'aventure.) En route pour le bal des débutantes !

On entend la fête depuis la rue en bas de chez Kate et Daniel. Je ne perçois aucune musique, mais l'air bruisse de conversations. Je ressens cette énergie nerveuse, cet entraînement cinétique, qui me saisissent toujours au moment d'entrer dans une pièce où des gens mis sur leur trente et un parlent tous en même temps. J'essaie de chasser mon trac – *pourquoi avoir peur d'Andrew ? Pourquoi avoir peur de qui que ce soit ?* – et je me répète que j'adore Halloween. Le temps d'un jour, la société autorise les meilleures choses de la vie : se dépouiller de son identité, en choisir délibérément une autre, et se goinfrer de sucreries.

Quand j'étais petite, chez nous Halloween était une grande fête familiale ; maman, papa et moi faisions le tour du voisinage vêtus de déguisements assortis inspirés généralement d'une thématique télévisée : les Schtroumpfs, la famille Brady, Charlie et ses drôles de dames. Mon père adorait la partie stratégique de l'affaire : on évitait les Hogan, au coin de la rue, qui donnaient des raisins secs, et on allait toujours frapper chez les Dempsey, dix rues plus loin, car ils faisaient de généreuses distributions de barres chocolatées géantes. Ma mère, elle, adorait la partie créative, le fait de nous métamorphoser par la grâce de quelques points de couture bien placés. Moi, j'adorais la partie promenade entre eux deux, je montrais le chemin, je savourais chaque miette de leur attention. Nous avons fait cela chaque année jusqu'à mes douze ans, âge auquel j'ai mis un terme à la tradition : se déguiser, ai-je décidé unilatéralement, c'était bon pour les petits.

Kate et Daniel habitent à Tribeca, dans un vaste loft, et, contrairement à moi, dans un vrai appartement d'adultes. Béton, canalisations apparentes et mobilier minimaliste. Ils aiment qualifier l'endroit d'« industriel », comme si c'était une bonne chose ; personnellement, je ne vois pas trop pourquoi on voudrait qu'une maison ressemble à un entrepôt. Dès notre arrivée, ils se précipitent vers Jess et moi. Je regarde dans leurs dos pour tenter d'apercevoir Andrew dans cette pièce noire de monde, mais il est introuvable. Au premier recensement, je distingue six dominatrices, deux chats noirs et trois infirmières cochonnes. Aucun Andrew. Pour l'instant, du moins, je peux déclarer avec fierté que je suis l'unique reine du bal de la pièce.

— D'accord, tu vas me haïr, je le sais, alors j'ai pensé qu'il valait mieux te le dire tout de suite... annonce Kate en guise de bonjour.

— Oh non.

— Ouais, Carisse est là, dit Daniel en prenant nos manteaux.

C'est comme ça qu'ils font les choses, ces deux-là. Comme au catch par équipe.

— Pourquoi l'as-tu invitée ?

— Je ne l'ai pas invitée, répond Kate. Enfin, pas précisément. J'ai adressé un mail à « tous les collaborateurs » du cabinet. J'ai oublié qu'elle risquait de venir.

Je jette un œil par-dessus son épaule et vois Carisse debout dans un coin, un verre de vin à la main. Elle est déguisée en serveuse de chez Hooters, avec les seins qui débordent du petit haut blanc moulant réglementaire et le cul tenu en place par le short, le micro-short orange. Je commence à rire, mais m'arrête tout de suite en constatant qu'elle est en train de parler à Andrew.

Il a recyclé le même déguisement que tous les ans : d'épais favoris collés sur les joues, un pattes d'eph clouté blanc en polyester déniché dans le grenier de ses parents, et un oreiller tassé sous une chemise argentée à grand col. Andrew est Elvis, mais un Elvis tardif, bedonnant et transpirant. L'année dernière, je lui ai demandé pourquoi il choisissait cet avatar du King plutôt que sa version jeune, dont le déhanché électrisait le monde entier. Je n'attendais pas une vraie réponse, c'est pourtant ce que j'ai eu : « Il était comme il était, Emily. Tu ne serais pas triste, toi, qu'on se souvienne uniquement de ce que tu étais à vingt ans, même si c'était formidable ? » Puis il a fait cette moue qui était la signature d'Elvis, cette moue si délicieusement asymétrique que mes lèvres sont allées la cueillir sur sa bouche.

Ce soir, c'est à Carisse qu'il réserve ses meilleures imitations. Elle a droit et à la moue, et au jeu de jambes.

Quand Jess voit ce que je vois, elle me conduit droit au bar très sophistiqué qui se trouve dans un coin de la pièce.

— Tequila ?

— Non. Vodka. Autant ne pas commettre deux fois la même erreur.

Elle me sert un verre, que je siffle vite fait. C'est à peine si je sens la brûlure dans ma gorge. Après quoi, Jess me prépare un mélange vodka-tonic, dans lequel elle laisse tomber une tranche de citron vert. Elle me le tend sans un mot. Je me pousse de côté : un homme manifestement déguisé en hamburger se glisse jusqu'au bar et approche la main de la bouteille de gin.

— Nous sommes faits l'un pour l'autre, on dirait, annonce-t-il en me flanquant un coup de steak haché en plastique dans les côtes.

Il se sert un verre.

— Pardon ?

— Vous êtes la reine du bal, pas vrai ? Et moi je suis Burger King, le roi du hamburger, répond-il en pointant fièrement un doigt vers sa tête, également couronnée d'un diadème, mais d'un diadème en or dépoli.

— Bien pensé, dis-je, faute de trouver justement une réponse bien pensée.

Mes yeux ne cessent de se reporter sur Carisse et Andrew, qui bavardent maintenant à l'autre bout de la pièce.

— Joli diadème, fait Jess en désignant la tête du gars.

— C'est pas un diadème. C'est une couronne, rétorque-t-il en passant la main sur les piques dorées.

— C'est un diadème, insiste Jess. Les couronnes font le tour de la tête. Les diadèmes s'arrêtent à la moitié. Par conséquent, c'est bien un diadème.

Je la dévisage sans trop savoir pourquoi elle va chercher noise à un hamburger. Lui aussi lui lance un regard décontenancé, il n'en demandait pas tant.

— Laisse tomber, fait-il, saisissant son verre pour s'éloigner, non sans auparavant tamponner Jess de sa rondelle de pain.

— Pourquoi cette sortie ? dis-je.

— J'allais pas rester là, à te regarder te faire draguer par un mec avec un moche diadème, répond Jess. Tu es au-dessus de ça. De toute façon, je voulais qu'il nous fiche la paix. Maintenant, s'il te plaît, arrête de les mater. Tu me mets mal à l'aise.

— Je ne les mate pas.

Je tourne les yeux vers Jess, car oui, bien sûr, j'étais en train de les mater.

— Il ne va pas la ramener chez lui, tu sais ?

— Je sais.

— Probable qu'il lui parle juste pour te rendre jalouse.

— Je sais.

— Tu devrais aller dire bonjour. La jouer cool.

— Je sais.

— N'oublie pas, c'est toi qui as rompu.

— Je sais.

— Alors pourquoi tu recommences ?

Je détourne les yeux pour regarder Jess et bois une lente gorgée de vodka-tonic.

— Je sais pas.

— Oui, dit-elle. C'est bien ce que je pensais.

L'alcool ne met pas trop de temps à dissiper un peu mon malaise. Je n'arrête pas de mater Carisse et Andrew – ils ont l'air encore plus copains qu'avant –, mais ne me sens plus assez d'amour-propre pour essayer de le cacher. Je me dis qu'avec des seins prêts à s'éjecter à tout instant de leur caraco, les regards, elle les appelle. Bien que déguisé en Elvis vieillissant, Andrew est superbe. Sa coiffure se situe quelque part entre la banane et l'iroquoise. Il a des rides autour des yeux, les pattes d'une très grosse oie, qui s'accentuent à chaque sourire. J'ai envie d'aller les lécher, de glisser ma langue dans leurs doux sillons. Je ne sais pas pourquoi l'idée ne m'est jamais venue avant.

Carisse s'appuie sur lui en discutant, ils sont clairement en train de flirter, et je me demande comment j'ai pu le laisser partir. C'est moi qu'Andrew voulait épouser. Moi, pas elle. Moi. C'est aussi moi qui suis partie. Qui ferait une chose pareille ? J'aurais pu dire oui. Après tout, ce n'est qu'un mot. Un long chemin se serait alors ouvert devant moi, j'aurais pu le suivre, le laisser m'emmener quelque part, où que ce soit. Et là-bas, dans le coin de la pièce, il y aurait eu nous, et pas eux.

Il y a tout le temps des gens qui disent oui. C'est un choix, comme le reste. Ma décision est prise : *Je vais faire partie des gens qui disent oui.* Aux Alcooliques Anonymes, on apprend à agir « comme si », comme une personne qui ferait le contraire de ce qu'on fait naturellement. Les alcooliques doivent faire « comme si » ils n'avaient pas envie d'un verre. Et moi je dois faire « comme si » j'étais quelqu'un qui dit oui. Ça paraît si simple. Trois lettres.

Je chasse délibérément les pensées où je crois entendre Jess. *Tu n'es pas prête pour un Andrew.* Et aussi celles où je crois m'entendre moi, celles qui font le plus mal : *À la fin, c'est lui qui serait parti. Tu as fait ce qu'il fallait. Tu es partie la première.* Mais les mots sont flous, comme un bruit blanc, et je n'ai pas la force de les analyser. Au contraire, dans les brumes de quatre vodka-tonic et de quelques tequilas, l'évidence surgit : il faut que je parle à Andrew. Et tout de suite.

Je n'ai aucune raison d'être tendue, me dis-je. L'homme là-bas dans le coin m'a vue nue un nombre incalculable de fois, prenait la moitié de mon lit et peut-être plus de la moitié de ma vie. Peu importe qu'il soit devenu un homme là-bas dans le coin, un homme qui fait semblant de ne pas m'avoir vue arriver et préfère parler à une serveuse de chez Hooters.

Je traverse la pièce et me fraie un chemin entre les costumes. *Électricité statique, grippe aviaire, Mona Lisa, distributeur de bonbons Wonder Woman, paire de dés, et encore un putain de chat.*

— Salut, dis-je en m'adressant aux deux, avant d'ajouter à la seule intention d'Andrew : Je peux te parler une minute ?

J'incline la tête en direction du couloir qui mène aux toilettes. Le seul endroit du loft qui offre un semblant d'intimité. Le reste de l'appartement ressemble à une vaste scène de théâtre.

— Bien sûr, répond-il. À tout de suite, Carisse – et je le vois jeter un ultime coup d'œil à ses nichons avant de me suivre dans le couloir. – Qu'est-ce qui se passe ? Comment vas-tu ?

— Bien. Oui, bien. Et toi ?

Je ne sais pas comment me tenir ; soudain, je me sens ridicule dans mon déguisement. Je veux avoir l'air décontracté, chose quasiment impossible en robe du soir. Je vacille sur mes talons hauts, conséquence de la nervosité et du nombre de verres avalés.

— Bien aussi, dit Andrew. Heureux de voir que tu vas mieux. Tu avais l'air patraque dans le métro.

— Oui. (Je ne me sens plus capable de bavarder de tout et de rien. Il faut que je lui dise ce que je veux lui dire.) Écoute, Andrew, c'est oui.

— Comment ?

— Oui, je veux te dire oui.

Je lève les yeux vers lui et constate qu'il ne voit pas du tout de quoi je parle. Qu'il se demande si je ne suis pas plus saoule que j'en ai l'air. C'est le cas.

— Oui ? Oui à quoi ?

Il me regarde fixement, mais il sourit. Il me trouve amusante quand je suis saoule. Je m'encourage à nouveau : *Tu peux le faire.*

— Oui, je veux t'épouser.

Ça y est, je l'ai dit. Droit au but. Je suis fière d'être arrivée à prononcer les mots.

— Je te demande pardon ? (Andrew approche d'un pas et baisse les yeux vers moi. Il a l'air encore plus grand que d'habitude, presque menaçant. Ses cheveux noirs tombent sur son front, une grosse touffe juste au-dessus des yeux, mais qu'il n'écarte pas.) Je ne crois pas t'avoir demandé de m'épouser. En fait, je suis sûr de ne pas l'avoir fait. Bon sang, c'est quoi ton problème, Emily ?

Je sens tout le poids contenu dans l'emploi de mon prénom entier. Il n'a pas dit Em, mais Emily. Il n'a l'air ni soulagé, ni aimant, ni même gentil.

En fait, il a l'air fou de rage.

— Je... Je voulais juste... Je voulais que tu saches que je me suis trompée. Je veux te dire oui.

Je pose un bras sur son épaule, ma manière à moi de dire : *Je t'en prie, ne sois pas fâché, ça peut s'arranger.*

— T'es pas un cadeau, tu le sais ça ? Après le merdier que t'as foutu ces deux derniers mois, qu'est-ce qui te fait croire que je puisse avoir envie de t'épouser ? Rien que d'y penser, ça me rend malade. (Il a parlé de plus en plus fort, puis, s'apercevant de son niveau sonore, il baisse le ton.) T'es complètement à côté de tes pompes, ajoute-t-il en reculant d'un pas.

À présent, il chuchote, mais ses intonations sont dures. Il prend de profondes inspirations et expire lentement, il contrôle son souffle, comme dans un cours de yoga.

— Tu sais quoi ? J'ai franchement pas besoin de ça en ce moment. Tu es bourrée. Heureusement, j'ai assez de bon sens pour deux. Je vais faire comme si tu ne m'avais pas infligé cet affront. Je vais faire comme si ça n'était jamais arrivé. (Et il tourne les talons.) Au revoir, Emily. Et bonne chance, conclut-il. Trois mots insignifiants jetés par-dessus l'épaule. Un ajout de dernière minute.

— Mais, Andrew...

Je n'ai pas besoin de finir ma phrase, il est déjà au bout du couloir, rejoignant la soirée pour se perdre dans le grand bazar aux déguisements.

Je trouve Jess et lui dis qu'on doit rentrer. Maintenant. Un regard lui suffit, elle court chercher nos manteaux. Quand elle revient, elle m'attrape le coude et me pilote vers la porte.

— Ça va ? murmure-t-elle sous un sourire de façade. Elle sait ne pas attirer l'attention sur nous.

— Non, dis-je. Ça va pas. Pas du tout même.

Jusque-là, j'ai réprimé le torrent de larmes qui menace. Mais je ne vais pas pouvoir tenir bien longtemps et suis heureuse d'atteindre enfin la porte.

En sortant, je jette un rapide regard derrière moi. Je ne peux pas m'en empêcher. Andrew est à nouveau en train de parler à Carisse, leurs têtes s'inclinent l'une vers l'autre, dans une caricature de flirt. Dans l'autre coin, je vois le gars au diadème : il embrasse quelqu'un, sa fausse laitue s'écrase contre un body blanc. Je montre le couple à Jess.

— Impossible, dit-elle. Je peux pas le croire.

Et c'est là, en voyant la simplicité de tout ça, l'accumulation de mes choix jusqu'à la situation actuelle – la vision du Burger King roulant des pelles à Miss Fromage blanc –, que mes larmes commencent à couler.

12.

— Emily chérie ? Allô ? Allô ? (Une voix râpeuse résonne dans tout l'appartement avant de résonner dans mes rêves.) Je ne sais pas si cette machine fonctionne. Elle fonctionne ? (Un cognement sonore retentit : à l'autre bout de la ligne, on frappe le téléphone contre une surface dure.) C'est Ruth Wasserstein. Je t'ai déjà laissé quelques messages et je n'arrive pas à trouver ton père. Je sais qu'il est tôt, mais, s'il te plaît, rappelle-moi. C'est... Euh, c'est important.

— Ruth ? Salut, c'est moi. Qu'est-ce qui se passe ?

Le sens de l'urgence se déclenche en moi et vient supplanter la gueule de bois. Ce n'est plus la nausée qui me retourne, mais la peur. Le voyant de mon répondeur clignote furieusement, et mon pouls commence à adopter sa cadence. Cling. Cling-cling-cling-cling. Cling.

Papi Jack. *Il est arrivé quelque chose à papi Jack.* C'est la seule explication logique pour que Ruth appelle à huit heures du mat un samedi. *Papi Jack est mort. C'est comme ça que ces choses-là arrivent. Avec des appels impromptus et des répondeurs qui clignotent. C'est comme ça que ces choses-là arrivent.*

— Tout va bien, dit Ruth. Respire. Normalement, il va bien. C'est juste que... Eh bien, il a disparu. Jack a disparu.

— Disparu ? Donc il n'est pas mort ?

— Mort ? Non, il n'est pas mort, répond-elle en riant, avant de s'interrompre : Non, enfin... je ne crois pas.

— Tu me dis bien que papi Jack n'est pas mort, n'est-ce pas ? C'est ce que tu es en train de me dire.

— Oh, ma chérie, je ne voulais pas t'effrayer. Il est parti faire un tour, c'est tout. Je suis sûre qu'il va bien. Mais, à mon avis, il vaudrait mieux que tu viennes. J'ai déjà appelé la police.

— J'arrive tout de suite. Ruth ? (Je respire à fond, comptant sur l'oxygène pour arrêter de trembler.) Merci beaucoup d'avoir appelé.

— C'est naturel. Et ne te fais pas de souci, Emily, il est sans doute juste perdu.

Elle raccroche. Je me répète *juste perdu*, comme si elle parlait au sens propre.

Je sors en courant, sans prendre le temps de me brosser ni les dents ni les cheveux. Il faut que je retrouve papi Jack. *Mon Dieu, faites qu'il ne soit pas mort :* je n'arrête pas de me murmurer cette phrase, mon nouveau mantra. Je suis trop pressée pour la pensée positive.

En franchissant à toute allure la porte de mon immeuble, je passe devant Robert, mon concierge, lui jette un rapide coup d'œil et me rappelle que lui aussi, il est un vieux monsieur ; il a peut-être à peine quelques années de moins que papi Jack, et également des petits-enfants. Une jalousie malsaine m'envahit, assez proche de ce que je ressens dans les grands magasins en voyant les mères et les filles faire des courses ensemble et partager un mètre carré de cabine d'essayage. *Pourquoi n'est-ce pas Robert qui a disparu, au lieu de mon papi Jack ? Pourquoi faut-il toujours que ce soit les gens que j'aime ? Ceux qui vont le plus me manquer ?*

L'amertume et la colère dominent tout. Même ma peur.

— Où foncez-vous comme ça, princesse ? me demande Robert, inconscient des pensées haineuses que je nourris à son égard.

Sa gentillesse me fait honte.

— Pardon, Robert, faut que je file, lui dis-je tout en m'engouffrant dans un taxi.

Pourquoi mon papi Jack ?

— Amusez-vous bien, princesse, répète-t-il, et il chantonne.

Princesse ?

Il me faut cinq bonnes minutes, le temps de grimper dans le taxi, le temps de crier Riverdale au chauffeur, pour m'apercevoir que j'ai toujours sur le dos le déguisement d'hier soir, diadème compris. Je porte les mains à ma tête et presse le bout de mes doigts contre les pointes de métal. C'est le moment qui fait peur dans le conte de fées, celui qui précède l'heureux dénouement. Celui où Cendrillon perd sa pantoufle, où Blanche-Neige croque la pomme empoisonnée. Je sens les bords tranchants du diadème mordre ma peau. Je n'arrête de serrer que lorsque le sang commence à couler.

J'arrive à la maison de retraite ; Ruth m'attend à la réception en compagnie de deux policiers. Tout le monde est assez courtois pour ne faire aucun commentaire sur ma tenue.

— Bonjour, je suis Emily Haxby. Jack Haxby est mon grand-père.

J'échange une poignée de main avec chacun. Je prends ma voix de juriste ; peut-être un ton sérieux estompera-t-il un peu les paillettes. Tout de suite, mes yeux se mettent à fouiller le hall, dans l'espoir que cette histoire soit juste une énorme méprise et que papi Jack est assis quelque part, plongé dans un bouquin. Peut-être ne l'ont-ils pas vu, tout simplement, comme quand on ne voit pas les lunettes qu'on a sur le nez.

— On a envoyé deux voitures patrouiller dans les rues. Mademoiselle Haxby, je suis sûr qu'on va bientôt le retrouver, dit l'un des policiers, la main négligemment posée sur la hanche, juste au-dessus de l'étui de son pistolet.

Il pourrait me descendre en un rien de temps, me dis-je. Faire tourner l'arme autour de son index, comme dans les vieux westerns, et me buter, là, tout de suite. Que faudrait-il faire pour le provoquer ? Si je criais à tue-tête, ça suffirait ?

— Tu as parlé à ton père, ma chérie ? me demande Ruth.

— Je lui ai laissé deux ou trois messages en chemin sur sa boîte vocale. Il est peut-être déjà en route. En tout cas, je l'espère.

J'ai envie de m'excuser d'être l'unique représentante de la famille. Je ne me sens pas du tout à la hauteur de la tâche.

Je me raisonne : *Je peux m'en sortir. Bon sang, j'ai fait mon droit à Yale. Je peux gérer un problème d'octogénaire disparu. Tu peux y arriver.*

— OK. Que faut-il faire ? Et si je commençais à chercher à pied ? Il faut que je fasse quelque chose.

Ma voix est posée. J'ai l'air de dominer la situation. *Tout va bien se passer pour papi Jack. Tout va bien se passer.*

— M'dame, à mon avis, mieux vaut attendre ici avec Mme Wasserstein. Elle nous a donné une photo récente, et certaines infirmières se sont portées volontaires pour nous filer un coup de main. Elles connaissent ses coins préférés. Ne vous inquiétez pas, je vous appellerai quand on l'aura retrouvé.

Je remarque qu'il dit « quand » et pas « si », ce qui me soulage un peu. *Ils vont le retrouver.*

— J'ai mon téléphone portable. Vous pouvez m'appeler pendant que je cherche, dis-je en tournant les talons, mais Ruth pose la main sur mon bras, une main à la fois douce et énergique.

— Laisse-moi t'accompagner, dit-elle et, dans la demi-seconde que je mets à lui répondre, elle comprend ma crainte d'être ralentie par sa présence et elle ajoute : S'il te plaît.

— Bien sûr. Oui, bien sûr.

Avant de partir et de les laisser mener leurs propres recherches, j'examine les deux flics. Ils ont l'air compétents, avec leurs armes et leurs cheveux grisonnants.

— Viens, ma chérie, me dit Ruth et, bras dessus bras dessous, nous franchissons les portes automatiques et nous retrouvons dans la rue.

C'est elle qui nous guide.

— Que s'est-il passé ?

Je lui pose la question une fois que nous sommes en route. Bouger, faire quelque chose, me rassérène un peu, même s'il y a toujours cette pointe d'angoisse dans ma voix. Ruth me raconte juste l'essentiel, avec cette précision que donnent cinquante ans de pratique de la loi.

— Quand je suis passée à son appartement ce matin, il n'y était pas. Je me suis dit qu'il avait dû descendre prendre son petit déjeuner et je suis allée le retrouver, mais il n'était pas non plus dans la salle à manger. Alors j'ai commencé à me renseigner, mais personne ne l'avait vu. J'ai demandé aux infirmières de fouiller le bâtiment, ce qu'elles ont fait. En vain. Et nous voilà.

Elle me tapote la main d'une manière réconfortante, sans condescendance. Sans le vouloir, elle me rappelle comme ma grand-mère, ma mère, Andrew et papi Jack me manquent, au point que j'ai l'impression que tout ce vide va me faire exploser.

— Il a dû partir se promener et s'égarer, reprend Ruth. Il perd un peu la tête parfois.

— Je sais.

Pendant quelques instants, mon esprit s'évade vers la soirée d'hier, avant de revenir à papi Jack.

Je cherche un moyen de me rassurer, je cherche le meilleur scénario possible vu la situation, et je n'en vois aucun. Le meilleur scénario, c'est celui décrit par Ruth : il a perdu la tête et s'est égaré, mais voilà qui n'apaise guère mon angoisse. Cela signifie que je vais bientôt perdre papi Jack, lentement peut-être, mais de la seule façon qui compte, et je ne suis pas sûre de pouvoir. Pas sûre de pouvoir perdre et Andrew et papi Jack la même année.

Avec Ruth, nous tournons à gauche en sortant de la maison de retraite et empruntons l'itinéraire habituel de mon grand-père, qui est aussi le mien. Nous marchons avec une décontraction affectée, comme pour une balade normale de samedi après-midi ; nous faisons semblant de nous intéresser au bébé qui se dandine, au chiot qui fait pipi sur une petite touffe d'herbes. Seulement nos yeux ne cessent de fureter devant nous, de voler d'un coin à l'autre et d'absorber des indices. Nous scrutons des vitrines et voyons des viandes suspendues. Des pains tout frais. Des pyramides de papier-toilette. Et pas de papi Jack.

J'ai le dos en état d'alerte, et des maux de tête à force de passer la rue au laser. Je ne laisse pas filer un seul détail sans le digérer. J'imagine les pires scénarios ; c'est plus fort que moi. Nous allons tomber sur son cadavre au bord du trottoir, abandonné, immobile, le portefeuille vidé, une batte de base-ball à proximité. Nous allons le trouver hirsute, terrorisé et seul, si bien qu'au début nous ne le reconnaîtrons même pas. Nous n'allons jamais le revoir.

J'offre un chocolat chaud à Ruth dans un café. Ils n'ont qu'une table et deux chaises. En ressortant, je suis déçue, en partie parce que mon grand-père n'y était pas, mais plus encore de n'avoir eu nulle part où le chercher.

— Emily, me dit Ruth, m'arrachant à ma rêverie. Et côté travail, comment ça va ?

Je la gratifie d'un sourire désabusé. Elle s'efforce de me distraire, c'est un effort que j'apprécie.

— Ça craint.

— Oui, je sais ce que c'est. Des journées qui n'en finissent pas, c'est ça ?

— Ouais, et des avocats lubriques.

Tout en passant les rues au peigne fin, je raconte à Ruth l'histoire de l'Arkansas, le fait que je me trouve du côté des méchants, et les avances de Carl. Je lui décris même son caleçon ouvert, et ce que j'y ai vu. Je ne sais pas trop pourquoi je lui raconte tout ça, avec les détails cochons et tout, mais la chaleur qui émane d'elle me fait penser qu'elle peut l'entendre. Rien de tout cela, je le sais, n'est à mon honneur, mais j'accepte qu'elle voie cela aussi.

— Les choses n'ont pas évolué autant que je le pensais, dit-elle. Je croyais que nous, les femmes, nous n'en étions plus là.

— Oui, je le croyais aussi.

Nous passons la tête dans le bureau d'un prêteur sur gages, dans un magasin d'antiquités, dans une grande pharmacie. Personne n'a vu papi Jack. *Bon sang, où peut-il bien être ?*

Ruth continue de me faire parler en marchant, et je lui explique pourquoi je ne veux pas dénoncer Carl au cabinet. À ma grande surprise, elle comprend. Jess, elle, n'a pas compris, elle n'a pas vu l'humiliation que cela suppose, la destruction potentielle de ma carrière. Pour Jess, se taire est une lâcheté, ce qui est fort possible.

— C'est à toi de décider si ça vaut le coup de se battre, dit Ruth. Dans la vie, on choisit ses combats. C'est à toi de décider ce que tu veux.

— Je n'ai aucune idée de ce que je veux.

À part retrouver papi Jack. Dans l'immédiat, c'est tout ce que je veux.

— Tu le découvriras. Tu sais, d'une certaine manière, c'était plus facile de mon temps. J'ai dû livrer chaque bataille. Il n'y avait pas vraiment le choix, en tout cas en ce qui me concerne. Tandis que vous, vous êtes comme qui dirait la génération gueule de bois.

— La génération gueule de bois ?

Je baisse les yeux sur ma robe de bal chiffonnée, tapote ma coiffure en pétard.

— Oui, c'est comme si on se réveillait au lendemain de la dernière vague du MLF. Il ne reste plus assez d'énergie pour garder la dynamique. Où en sommes-nous maintenant ? Au post-féminisme ? Au post-post féminisme ?

— Je ne sais pas. Juste au post-féminisme, non ?

Nous jetons un œil à l'intérieur de la banque. Dans les longues allées du nouveau et rutilant supermarché bio. Le bio n'est certes pas le genre de mon grand-père, mais aujourd'hui tout est possible. Nous regarderons partout s'il le faut.

— Je crois juste que c'est *moi* qui manque d'énergie, dis-je. S'il te plaît, ne me vois pas en représentante de quoi que ce soit.

Je ne voudrais pas que Ruth incrimine les femmes de ma génération, juste parce que je n'arrive pas à mettre de l'ordre dans ma vie.

— Je ne te vois pas comme ça. Je crois qu'on perd toutes du terrain. Je ne sais pas pourquoi, mais ce pays a une peur phobique de la pensée. Il n'y a qu'une seule femme à la Cour suprême. C'est incroyable. Sais-tu que même le Liberia a élu une femme présidente ? Des putains de rétrogrades, voilà ce qu'on est.

Elle claque des mains avec force, avec agressivité. Je regrette de n'avoir pas eu l'occasion de voir Ruth en action, à sa grande époque, du temps où elle rendait les jugements à la cour, du temps où elle dénonçait les coupables. Je parie que, plus jeune, on disait d'elle que c'était une *furie.* Et je parie que ça la faisait chier.

— Revenons à toi, ma chérie, dit-elle, recouvrant son sang-froid. (Elle lisse son pantalon, un geste physique qui ménage une transition dans la conversation.) Tu as songé à démissionner ?

— Oui et non. En fait, je ne sais pas ce que je ferais après une démission. Ce boulot, c'est un peu moi, si tant est que le mot ait un sens. Quand on me pose des questions, je réponds que je suis avocate. C'est un truc d'identité, je crois. Je n'ai pas vraiment autre chose.

— Oui, je vois ce que tu veux dire. Moi, je réponds que je suis juge. Même si aujourd'hui je suis juste une vieille dame qui vit dans une maison de retraite. Même si la seule chose que je juge maintenant, c'est le spectacle mensuel des seniors. Tu sais que Jack a fait son *one man show* il y a deux mois ?

Ruth sourit, ce qui modifie la disposition des rides sur son visage. Elle renverse les parenthèses autour de sa bouche et transforme les virgules de ses pattes d'oie en apostrophes. Le motif final est celui d'une femme qui n'a pas de regrets.

J'essaie de me rappeler le numéro comique de papi Jack, mais pas une de ses blagues ne me revient. Je n'entends que leur tempo, et je le revois se lever pendant le dîner, dans l'étroite allée entre les tables, et nous donner une représentation, à Andrew et à moi, histoire de s'entraîner. On lui avait fait une *standing ovation.*

— Oui, je sais. Ruth, comment as-tu découvert qui tu voulais être ?

C'est la question que je pose, mais ce n'est pas exactement ce que je veux savoir. Ce que j'ai envie de lui demander, c'est quand je vais devenir celle que je suis censée être.

— Mais, ma chérie, je n'ai pas encore découvert qui je veux être, me dit-elle, répondant ainsi à mes deux questions, avant de rejeter la tête en arrière et de partir d'un rire franc et spontané. Je ne plaisante pas. Je ne l'ai pas encore découvert. Mais il ne faut pas le dire à mes filles. Je leur mens tous les jours. Je leur dis qu'elles trouveront, avec le temps. Rien qu'en continuant à faire ce qu'elles font. Maintenant, permets-moi de te confier un petit secret, car je pense que tu peux l'entendre – et elle se penche pour me murmurer à l'oreille :

— Tous les parents mentent à leurs enfants. C'est notre devoir. Mais la vérité, c'est qu'à mon avis, nous ne sommes pas nombreux à le savoir. On passe le plus clair de notre temps à vagabonder, déboussolés et très seuls. Comme Jack à l'heure qu'il est, sans doute.

La mention de mon grand-père, le fait qu'il ait disparu, se soit égaré, ou Dieu sait quoi, produit sur moi l'effet d'un crochet à l'estomac ; c'est un rappel de ce que j'ai, de ce que je n'ai pas, et de ce que je vais vraisemblablement perdre. À présent, nous errons dans un petit parc et, si je scrute toujours les environs, je ne sais plus très bien ce que je cherche. Est-ce qu'on change d'aspect quand on est perdu ? Est-ce qu'il pourrait se camoufler en portique à balançoires, en touffe de gazon, en SDF couché sur un banc du parc ?

— Emily, tu dois comprendre qu'on se fabrique en avançant, reprend Ruth, et elle fait des moulinets avec les bras pour dire qu'elle englobe cela aussi, les méandres de nos recherches.

Je hoche la tête et range cet avis quelque part dans un coin de ma tête, d'où je pourrai le ressortir, plus tard, quand j'en aurai besoin. *On se fabrique en avançant.* Ruth reprend son souffle et s'interrompt un moment, comme pour prendre une décision, puis ses mains tapotent le cercle formé par ses cheveux. Elle lève les yeux vers moi, un sourire éclaire son visage.

— Maintenant, il y a une chose que je dois te dire absolument.

Elle se penche vers moi, elle va me livrer une révélation capitale. Je pense : *Elle voit cette avidité dans mes yeux. Elle sait que j'ai besoin de son aide.*

— Oui, fais-je, pressée de recueillir son conseil.

— Le loueur de costumes a appelé : il veut récupérer sa robe.

Nous éclatons de rire, si fort que deux ou trois personnes nous foudroient du regard, comme si nous produisions un bruit nocif, un polluant de plus dans l'air du Bronx. Mais c'est bon de relâcher un peu la pression et d'oublier une minute, juste une, notre mission.

Au bout du parc, nous tournons à nouveau à gauche, nous sécurisons le périmètre comme on dit dans les séries policières. Tandis que nous furetons dans tous les coins, j'essaie de ne pas sans cesse regarder mon portable, bien que ni la police ni mon père n'aient appelé. Nous parlons encore un peu du boulot, je dis même quelques mots de ma rupture avec Andrew. Mais je ne raconte pas ce qui s'est passé la veille au soir. Cette blessure-là est encore trop vive, et j'ai honte de ma présomption. Tout ce que je peux faire, c'est plaider l'ébriété. Je ne vois aucune autre circonstance atténuante à ma bêtise.

J'avise un petit restaurant au coin de la rue, pas *notre* petit restau, mais un qui lui ressemble, même odeur graisseuse, même éclairage au néon, même vitrine à gâteaux. J'entraîne Ruth à l'intérieur, en priant pour que papi Jack y soit, qu'il ait trouvé les rues trop vides et peut-être cherché refuge dans le vacarme du restaurant. Je raisonne : *Moi, c'est là que je viendrais. C'est là que je viendrais pour qu'on me retrouve. Un endroit avec des assiettes qui claquent, un juke-box et des bébés braillards qui crachouillent sur leurs chaises hautes. Un endroit où on peut être perdu et retrouvé.* Et, en effet, installé dans un box, casquette vissée sur la tête, il y a un homme qui, de dos en tout cas – chemise à carreaux, cheveux blancs clairsemés sur la nuque –, ressemble fort à mon grand-père. Sauf qu'il est beaucoup, beaucoup plus chétif. Je le montre à Ruth.

Nous nous approchons lentement de papi Jack, pour ne pas l'effrayer, mais une fois à sa hauteur, ce que nous lisons sur son visage, ce n'est pas le soulagement d'avoir été retrouvé, juste la joie de nous voir. Ma première pensée est : *Merci de ne pas être mort.*

— Bonjour. Je salue mes deux femmes préférées. Asseyez-vous donc, dit-il en désignant la banquette à côté de lui.

Ruth et moi échangeons un regard : en silence nous nous demandons comment gérer la situation, comment le gérer lui. Nous nous glissons du côté opposé afin d'avoir toutes deux mon grand-père en face.

— Alors, qu'ont fait mes petites femmes aujourd'hui ? Tu as fait nettoyer la voiture, Martha ? demande-t-il à Ruth, qu'il regarde droit dans les yeux tout en voyant ma grand-mère.

Ruth se contente de hocher la tête. Peut-être est-elle un peu sous le choc, mais, à mon avis, elle est surtout abattue.

— Et toi, ma chérie, comment ça va ? S'il te plaît, dis à mon fils qu'il ferait bien de se dépêcher de t'engrosser. Je veux des petits-enfants, moi, fait papi Jack à mon intention, et il glousse de rire.

Il me prend pour ma mère.

Sur le coup, j'ai envie de rire avec lui ; bien sûr, cette envie disparaît aussi vite qu'elle est venue. C'est juste un entracte éphémère dans l'incertitude qui nous accable en constatant qu'on fait partie du délire de l'autre, dans la tristesse qui nous accable en voyant notre existence oubliée par la personne aimée. En la voyant elle-même gommée par un tour que lui joue son imagination. En ce moment, mon grand-père vit à une époque d'avant ma naissance.

— Papi ? lui dis-je. Tu vas bien ? On te cherchait. (Je suppose que la meilleure méthode consiste à ne pas tenir compte de ses paroles et à l'amadouer par les miennes.) On était vraiment inquiètes.

Je fronce exagérément les sourcils, une mimique visant à lui manifester une anxiété qu'il n'entend peut-être pas.

— Ne dis pas de bêtises, mon cœur.

Il a un geste pour balayer ma phrase, comme si c'était moi qui perdais la tête. Je ne sais pas s'il me reconnaît en tant que moi maintenant, je meurs d'envie et de peur de l'apprendre. En un sens, son flou est assez confortable. Je peux peut-être me raconter qu'il va bien, que ce matin il a juste perdu momentanément les pédales. On s'en remet très vite.

— Jack, dit Ruth, on t'a fait rechercher par la police. Tu ne peux pas partir comme ça. J'étais inquiète. Les infirmières étaient inquiètes.

Ruth accroche son regard, s'en sert comme d'un outil pour le ramener à nous. Ça ne marche pas. Mon grand-père lui lance juste un coup d'œil, avec un mouvement d'épaules dédaigneux. Un haussement d'épaules désinvolte, presque comique.

— Oh, arrête, Martha ! Tu t'inquiètes toujours pour rien. Je vais bien. Je suis juste sorti faire un golf, voilà tout (Son accent aussi a changé. Plus prononcé, plus new-yorkais.) Tu vois, Charlotte, ta belle-mère est sur mon dos pour un oui ou pour un non. Toi, tu laisses mon fils sortir de temps en temps, pas vrai ?

Je n'ai rien à répondre à cela, absolument rien, j'ai le cœur brisé de voir papi Jack brisé lui-même. Je ne suis peut-être pas médecin, mais je sais. Nous savons tous. Ruth et moi pensons toutes deux la même chose. *Alors, c'est donc ça Alzheimer.* Suit une autre prière muette, pas si éloignée de celle de ce matin : *Faites qu'il revienne. Au moins un petit moment.*

Deux heures plus tard, nous sommes aux urgences ; papi Jack est minuscule, avec ses bras et ses jambes toutes maigres qui sortent de sa chemise d'hôpital. Assis bien droit, les pieds pendant au bord du lit à roulettes, il regarde autour de lui, l'air abasourdi.

— Qu'est-ce qu'on fait ici ? demande-t-il à peu près tous les quarts d'heure.

Il se promène, enfin, plus exactement, va et vient entre une époque depuis longtemps révolue et le moment présent. Lorsqu'il disparaît, Ruth et moi faisons comme si de rien n'était, comme s'il conservait une logique dans le contexte de notre conversation.

Nous avons un aparté avec les médecins ; mon grand-père a été placé dans une zone isolée par un rideau. Je leur dis que c'est arrivé soudainement. La dernière fois que je l'ai vu, pour le déjeuner, il allait bien. Peut-être un peu confus à la fin de ma visite, mais, dans l'ensemble, il allait bien. Alors Ruth intervient.

— Emily, ça m'ennuie de devoir dire ça, mais, depuis quelque temps, son état s'aggrave. J'ai essayé de t'en parler à ta dernière visite, mais tu n'as pas eu l'air de comprendre, ajoute-t-elle doucement.

Mon visage s'empourpre, la honte est vive, douloureuse.

— Et maintenant, qu'est-ce qu'on fait ? dis-je.

— Hélas, on n'a pas vraiment le moyen de le soigner, dit le médecin. Il faudrait voir rapidement un spécialiste, mais le plus important, c'est de passer au niveau de soins supérieur.

Ces paroles me font l'effet d'une seconde gifle. Il a absolument raison, cet homme en blouse blanche qui doit juste avoir deux ou trois ans de plus que moi. Je me demande s'il a vu disparaître des gens de sa famille. Je me demande s'il peut voir ma honte.

— Il est actuellement dans une très bonne structure, mais je pense qu'il est temps de le changer d'étage et de le mettre aux « soins continus », comme on dit.

Je sais ce qu'est « l'étage des soins continus », ai-je envie de lui crier. Papi Jack m'a dit que c'était le dernier péage avant la sortie.

— Il a besoin d'une attention plus soutenue, d'infirmières qui viennent vérifier régulièrement si tout va bien, reprend le médecin. Écoutez, j'ignore ce que vous savez sur la maladie d'Alzheimer...

— Pas grand-chose, lui dis-je. Juste ce que j'ai vu à la télé et ce que je viens de voir aujourd'hui.

— L'état mental de votre grand-père va probablement se dégrader, et il finira par ne plus pouvoir accomplir des tâches élémentaires. Comme s'habiller, par exemple. Mais, en général, les gens ne meurent pas de ça. Ils meurent d'autre chose, vous comprenez, à mesure qu'ils avancent en âge.

Il lance à Ruth un regard d'excuse, mais elle ne semble absolument pas choquée.

Je demande :

— Et pour ce qui est de nous reconnaître, comment ça marche ? On dirait qu'il fait des va-et-vient. Ce sera toujours comme ça maintenant ?

— Difficile à dire. Il semble avoir eu une crise grave aujourd'hui, mais il peut très bien se réveiller demain beaucoup plus proche de son état normal. C'est une maladie complexe. Je suppose que ce qui vient de se passer s'était déjà produit avant ?

Le médecin tourne les yeux vers Ruth, attendant une confirmation ; elle répond oui d'un hochement de tête.

— Mais pas comme ça, dit-elle. Pas à ce point. Loin de là. Enfin, si j'avais su, j'aurais...

Elle ne termine pas sa phrase. Elle a l'air honteux, d'une complicité coupable. J'ai envie de lui dire qu'elle n'a rien à se reprocher, que ce n'est pas sa faute.

De la culpabilité, j'en ai pour deux.

Longtemps après, après avoir ramené papi Jack à la maison de retraite, organisé son changement d'étage, engagé une infirmière supplémentaire présente vingt-quatre heures sur vingt-quatre, remercié policiers et médecins, m'être cachée dans la salle de bains de Ruth pour pleurer, l'avoir serrée plusieurs fois dans mes bras, avoir commandé un énorme bouquet de fleurs qui lui fera une surprise demain matin, emprunté un T-shirt, un short et ôté ma robe, signé tous les formulaires et consentements médicaux de mon grand-père, découvert la part des « soins continus » prise en charge par l'assurance et dit au revoir à papi Jack, je retrouve un appartement vide, et mon répondeur. Cling. Cling.Cling.Cling.Cling. Cling. Cling.

Il y a trois messages de Ruth, trois messages d'avant le début de la journée, trois messages du temps où j'étais encore novice en Alzheimer. Il y a aussi, enfin, un message de mon père.

— Salut, Em, j'ai eu tes messages. J'ai des réunions à Washington toute la semaine. Je suis sûr que tu vas très bien t'en tirer. Sûr qu'il a juste dû partir en vadrouille. Tu sais à quel point Jack est indépendant. Appelle mon assistante si tu as besoin de quoi que ce soit.

Je suis trop fatiguée pour réagir au déni manifeste de mon père, chez lui c'est autant un réflexe qu'une commodité.

Le premier message date de la nuit dernière, à un million

d'années de l'instant présent, je devais dormir ou être en train de rentrer de la soirée. La voix d'Andrew est alcoolisée et agressive, mais il est concis et efficace. Son message tient en un mot, trois lettres, répétées trois fois.

— Non, non et non.

13.

La première fois qu'Andrew m'a dit *je t'aime*, nous étions au cinéma, à peu près aux trois quarts d'un film d'action. Il était question de gangs à Los Angeles, ou bien de flics corrompus, ou encore d'un serial killer, enfin un truc dans ce goût-là. Tout ce dont je me souviens, c'est que c'était un film très réaliste, stupide, et choisi par Andrew. Nous avions conclu un marché : pour chaque film d'action auquel je l'accompagnais, il venait voir une comédie romantique avec moi. Nous trouvions l'un et l'autre l'arrangement excellent. Avant qu'il prononce ces mots, je me le rappelle, je savourais la chaleur de son épaule contre la mienne, je me sentais poisseuse et euphorique pour cause d'excès de bonbons et de soda. Je regardais le film, mais sans le regarder vraiment ; j'étais plutôt là en observatrice, je crois. Je voyais le film comme on assiste à un match.

J'ignore pourquoi Andrew a choisi ce moment-là, pourquoi il s'est tourné vers moi juste après qu'un personnage secondaire s'est retrouvé par terre, avec un trou dans la tête et dans la poitrine, la cervelle et le cœur se répandant sur le trottoir. Un spectacle saignant pour gogos et spectateurs. Toujours est-il qu'il a choisi ce moment-là, et je ne saurai sans doute jamais pourquoi.

Il s'est tourné vers moi et a chuchoté quelque chose ; au début, je n'ai pas compris. J'ai juste senti son souffle me chatouiller l'oreille. Alors je me suis penchée, comme pour dire *je n'ai pas entendu*, et aussi parce que j'avais envie de sentir encore ce picotement.

C'est là que j'ai entendu, à la deuxième fois. *Je t'aime.*

Au début, je n'ai pas su quoi faire. J'avais chaud, j'étais nerveuse et moite. J'ai pensé lui répondre la même chose, tout de suite. Et je l'ai fait mentalement ; je me suis exercée dans ma tête. *Moi aussi je t'aime. Moi aussi je t'aime. Moi aussi je t'aime.* Mais je n'ai pas pu me résoudre à le dire tout haut, parce que ces mots-là, on ne peut pas les retirer. Je voulais prendre mon temps, que cette phrase soit une décision, pas un réflexe, alors je n'ai rien dit du tout. Je lui ai simplement pris la main et je l'ai serrée. Et, comme ça ne semblait pas suffisant, je me suis penchée vers lui pour lui donner un baiser passionné, étrangement semblable à celui qu'on allait voir à la fin du film, juste avant le générique.

La deuxième fois qu'Andrew m'a dit *je t'aime*, nous étions au lit, un dimanche après-midi. C'était deux semaines plus tard environ, par une de ces journées d'été humides, où il est plus judicieux de rester nu sur les draps, avec la clim poussée à fond, que de sortir. Nous regardions dans la même direction, j'avais le dos contre sa poitrine, les doigts d'Andrew allaient et venaient sur mes flancs, ils traçaient des signes invisibles sur mes bras.

Il s'est mis à écrire sur mon corps des phrases que je lisais tout haut. Au début, des phrases mignonnes, comme *E. assure* et *E. est une bombe sexuelle. A. chamboule le monde d'E.* et *A. est un beau mec.* Nous riions aux éclats, les épaules frissonnantes, comme si nous avions froid. Soudain, Andrew s'est arrêté de rire et a recommencé à écrire. Cette fois, ses doigts m'ont chatouillé l'omoplate droite.

Je t'aime.

Je n'ai rien répondu, je n'ai pas lu les mots tout haut, à l'inverse de ses autres messages. Je me suis contentée de porter ses doigts à mes lèvres et de les embrasser. Je n'étais pas sûre de devoir dire quoi que ce soit, vu qu'il n'avait pas prononcé la phrase. Seulement, à l'évidence, il le voulait, cet écho car, après, fini les rires. Nous sommes restés comme ça encore quelques minutes, soudain déconnectés l'un de l'autre. J'ai bien pensé à le dire alors, quand il a été clair qu'Andrew avait besoin de l'entendre, mais non, au lieu de le dire, j'ai juste recommencé à m'entraîner encore dans ma tête, transie de peur, de doute, et les mots n'ont jamais passé mes lèvres.

Peu après, Andrew s'est levé, il a ramassé son jean et son T-shirt, et est parti s'habiller dans la salle de bains. Il m'a plantée là, toute nue et seule sur le lit, et a franchi la porte pour pénétrer dans la touffeur du dehors, sans qu'on n'ait ni l'un ni l'autre prononcé un mot de plus. Pas même un mot facile, comme au revoir.

Nous n'avons jamais parlé de ce dimanche après-midi. Quand j'ai revu Andrew, deux jours plus tard, il m'a regardée dans les yeux et a dit :

— On laisse tomber ça.

J'ai obtempéré, différant le moment de faire une chose qui ne pouvait se défaire. Andrew n'a donc pas répété son *je t'aime* pendant un bout de temps, les mots sont restés non dits, nous savions tous deux qu'ils ne reparaîtraient dans nos vies que lorsque je les prononcerais moi-même.

Un an plus tard, nous étions dans un café, le genre dernier bastion contre Starbucks, avec fauteuils de récupération, cookies végétaliens et thés aux noms trop prometteurs, façon « Sérénité » ou « Paix intérieure ». J'étais recroquevillée avec une pile de dossiers, à essayer de glisser quelques heures sup dans le week-end ; Andrew avait son mug serré dans une main et le nez dans le *New York Times* ; à nous deux, nous formions une caricature du couple de yuppies du troisième millénaire. Nous étions assis en silence, et pourtant rien n'était silencieux. En plus des bruits classiques d'un bistrot – vrombissement de la machine à espressos, tintement de la caisse enregistreuse, grelot au-dessus de la porte –, Andrew faisait ses bruits à lui : de petits grognements sporadiques inspirés par la lecture du journal, le cliquetis de ses clefs dans sa poche, un reniflement car il sortait d'un rhume, un raclement de gorge. Et je ne pouvais rien faire, juste écouter ces sons qui n'appartenaient qu'à lui, le rythme de sa respiration, inspiration-expiration, inspiration-expiration, son léger chuintement. Grognement. Cliquetis. Reniflement. Raclement.

Hypnotisée. J'avais envie de lui acheter sa bande-son.

Ça doit être ça l'amour, ai-je pensé. *Vouloir que les bruits de l'autre ne s'arrêtent jamais.* C'est à ce moment-là que je lui ai dit, de but en blanc, sans préméditation ni incitation. Et avant de m'arrêter pour réfléchir aux conséquences.

— Je t'aime.

Andrew a juste souri, il a hoché la tête, puis est retourné à son journal. Il ne m'a rien répondu sur l'instant ; je ne voulais pas que ce soit un réflexe, il le savait. Plus tard, au lit, il l'a redit, c'était sa quatrième fois, moi ma deuxième. À ce moment-là, à ce moment-là seulement, ces mots ont fait partie de nos vies, deux nouveaux morceaux ajoutés à notre partition nocturne.

Dimanche matin, je me réveille dans un appartement vide et m'aperçois que je dois mettre un peu d'ordre dans ma vie. Je commence par appeler papi Jack, il reconnaît ma voix. Ayant découvert la religion hier, je m'adresse à nouveau à Dieu : *Merci. Je ne demande qu'une chose, que ça dure encore un peu comme ça.*

Avant la journée d'hier, papi Jack et moi avions de longues conversations téléphoniques, surtout les week-ends où j'étais trop flemmarde ou débordée pour me traîner jusqu'à Riverdale. Nous bavardions de tout et de rien, des films qu'on avait vus (jamais les mêmes), de la politique menée par l'association des résidents (il la présidait encore il y a peu), de restaurants (nous sommes des gastronomes par procuration), de mon père (pour nous deux une énigme absolue et un objet de fascination).

Aujourd'hui, nous parlons du temps.

— Il fait quoi dehors ? me demande-t-il.

— Sais pas. Dix degrés peut-être. Un peu couvert. Mets une veste.

— Pas mon manteau d'hiver.

— Non, ça serait exagéré.

— Un parapluie ?
— Je ne pense pas, papi. Mais tu pourrais mettre ta casquette.
— D'accord.
— Pourquoi, où vas-tu ?
— Dehors. Je sors. Marcher un peu.
— Emmène une infirmière, s'il te plaît.
— Emily.
— S'il te plaît.
— Casquette, c'est fait. Veste, c'est fait. Infirmière, c'est fait, je l'ai fourrée dans ma poche. C'est bon, je suis comme parti.

En fond sonore, j'entends l'une des infirmières d'hier soir, celle avec un fort accent jamaïquain, me dire de ne pas m'inquiéter, elle l'accompagne.

— Emily ?
— Oui ?
— Tout va bien ?
— Tout va bien, papi.
— Tu prends une veste, hein ? Et pas ton manteau d'hiver.
— Je t'aime, lui dis-je avant que nous raccrochions.
— Je t'aime aussi, petite. Couvre-toi bien.

Ensuite, je dois faire amende honorable pour ma grosse bavure de l'autre soir. Je dois des excuses à Andrew, je le sais, mais je ne veux pas remettre le sujet sur le tapis. Juste effacer la plus belle humiliation que je nous aie infligée, à moi-même et à lui, par excès de présomption.

Selon moi, le mail est le meilleur moyen. Peut-être la solution de facilité, mais c'est comme ça. L'équivalent virtuel d'un mot posé sur l'oreiller après une liaison sans lendemain.

À : Andrew T. Warner
De : Emily M. Haxby
Objet : Désolée
Salut, A. Je voulais m'excuser pour l'autre soir. Apparemment, voir Elvis m'a mis la banane à l'envers.
Sérieusement, pardon. Pardon pour tout.
Adieu, Andrew.
XO,
Emily

Je ne clique pas tout de suite sur « envoyer » et laisse un moment le mail sur mon écran. J'y reviens toutes les cinq minutes pour le lire comme si c'était la première fois. *Qu'est-ce que tu as envie de dire, Emily ?* Je me demande s'il n'est pas trop désinvolte, si ma blague sur Elvis n'est pas déplacée. Et ce *Adieu, Andrew,* ça ne fait pas trop mélo ? Est-ce que je devrais parler de son message sur mon répondeur ? Non, Andrew était saoul, et je l'avais mérité, ce message. Je l'ai déjà effacé, de la seule manière possible.

J'ai aussi du mal à me décider pour la formule : « Affectueusement », « Amitiés », « Meilleur souvenir » ? Je tranche pour XO, après avoir passé un bout de temps sur XOXO, puis sur XOXOXO, puis juste sur X et ensuite juste sur O. Des deux lettres, j'ai oublié laquelle signifie « serrer dans les bras » et « embrasser », or je ne suis pas sûre de vouloir faire les deux à Andrew. Les deux ensemble, ça fait excessif, voire désespéré. L'un sans l'autre, ça fait bizarre. Et « affectueusement » fait trop chaleureux, trop sûr qu'il va me pardonner.

Je finis par envoyer mon brouillon initial, d'un clic énergique, histoire de ne pas pouvoir revenir en arrière. Et voilà mon mail parti, hors de contrôle, en route. Je le vois comme un objet tangible, des lettres qui courent dans les tuyaux sous la ville, bien rangées, avec des bruits de succion ; et, pour se rendre de mon appartement à celui d'Andrew, dans les quartiers chics, elles vont plus vite que la ligne six.

On dit que le contraire de l'amour n'est pas la haine, mais l'indifférence. Expression que l'on a tendance à prononcer avec un murmure révérencieux, comme si elle avait des pouvoirs magiques de guérison. Ton ex est furax, tant mieux : son indifférence serait pire que la haine ; en règle générale, mieux vaut la haine que l'indifférence.

Moi, je pense que c'est de la foutaise. Une niaiserie à imprimer sur des essuie-tout. À broder sur un coussin. L'indifférence peut-elle vraiment être pire que la haine ? Si c'était le cas, on passerait notre vie entouré de gens qui éprouvent pour nous un sentiment pire que la haine ? Rien de plus déprimant.

Je ne peux pas le croire. Je ne veux pas le croire. Car, si j'y croyais, à l'heure qu'il est je serais incapable de décrocher le téléphone. Je répondrais à l'indifférence par l'indifférence et je ne rappellerais pas mon père.

Or je le rappelle, bien sûr. Bien sûr que je décroche le téléphone pour composer son numéro de portable : c'est peut-être la sixième fois en vingt-quatre heures, et j'attends le clic de sa messagerie vocale. Alors que je répète mon message dans ma tête, le genre un peu fâché mais pas ouvertement conflictuel, j'entends la voix sèche de mon père.

— Kirk Haxby à l'appareil.

— Salut, papa, dis-je. C'est Emily.

Je précise, comme s'il avait plusieurs enfants.

— Bonjour, ma chérie. Alors comment ça va ? Ça y est, tu as remis la main sur mon père ? (Il pouffe, comme si papi Jack se perdait tout le temps, comme si je faisais des histoires pour rien. Je sens que je vais craquer, que mon corps va me faire faux bond, comme d'habitude, et fabriquer des larmes alors que je suis juste en colère.) Papa ?

Ma voix se met à trembler, je me plie en deux. La tête posée sur la table de la cuisine, je sens sa fraîcheur sur mon front. Je n'arrive pas à décider si je dois appeler mon père au secours et m'assurer que je fais bien ce qu'il faut pour papi Jack, ou si je dois me débrouiller toute seule et l'envoyer au diable. Le laisser s'occuper du Connecticut plutôt que de notre minuscule famille.

— Papa, hier c'était vraiment grave.

— Une seconde, Emily, excuse-moi.

J'entends mon père couvrir l'appareil pour parler à quelqu'un dans la pièce, une histoire de fax et de six exemplaires. Son ton est dur ; les gens qui travaillent pour lui le trouvent intimidant, j'imagine. Je me demande si certains rêvent de l'assassiner, comme je rêve d'assassiner Carl.

— Me revoici. Désolé. Je suis tout à toi. Qu'est-ce qui s'est passé ?

— Papi Jack s'est perdu. Ruth et moi l'avons retrouvé dans

un restau paumé. Il était désorienté, papa. (Voilà, les larmes démarrent, l'une après l'autre, une lente progression le long de mes joues. Je ne les essuie pas. Je ne les laisse pas non plus gagner ma voix.) Il ne nous a pas reconnues.

— Merde alors, dit mon père. (Je l'entends chasser un autre assistant et dire sur un ton comminatoire : Pas maintenant.) Raconte-moi exactement ce qui s'est passé, reprend-il à mon intention.

Il s'est mis sur le mode homme politique, avec soudain une voix de responsable qui a la situation bien en main. Dans une certaine mesure, c'est un soulagement. Je sens mon corps abdiquer cette responsabilité.

— Apparemment, depuis quelque temps son état s'aggrave. La dernière fois que j'y suis allée, il m'a semblé en forme, mais en définitive je n'en sais rien. Ruth a essayé de me parler, mais je n'ai pas écouté.

J'ai formulé cela sur le ton de l'aveu, même si je sais mon père aussi coupable que moi. Il n'a pas mis les pieds à Riverdale depuis des mois.

Je lui raconte tout dans le détail : Ruth et moi qui cherchons mon grand-père pendant des heures, lui qui ne nous reconnaît pas, les médecins disant que ça va empirer ; j'omets juste de dire que papi Jack m'a prise pour ma mère.

— OK. Il va falloir lui trouver des infirmières, des gardes à temps plein, le faire passer à cet autre étage de soins. Voir avec son assurance. Je vais demander à mon assistante de décrocher et de participer à notre conversation téléphonique. Elle saura quoi faire.

Comme d'habitude, l'aspect technique précède l'émotion.

— Tout est réglé, dis-je. Comme tu ne m'as pas rappelée hier, je m'en suis occupée moi-même.

C'est ma seule pique, et elle est toute petite, mais, au silence qui suit, je comprends qu'elle a fait mouche. C'est peut-être cruel de ma part, mais j'espère qu'il sent tout l'impact de son absence.

Je lui livre les données. Assurance, changement d'étage, téléphone du médecin traitant. Je m'en tiens, moi aussi, aux considérations techniques. À l'instar de mon père, je les trouve rassurantes, c'est là l'un de nos rares points communs.

— Il a rendez-vous avec le neurologue jeudi prochain, dis-je. J'espère pouvoir y aller, mais je risque d'être bloquée au boulot.

— J'irai, répond mon père à ma grande surprise. Bien sûr que j'irai.

J'entends encore quelques bruits de fond, quand il dit à son assistante de modifier son planning, qu'il va se rendre à New York.

Je relève la tête et pose la nuque sur le dossier de ma chaise. Je ferme les yeux et, pendant quelques secondes, je ne dis rien. Maintenant, mes larmes coulent à l'horizontale, elles pleurent dans mes cheveux.

— Emily ? fait mon père. Tu es toujours là ?

— Je suis là, papa.

— Emily, pardon. J'arrive bientôt.

— Je sais, papa.

— Je suis heureux que tu aies été présente hier. Je... je ne savais pas.

— Je sais, papa.

Je pense : *Mieux vaut tard que jamais.* Un cliché pour cartes d'anniversaire en retard, je m'y raccroche quand même.

— Je t'aime, tu sais.

— Je sais, papa.

Bien sûr, c'est un mensonge. Ce que je veux dire, c'est : *Je sais, papa. Je sais que tu ne me hais pas.*

14

Je ne dis pas bonjour à Marge en passant devant elle au portique de sécurité. Pour la première fois en cinq ans, je ne lui dis ni *salut*, ni *bonjour*, ni *comment ça va*, je ne fais même pas un signe de tête. Non, je pense : *Va te faire foutre, Marge. Va-te-faire. Foutre.* Je tourne ma rage contre elle, en ne jetant même pas un œil dans sa direction, en ignorant son existence, ma vengeance pour toutes les fois où elle m'a snobée. Aujourd'hui, Marge représente tout ce qui ne va pas dans ma vie et, ce tout, je le ressens d'un coup, un accès de colère dirigé contre une cible impénétrable. Je hais Marge pour des milliers de raisons, mais surtout parce que, je le sais, mon affront va passer inaperçu. Alors ma haine dégouline à mes pieds comme une flaque, une putain de flaque jaune dans laquelle je marche en passant devant Marge. *Va te faire foutre, Marge.*

Quand j'entre dans l'ascenseur, un sale type en beau costume se précipite pour bloquer la porte. C'est Carl. J'appuie immédiatement sur le bouton, mais il me prend de vitesse. Il fourre ses mains entre les portes à l'instant où elles se ferment et, lorsqu'elles se rouvrent, pénètre d'un pas nonchalant dans la cabine de verre. Il affiche un sourire triomphant ; il est clair que, comme tout ce qu'il fait, cette action est une victoire pour lui. Je pense *Va te faire foutre, Carl,* alors qu'il mange l'espace de mon ascenseur. *Va-te-faire. Foutre.* Mais je me tais, et quand il me dit « Bonjour », je ne peux pas m'offrir le luxe de faire comme si je n'avais pas entendu. Carlito mis à part, il est toujours mon patron.

— 'jour, Carl.

J'omets délibérément le bon du bon-jour, rébellion microscopique. Je ne souhaite pas qu'il passe une bonne journée ; en fait, je ne sais même pas s'il mérite de la passer, cette journée. Je connais des tas de gens qui le méritent plus que lui.

— Je suis content de tomber sur vous, Emily. On a reçu quelques boîtes d'archives sur l'affaire Synergon, j'ai besoin que vous pointiez les pièces.

— Quelques boîtes ?

Ma voix reste calme, bien que je connaisse déjà la suite. Ce ton faussement détaché annonce des tonnes de boulot qu'il s'apprête à déverser sur mes genoux. Pointer des pièces, rien que ça. Une tannée du plus fastidieux boulot imaginable, un boulot qui peut pousser à boire ou à se masturber dans les toilettes, un boulot normalement confié à des gens avec beaucoup moins d'ancienneté que moi. Un boulot qu'on fait quand on doit encore manger son pain noir. J'ai mangé mon pain noir. Et pendant cinq putains d'années. *Va te faire foutre, Carl.*

— Oui, répond-il, prolongeant exprès la torture. Six cent soixante-dix-huit boîtes, pour être précis. À pointer d'ici lundi prochain.

— Impossible. Il faut mettre quelques juniors sur le coup. Je ne peux absolument pas pointer tout ça d'ici lundi prochain. Six cent soixante-dix-huit boîtes ?

Je croise les bras dans un geste de défi, ce qui a pour conséquence involontaire d'attirer l'attention de Carl sur mes seins.

— Non. Emily, c'est vous qui allez le faire, je le veux. Vous connaissez cette affaire mieux que personne. Je refuse qu'un stupide junior la bousille. J'ai confiance en vous.

Carl tente de me faire gober cette corvée par un compliment, ça aurait peut-être pris il y a deux mois, mais aujourd'hui je ne mords pas à l'hameçon. Il est hors de question de passer vingt heures par jour dans une salle, à ne rien faire d'autre que lire des pages et des pages pour Synergon.

— Impossible, Carl. Je ne peux pas faire ça, dis-je, fière de lui tenir tête.

Je pense : *Peut-être que je peux changer. Finalement, peut-être que je peux être quelqu'un qui prononce les mots justes.*

— Si, vous le pouvez. (Carl me toise, comme pour évaluer ma valeur, évaluer si, en définitive, il souhaite bien partager cet ascenseur avec moi.) Non seulement cela, Emily, ajoute-t-il une fois parvenu à son étage, mais vous le ferez.

Son minutage est parfait. Les portes se referment derrière lui, tel un point venant clore sa phrase. Et quand je lui réponds, je me retrouve à parler toute seule à mon reflet dans leur miroir, une moitié de moi sur chaque panneau.

— Va te faire foutre, Carl, dis-je, tout haut cette fois. La colère me fait articuler chaque syllabe, ma bouche goûte l'âpreté de chaque lettre.

Seulement, là encore, ce qui sort n'est pas vraiment ce que je voudrais dire. Ce que je voudrais dire, c'est : *Va te faire foutre, Emily. Va-te-faire. Foutre.*

À peine arrivée dans mon bureau, ma première urgence, c'est de vérifier si Andrew a répondu à mon mail. Non, il n'a pas répondu. Je me dis qu'il le fera, que quelques mots de lui finiront bien par s'afficher sur mon écran. À ce stade, je ne pense pas trop à ce qu'il pourrait répondre. Je crains juste qu'il n'y ait jamais de réponse.

— Où étais-tu vendredi soir ? demande Mason en entrant sans frapper. (Il s'assoit dans mon fauteuil visiteur, croise les jambes, et ses yeux endormis me jettent un regard furtif. Et, avant que j'aie eu le temps de répondre, il ajoute :) Chéééé-rie, tu as la tête dans le cul.

Sa voix est tendre, je sais qu'il n'y a rien de méchant là-dedans.

— Va te faire foutre, Mason, lui dis-je, mais mes mots ne recèlent aucune violence.

Je lui souris, pour lui montrer que je plaisante. Je dois me souvenir d'améliorer mon langage : on ne sait jamais, il pourrait y avoir des enfants dans le coin. J'aurais bien besoin d'avoir ça sur la conscience en ce moment. *Corruption de mineurs.*

— Sérieusement, tu vas bien ? me demande Mason, mais sur un ton qui dénote plus de curiosité que d'inquiétude.

— Je m'accroche. Dur week-end.

— Tu veux en parler ?

Il se penche vers moi dans son fauteuil comme pour dire *tu peux me parler,* puis se rencogne comme pour dire *ou pas.*

— Non, pas vraiment, dis-je. Désolée pour hier, j'ai dû quitter la soirée assez tôt. J'aurais aimé traîner un peu.

— Tu as loupé mon fantastique costume, fait Mason à l'instant où retentit la sonnerie de mon téléphone.

L'affichage du numéro me dit que c'est Carl. J'ignore l'appel, tire une longueur de Scotch du dévidoir et entreprends de l'enrouler autour de mon doigt. Je me fais un pansement transparent.

— Tu étais déguisé en quoi ?

— En roi du bal.

En roi du bal ? Je m'arrête un instant de tripoter mon Scotch et regarde longuement Mason. Il a toujours été beau, bien sûr, mais, pour la première fois aujourd'hui, je remarque la longueur de ses cils, leur courbure : on dirait les effets spéciaux d'une pub pour un mascara. Peut-être que Mason et moi, nous sommes faits l'un pour l'autre, comme le Burger King pour la Miss Fromage blanc. Peut-être l'ai-je sous les yeux depuis le début.

— Pas possible ! fais-je.

Je visualise Laurel, sa dernière petite amie en date, et essaie de me souvenir si, l'unique fois où je l'ai rencontrée, ils avaient l'air heureux ensemble.

— Non, je rigole, dit Mason. Em, il paraît que ton costume était génial.

Peut-être pas. Je chasse de mon esprit la vision de Mason et moi, coiffés de diadèmes assortis et en train de faire l'amour.

— J'aurais tout de même bien aimé regarder de près cette robe violette, ajoute-t-il avec un clin d'œil.

Nouvelle sonnerie de téléphone. Deuxième appel de Carl.

— Il faut que tu prennes ? demande Mason.

— Non, c'est Carl. Si je l'ignore, peut-être qu'il va disparaître. Et toi, tu étais habillé en quoi ?

— Oh, rien de spécial. J'ai choisi la solution de facilité. J'ai mis ma vieille tenue texane. Chapeau de cow-boy, bottes de cow-boy, et mon jean trop moulant pour New York. J'étais très sexy.

— Je n'en doute pas, chééééri, dis-je en le gratifiant de mon plus bel accent sudiste.

— T'as même pas idée à quel point, ma biche, rétorque-t-il avec un nouveau clin d'œil. (J'éclate de rire : Mason est le seul homme capable de lancer deux œillades à une fille en moins de cinq minutes.) J'ai vu Andrew et Carisse jacasser comme des pies pendant la soirée. On dirait qu'ils sont devenus très copains.

— Ah bon ? J'avais pas remarqué.

— Vraiment ? Je croyais que c'était pour ça que tu avais filé à toute allure.

— Je n'ai pas filé à toute allure. (Il me jette un regard qui dit : *Allez, je t'ai vue, je vous ai vues, toi et ta robe violette.*) D'accord, j'ai filé à toute allure. Mais pas à cause de ça. Franchement, j'ai pas envie d'en parler.

— Fort bien. Dis-moi juste une chose alors : est-ce que tu vas bien, Haxby ? Je commence à m'inquiéter un peu. Tu ressembles à un zombie ces jours-ci.

— Je sais. Mais je vais bien.

— Promis ?

— Promis.

— Tu le jures sur la tête de ta mère ?

Une seule question, c'est tout ce qu'il me faut pour réaliser que Mason me connaît peu.

— Je le jure.

Alors, satisfait, il quitte mon bureau.

Ignorer Carl ne le fait pas disparaître. Dans la demi-heure qui suit, il me laisse trois messages et m'envoie six mails. J'ai besoin de sortir de mon bureau, de prendre le temps de réfléchir. Je refuse de pointer les six cent soixante-dix-huit boîtes de Carl. Je ne peux pas le faire. Je ne veux pas le faire. Je me vois regagner l'ascenseur, presser le bouton du rez-de-chaussée et quitter ce boulot pour rejoindre l'anonymat de Park Avenue. Laisser mon corps sentir l'automne, la gifle bienvenue de sa fraîcheur sur mon visage. Je n'ai peut-être même pas à débarrasser mon bureau. Je pourrais abandonner mon ancien moi et les trucs qui vont avec. Les dossiers Synergon. La photo sur ma table. Repartir de zéro. Je pourrais peut-être prendre un nouveau nom, un pseudonyme, un qui ait le pouvoir de me métamorphoser. De faire de moi un moi meilleur, plus fort, un moi qui sache s'exprimer. Il suffit de continuer à marcher, c'est tout, me dirai-je en atteignant les portes à tambour. Il suffit de continuer, c'est tout.

Mais je n'ai pas le courage de partir comme ça et puis, pour tout dire, j'aime bien mon nom. Alors, au lieu de m'en aller, de prendre l'ascenseur, je prends à gauche en sortant de mon bureau et me dirige droit vers les toilettes des femmes, en marchant la tête basse. Une fois à l'intérieur, j'éprouve un apaisement immédiat, avant même d'avoir soulagé ma vessie. J'adore les toilettes chez APT, avec leurs plans de marbre noir et leurs robinets platine dont le jet coule jusqu'au bord des lavabos en formant un arc sophistiqué. Les vasques surgissent des murs, défiant la pesanteur. Et le plus fort, ce sont ces immenses cabinets, plus grands que les cabines d'essayage chez Bloomingdales. Tout à fait le genre d'endroit – sauf attaque nauséabonde en provenance d'une collègue – où une fille peut s'échapper un moment. Je viens souvent m'y cacher, dans le deuxième cabinet en partant de la droite, et observer le défilé de talons aiguilles noirs et flous qui passent sous le bas de la porte.

Je m'assois sur les toilettes et ferme très fort les yeux. Si je ne vois rien, peut-être que j'arriverai à refouler les images qui ne cessent d'affluer dans ma tête. Les sourcils froncés d'Andrew, le jour de la rupture, puis à nouveau en ligne droite lors de la soirée. La chemise déboutonnée de Carl dans la chambre d'hôtel. Le sourire triomphal de Carisse. Papi Jack dont le regard me traverse. Papi Jack qui voit ma mère à ma place.

Je sens mon corps se détendre peu à peu et je pose le menton dans mes mains. Je pense au CD de relaxation *Sons de l'océan* qu'il m'arrive de mettre le soir : il est facile à recréer, après tout je suis dans les toilettes des femmes. J'écoute des vagues se fracasser, refluer, je vois le sable chaud entre mes orteils. Mon esprit s'évade, et je me laisse gagner par le sommeil.

Je ne sais pas combien de temps je passe, comme ça, dans le cabinet, mais si j'en juge par la raideur de mes épaules et le filet de bave qui me coule sur le menton, ça doit faire un bon moment. Je suis réveillée par ma secrétaire : elle crie mon nom et frappe bruyamment à la porte.

— Emily, vous êtes là ? Tout va bien ? Emily ?

— Je vais bien. Je vais bien. Je sors tout de suite, dis-je en me préparant à abandonner l'abri confiné du cabinet.

Tu peux le faire.

— Carl vous cherche. Il téléphone toutes les cinq minutes et il est passé deux fois en trombe dans votre bureau. C'est pas pour dire, mais vous devriez peut-être le rappeler.

— Ce type est déchaîné.

Je me ressaisis, m'efforce de me faire la tête de quelqu'un qui n'était pas en train de roupiller dans les toilettes. Je rajuste mon tailleur pantalon, prie pour ne pas avoir de marques sur le front, vu qu'il reposait sur un distributeur de papier toilette en métal, et sors de mon cabinet.

Comme par un fait exprès, j'entends qu'on m'appelle au haut-parleur.

— Emily Haxby. Emily Haxby. Veuillez contacter le poste 670. Veuillez contacter le 670. Emily Haxby, veuillez contacter le 670.

Le poste de Carl.

— Il me tue, dis-je à Karen.

Ses yeux sont pleins de compassion, elle tend la main vers ma tête. Un geste maternel qui déclenche chez moi une bouffée d'amour, je me penche vers sa main. *Au moins j'ai Karen. Au moins, ma secrétaire m'aime.*

— Chérie, vous avez un petit bout de papier toilette dans les cheveux.

Je dévale d'un pas lourd les deux étages qui me séparent du bureau de Carl. Mes chaussures claquant sur le ciment font le bruit d'un roulement de tambour. *Même aux toilettes, je peux pas avoir la paix. Quel culot !*

Je ne frappe pas en entrant dans son bureau. Je me contente de pousser la porte, comme si j'étais chez moi. Je suis blême. *Va te faire foutre, Carl. Va-te-faire. Foutre.* Je m'assois dans son fauteuil visiteur, et il lève les yeux vers moi, surpris par l'inconvenance de cette entrée.

— Vous sonnez, vous passez, vous me faites appeler. Je peux faire quelque chose pour vous, Carl ?

Mes mots suintent le sarcasme. Impossible de me forcer à être polie. J'inspire deux ou trois fois, espérant que ça va me calmer, mais l'oxygène ne fait qu'attiser ma rage. J'ai envie de lui flanquer quelque chose à la tête. De le frapper. De lui enfoncer mes doigts dans les yeux. De lui donner un coup de genou dans les couilles.

Je hais Carl. Plus que Marge, plus que Carisse, plus que mon père. Putain ce que je le hais.

— Hum, bien. Je voulais que nous parlions de ces boîtes à inventorier. A. Zap, dit posément Carl.

Il a un regard intrigué, j'imagine qu'il n'a pas l'habitude de répondre à la colère des collaborateurs. D'ordinaire, c'est plutôt l'inverse qui se produit. Et puis j'en ai ras le cul de cette façon qu'il a de dire « A. Zap », comme s'il s'agissait de deux mots bien distincts. J'ai envie de lui crier : *On dit A SA P, ce sont les initiales de* as soon as possible, *« dès que possible », espèce de taré. Pas « A. », plus loin « Zap ».*

— Non.

J'évite son regard, de peur de perdre mon sang-froid.

— Je vous demande pardon ?

— Non, je ne pointerai pas ces boîtes. J'ai cinq ans de cabinet derrière moi. C'est un travail qu'on effectue la première année ; si vous voulez qu'il soit fait, je vous suggère de trouver deux ou trois juniors.

Je parle vite, les mots se bousculent dans ma bouche. Mais

la colère me stimule. *Je ne le ferai pas. Répète après moi, Emily. Je ne le ferai pas.*

— Je regrette, mais la décision ne vous appartient pas. Vous le ferez parce que je vous le demande.

Autrement dit, j'aurais dû te laisser me bouffer la chatte parce que tu me l'as demandé ? Ces mots, je suis à deux doigts de les dire, vraiment à deux doigts, mais je m'aperçois que je ne peux pas. J'ai marché tout près du précipice, mais ça, ce serait sauter dans le vide.

— Carl, je ne ferai pas cet inventaire. Vous pouvez me virer si ça vous chante, mais nous savons l'un et l'autre que ce ne serait pas très judicieux de votre part. Après ce qui s'est passé en Arkansas.

La menace sort avant même que je me sois formulé l'idée, je n'arrive pas à croire que j'aie eu le cran de dire ça. Le choc ressenti par Carl aussi est palpable, il marque un temps pour reprendre contenance. *Qu'est-ce que j'ai fait ?*

— OK. Je vois. Je trouverai quelqu'un d'autre pour pointer ces boîtes. Mais, à l'avenir, je n'accepterai plus ce genre de comportement. Faites attention, Haxby. Faites bien attention. Vous venez de piocher votre seule carte sortie de prison.

Un instant, je suis impressionnée par Carl, par sa capacité de céder du terrain tout en reprenant l'autorité absolue. De me rappeler gentiment qu'au bout du compte, c'est lui qui a le pouvoir.

— Vous voulez que je vous dise, Carl ? Je démissionne.

Là encore, les mots sont sortis sans que je m'en aperçoive. Sans préméditation. Sans même que je réfléchisse une seconde aux conséquences. Je me dis : *Alors comme ça, c'est le jour où je démissionne. Un jour qui restera dans ma mémoire. Qui sera distinct de tous les autres, d'hier comme de demain, parce que c'est le jour où j'ai démissionné.*

Carl semble calme, serein même, et pas le moins du monde contrarié par ma défection.

— Allons, allons. Je n'accepterai pas cela. Vous ne démissionnez pas. Vous êtes un membre précieux dans l'équipe APT. Vous avez montré à plusieurs reprises votre investissement dans ce cabinet. Que vous soyez en colère aujourd'hui ne justifie pas de gâcher votre carrière ici. Alors je vais vous dire ce qui va se passer – Carl se penche en avant, il a presque l'air gentil, un air de père. Vous allez retourner à votre bureau et réfléchir à tout ça. Je n'accepte pas votre démission. En réalité, je vais faire comme si vous ne me l'aviez jamais donnée. Nous allons réquisitionner d'autres collaborateurs pour cet inventaire, et vous, vous allez prendre le temps de vous ressaisir. D'accord ? Partez en vacances, ou quelque chose comme ça.

La voilà l'occasion de retirer ce que j'ai dit, d'annuler toute l'affaire. *Combien de fois dans une vie a-t-on la chance de rembobiner le film de cette manière ? Il te lance une bouée de sauvetage. Attrape-la, Emily. Tu peux dé-démissionner.*

— Carl, je parle sérieusement, je pars.

Je répète les mots, et je sais que je les pense. Mes pensées conscientes ont beau me dire de défaire ce que j'ai fait, maintenant c'en sont d'autres qui mènent la danse. L'idée de travailler ne serait-ce qu'une seconde de plus pour APT m'accable. *Je n'en peux plus. Je n'en peux plus d'ici.*

— Je vous l'ai déjà dit, réplique Carl. Je refuse votre démission. Maintenant, sortez de mon bureau, je vous prie, ajoute-t-il en brassant quelques papiers. Il y a des gens qui bossent ici.

Je quitte le bureau de Carl et, en retournant vers le mien, réfléchis aux options possibles. Pour APT, je n'ai pas démissionné. Je peux toujours revenir travailler demain et toucher mon salaire. J'ai toujours l'assurance maladie. L'affaire peut se résumer à un petit secret supplémentaire entre Carl et moi, un petit secret qui habitera le même fond de tiroir que mon caleçon marqué « Embrasse mes Arkan-fesses ». Mais je sais aussi que je ne peux pas reculer. Je ne veux pas vieillir dans la peau d'un Carl MacKinnon, ni dans celle d'un autre associé, quel qu'il soit, même ceux que j'admire. Ce n'est pas la vie que je veux. J'ignore ce que je veux au juste, mais j'en sais assez maintenant pour pouvoir dire que ce n'est pas ça. Il est temps de partir.

Une fois dans mon bureau, j'appelle l'associé responsable du cabinet. Si Carl refuse de m'écouter, je vais trouver quelqu'un d'autre pour prendre acte de ma démission. Comme je pouvais m'y attendre, je tombe sur la boîte vocale de Doug Barton et laisse un message disant que j'ai besoin de lui parler de toute urgence. J'en laisse également un à James Slicer, chef du département contentieux. Je n'annonce ma démission ni à Doug ni à James : question réputation, c'est le genre de choses qu'il est préférable de ne pas laisser sur une machine.

— Je démissionne, dis-je à Kate devant son bureau, quelques minutes plus tard.

— Quoi ?

— Je démissionne. Enfin, je suis en train. Carl a refusé ma démission, donc j'ai laissé des messages à Doug et à James. Je pars. Aujourd'hui.

— Entre, fait-elle en me conduisant à son fauteuil visiteur. (Elle ferme la porte, puis prend place face à moi, derrière sa grande table de bois. Elle a vraiment l'air d'une avocate, assise là, au milieu des piles de documents bien nettes et des traités reliés cuir, sans oublier la petite lampe verte.) Tu te sens bien ? Tu as l'air un peu... un peu... à bout. Ou plutôt... (Elle s'interrompt, afin de décider si elle va dire ce qu'elle pense vraiment.) Eh bien, tu as l'air un peu surexcitée.

— Je vais bien. Je démissionne. Donc j'ai un peu les nerfs en pelote, oui, mais n'essaie pas de me faire changer d'avis, s'il te plaît.

— Pourquoi ?

— Pourquoi je pars ou pourquoi je ne veux pas que tu me fasses changer d'avis ?

— Pourquoi tu pars.

— Je n'en peux plus d'ici, Kate. Je hais cette boîte. Je hais tout ici. Pas toi et Mason, bien sûr. Mais tout le reste, je le hais. J'en peux plus. Non seulement je n'aide pas à faire que le monde tourne mieux, mais je le rends pire qu'il n'est. Ce n'est pas pour ça que j'ai fait du droit. (Je respire à fond et continue.) Carl a voulu me faire pointer six cent soixante-dix-huit boîtes pour Synergon, j'ai refusé. Et je l'ai menacé, pour avoir voulu me sauter en Arkansas. Alors il a dit que, finalement, je n'avais pas à pointer ces boîtes. Mais ce n'est pas le fond du problème, pas vrai, Kate ?

Voilà que je me mets à pleurer, des lignes de larmes roulent à toute vitesse sur mes joues. Je les essuie avec ma manche, Kate me tend un mouchoir en papier et du désinfectant pour les mains.

Je sais qu'elle a envie de m'interroger sur ce qui s'est passé avec Carl, mais je n'ai pas fini. Les mots continuent de sortir en vrac. Je me dis : *Aujourd'hui n'est pas seulement le jour où je démissionne ; aujourd'hui restera comme le jour où j'ai été atteinte de logorrhée.* Je me demande si je pourrai jamais plus maîtriser le flot de paroles qui sort de ma bouche.

— Et j'ai horriblement mauvaise conscience. Papi Jack a un Alzheimer. Je l'ai appris ce week-end. Il s'est perdu, c'était affreux. Andrew me manque. Jess a sans doute raison : je ne suis pas prête pour un Andrew. Mais c'est quand même dur. Et s'il finit avec Carisse, je l'aurai bien mérité. À mon avis, maintenant il me hait, et c'est sans doute le pire de tout.

Kate essaie bien d'interrompre mon monologue, vraisemblablement pour dire quelque chose du genre *Andrew ne te hait pas,* mais je ne la laisse pas placer un mot.

— Et tu sais la meilleure ? Je me suis endormie dans les toilettes aujourd'hui. Dans mon cabinet préféré. Kate, j'avais du papier toilette dans les cheveux !

Voilà qui fait retomber la tension. Kate et moi partons à rire, à nous tordre de rire, au point qu'elle aussi se met à pleurer. Elle se tamponne frénétiquement les yeux avec un mouchoir pour empêcher son rimmel de couler, mais trop tard. Pour la première fois, je vois à quoi elle ressemble sous son maquillage impeccable. D'une certaine manière, elle a un air plus libre.

Je passe l'heure qui suit à l'abri dans son bureau et lui raconte exactement ce qui s'est passé avec papi Jack. Je lui décris aussi, avec tous les développements, ce que signifie partager une chambre d'hôtel avec Carl ; l'idée la fait blêmir.

— Je crois que je lui aurais donné un coup de pied dans les couilles, dit-elle.

Pour finir, nous évoquons son mariage et, chose surprenante, je prends du plaisir à en évoquer les détails avec elle. Choix des couleurs. Fleurs. Orchestre. Invitations. Je trouve réconfortant d'imaginer sa liste des choses à faire, chaque élément coché minutieusement quand elle est sûre qu'il convient et à Daniel et à elle. Je vois que, pour elle, le mariage est un tremplin. Si ce jour-là se passe bien, le reste devrait suivre.

J'imagine ce que son mariage aurait pu être pour moi si les derniers mois s'étaient déroulés autrement. Pour moi aussi, il aurait été un tremplin. Andrew se serait tenu derrière Daniel, face à l'autel, il aurait été superbe dans son smoking, le témoin idéal. J'aurais été de l'autre côté, en escadrille avec les demoiselles d'honneur de Kate, une rangée de rose pâle. Andrew aurait accroché mon regard, il m'aurait souri, d'un sourire entendu, un sourire qui aurait dit un truc comme : *Ce sera bientôt notre tour.* Et si j'avais été une autre personne, une personne prête, je lui aurais retourné son sourire, un sourire qui aurait dit un truc comme : *Moi aussi, je t'aime.*

Ensuite, je pense à ce que va probablement être ce mariage, maintenant que j'ai tout détruit. Andrew et moi les yeux fixés droit devant nous, histoire de ne pas croiser le regard de l'autre. Il amènera Carisse et la cherchera dans l'assistance. Et lorsqu'ils échangeront ces sourires, je resterai sur la touche, comme dans un mauvais rêve, quand on crie et qu'aucun son ne sort.

Ma décision de quitter la boîte aujourd'hui même a beau être irrévocable, les hautes instances m'empêchent de la concrétiser. Ni le responsable du cabinet, ni le chef du contentieux ne me rappellent ; à l'évidence, quelle que puisse être mon urgence, elle ne saurait avoir assez d'importance pour qu'on cesse quelques minutes d'aligner des heures facturables. J'envisage d'aller trouver la réceptionniste et de la soudoyer pour qu'elle me laisse utiliser le haut-parleur. Je me vois, micro en main, en train d'annoncer ma démission à tout APT.

Je dirais « Mesdames et messieurs » et, dans les bureaux, tout le monde s'arrêterait pour écouter.

« C'est Emily Haxby qui vous parle. Je donne ma dém, bande de connards. »

Je pourrais aussi partir avec plus de simplicité, de délicatesse et de courtoisie. Faire ce que j'imaginais ce matin. Passer la porte et ne jamais revenir. Abandonner APT, abandonner Emily Haxby.

En sortant, je passe devant la grande salle de conférences près des ascenseurs. Je jette un œil par la porte et constate qu'il y a des boîtes partout. Six cent soixante-dix-huit, pour être précise. La vue panoramique sur Park Avenue est bouchée par des tours cartonnées.

À la table, Carisse est penchée sur un document dont elle lit chaque mot avec application. Au bout de quelques secondes, elle le pose et attrape la feuille suivante dans une pile qui doit mesurer une soixantaine de centimètres. Je frappe à la vitre et lui fais un signe en passant. Je souris en voyant qu'elle n'en est qu'à la boîte numéro un.

15

Le grand jour arrive mercredi matin, à onze heures trente, quand je suis enfin convoquée dans le bureau de Doug Barton. En tant qu'associé responsable du cabinet, il a un bureau en angle, un bureau de patron, avec deux murs de baies vitrées. Cette double perspective donne l'impression d'être suspendu au-dessus de New York, de planer sur le centre-ville, coupé de la terre ferme. Mon bureau a beau se trouver au même étage, ici on se sent plus haut. Avant même d'avoir pu m'asseoir, j'ai déjà le vertige.

— Alors, Emily, que se passe-t-il ? fait Doug après m'avoir serré la main et m'avoir laissée me caler dans son fauteuil visiteur.

Il a une voix amicale et informelle, comme si nous étions des amis de longue date ; pourtant, avant ce jour, je n'étais pas sûre qu'il connaisse seulement mon nom.

— Eh bien, je voulais vous parler d'une chose importante. (Et, pour rester sur ce mode décontracté, j'ajoute :) Doug.

Son bureau est absolument vide de tout document, livre ou bloc-notes. À l'évidence, il n'accomplit aucun travail tangible : je me demande ce qu'il fabrique ici toute la journée. Je devrais peut-être me laver les mains en sortant. Au cas où.

Je jette un œil en direction de la fenêtre et reste saisie en voyant un homme me regarder depuis l'extérieur. Il sourit, comme si nous étions nous aussi des amis depuis longtemps perdus de vue, puis il sort une raclette et la manœuvre de haut en bas, nettoyant en cadence le verre transparent. Il se balance à cinquante étages au-dessus du sol pour que nous jouissions toujours d'un panorama immaculé.

— OK, fait Doug en toussotant, une manière polie de dire : *Allez droit au but.*

On dirait un avocat de série télé : chevelure à mèches argentées, cuticules manucurées et autorité dans le regard.

— Je suis venue vous donner ma démission. Compte tenu du délai de préavis, j'effectuerai mon dernier jour dans deux semaines à dater d'aujourd'hui.

— Je suis désolé de l'apprendre. J'ai toujours vu en vous un membre précieux de l'équipe APT. Vous avez continuellement montré votre *investissement* dans ce cabinet.

Il s'éclaircit la gorge. J'ai l'impression que les compliments ne lui viennent pas naturellement, qu'ils sont pour lui un désagrément inhérent à ce bureau. Il ajuste ses manchettes sous sa veste de costume, et je constate que, comme celles de Carl, elles portent un chiffre. La version adulte du marquage des vêtements avant la rentrée.

— Merci, Doug.

Ça m'amuse de l'appeler par son prénom. J'ai presque envie de pousser ce côté copain-copain le plus loin possible et qu'on finisse par toper là.

— Puis-je vous demander où vous allez ?

Il sort un bloc du tiroir afin de noter ma réponse. Le stylo posé sur la pointe, il attend.

— En fait, je n'en sais rien encore. Je vais prendre un peu de temps pour me clarifier les idées, mais il faudra assez vite que je me mette à chercher un nouvel emploi. Pour des raisons financières.

Il hoche la tête, le genre qui comprend ça. Quoique, à en juger par la Rolex à son poignet, j'imaginerais assez que les soucis d'argent ne sont pas son ordinaire.

— Voilà qui n'a rien d'orthodoxe, dit-il. D'habitude, nos collaborateurs nous quittent pour un autre emploi. Éventuellement pour travailler en interne dans une société. Il est très rare qu'ils partent pour faire... pour faire... (Il s'interrompt et s'éclaircit à nouveau la gorge avant d'ajouter :) Rien.

Il prononce le mot comme si c'était une obscénité, comme si j'avais dit que je partais pour faire violeur d'enfants en bas âge.

— Oui, la décision a été plutôt subite. Mais j'ai besoin de prendre du recul. J'ai eu à peine quelques jours de congé depuis mes débuts dans le cabinet, il y a cinq ans. Je ne crois pas avoir pris une seule fois de vraies vacances.

Je vois à son expression qu'il comprend les implications de cette phrase. En cas de départ, le cabinet est tenu de payer le solde de congés. C'est la seule chose qui me permette de démissionner sans avoir rien en vue. APT me doit plus de trois mois de salaire.

— Nous aimons toujours tirer la leçon du départ de nos collaborateurs, dit-il. Aussi, j'apprécierais que vous puissiez me donner certaines des raisons qui vous font nous quitter. (C'est la question suivante qui me surprend. Jusqu'alors, j'avais l'impression qu'il suivait un synopsis.) Je vois que vous avez beaucoup travaillé avec Carl MacKinnon ces derniers temps. Pourriez-vous me décrire cette expérience ?

Sa formulation est assez subtile pour me laisser le choix de mordre à l'hameçon ou de faire comme si de rien n'était. Je feins d'être fascinée par la vue pour me laisser quelques instants de réflexion. Pensant que, côté harcèlement sexuel, le cabinet avait adopté la politique du « rien vu, rien entendu », je suis désarçonnée par sa question.

Je ne sais pas quelle sera la réaction de Doug si je lui dis la vérité sur Carl. Je trouve que les hommes dans son genre, les quinquas presque sexas exerçant des professions libérales, traitent souvent ce que j'ai à dire comme quantité négligeable, toute parole sortant de ma bouche ne pouvant avoir une quelconque importance. À mon avis, ils ne savent pas trop comment se comporter face à une fille trop jeune pour être draguée, trop vieille pour être traitée en gamine, et trop femme pour qu'on lui serve de mentor. Ou alors, ils ont des filles qui ont à peu près mon âge et l'habitude de faire la sourde oreille. Je cherche du regard des photos de famille dans la bibliothèque, mais il n'y en a aucune.

— Travailler pour Carl est une gageure, dis-je avant de

ménager un nouveau silence. Je pense qu'il a du mal à créer un environnement professionnel sain pour une femme.

Je ne suis pas sûre d'avoir envie d'en dire plus, d'être responsable de révélations sur Carl ; en même temps, je déteste l'idée qu'il s'en prenne à la nouvelle génération des collaboratrices, celles qui, sortant tout droit de l'école, se demandent encore comment survivre chez APT. J'aimerais qu'elles conservent un tout petit peu plus leur naïveté, leur optimisme. Alors je reprends :

— Disons les choses ainsi : j'ai appris par d'autres et constaté moi-même qu'il pouvait avoir un comportement déplacé.

C'est une incroyable litote, je m'en aperçois, les agissements de Carl allant bien au-delà du « déplacé » ; je vois pourtant à l'expression de Doug qu'il est inutile d'entrer dans les détails. Il m'écoute, et il pige. Il n'a besoin de précisions ni sur l'embrouille des réservations d'hôtel, ni sur l'offre de cunnilingus. Même si le mec propose de faire le boulot, ça reste du harcèlement sexuel.

— Avez-vous l'intention... (Doug s'interrompt ; je vois qu'il aime poser ses questions comme dans un contre-interrogatoire, en calculant ses effets pour obtenir un maximum d'impact) ... d'engager des poursuites ?

— Je n'y ai pas vraiment réfléchi. Je n'ai pas particulièrement envie de mener cette bataille, encore que j'aie un excellent dossier, je dois vous le dire.

C'est la vérité. Carl ne m'a pas seulement proposé la botte, tout de suite après mon refus il m'a retiré la requête en procédure sommaire. Une légèreté étonnante de sa part, la mesure de rétorsion étant évidente.

— Je ne voudrais pas voir le cabinet ruiné par l'inconscience invraisemblable d'un associé, dis-je en décroisant les jambes pour poser fermement mes pieds sur le sol. (Et je respire à fond avant de poursuivre.) Cependant, je crois qu'il est temps que vous fassiez le ménage. Dans le cas contraire, je ne vous promets rien.

Doug griffonne quelques mots, je vois qu'il prend ma menace au sérieux. Il sait qu'il doit y avoir encore beaucoup de femmes dans mon cas et que, en gardant Carl, il expose le cabinet à devoir débourser des millions de dollars d'indemnités. Peut-être ne croit-il pas vraiment que je vais les poursuivre, mais là n'est pas l'essentiel. Si je ne le fais pas, une autre le fera, c'est juste une question de temps.

— Merci, dit-il. J'apprécie votre franchise.

— Je vous en prie.

J'ai l'impression d'avoir un peu repris le contrôle de la situation. Dans deux semaines, je pourrai ne plus jamais revoir Carl.

— Je vous souhaite bonne chance dans vos projets futurs.

Doug se lève et me serre la main, me signifiant ainsi la fin de notre conversation.

— Merci, dis-je avant de décider de tenter un dernier coup. Au fait, j'imagine que j'aurai une prime à la fin de l'année, vu que j'ai déjà dépassé mes objectifs d'heures facturables.

— Absolument, répond-il. J'y veillerai personnellement. (Il sourit. Il a l'air fier que j'aie posé la question ; je me demande si on ne va pas finir par toper là.) Donnez-nous de vos nouvelles.

— Merci. (Alors, juste pour le plaisir, et aussi parce que je peux le faire, j'ajoute encore une fois :) Doug.

Je quitte son bureau en refermant la porte derrière moi. J'attends d'être au milieu du couloir, hors de vue, pour me livrer à ma première danse de victoire chez APT. Une danse du scalp de folie.

16.

À : Emily M. Haxby, emilymhaxby@yahoo.com
De : Ruth Wasserstein, votrehonneur@yahoo.com
Objet : Merci !
Chère Emily,
J'ai une messagerie électronique maintenant ! (J'ai bien envie de mettre un *smiley* ici. Ma petite-fille m'a appris comment faire, seulement j'ai oublié. Tu es donc priée d'insérer un sourire à cet endroit.) Je sais que j'ai une dizaine d'années de retard pour ces choses-là, mais on m'a offert un ordinateur portable pour mon anniversaire. Il est tout petit petit. Je me demande comment une si petite machine peut faire autant de choses.
Avant tout, je voulais te remercier mille fois pour les fleurs ! Elles étaient magnifiques, mon appartement embaume encore. Tu ne m'en voudras pas si j'ai prélevé une rose pour la porter dans la nouvelle chambre de Jack. Même si tu prends des nouvelles auprès des infirmières, j'ai pensé que tu aimerais en avoir par moi : il semble aller un peu mieux. Il a plus de moments de lucidité que le week-end dernier, on a même fait quelques parties de poker ! (Insère un autre *smiley* ici.) Ne lui dis pas que je te l'ai raconté, mais je lui ai communiqué ce que tu sais.
Quoi qu'il en soit, je suis très excitée de faire mon entrée dans les autoroutes de l'information. Ma graphie ayant toujours laissé à désirer, j'ai l'impression qu'enfin les règles du

jeu sont les mêmes pour tout le monde. Et puis c'est tellement rapide. Je suis en train de taper ce message, et tu vas tout de suite l'avoir. C'est époustouflant !
J'ai hâte de te revoir.
Ton amie,
Ruth Wasserstein.

À : Ruth Wasserstein, votrehonneur@yahoo.com
De : Emily M. Haxby, emilymhaxby@yahoo.com
Objet : Rép : Merci !
Ruth ! Bienvenue dans le monde du mail ! Je suis heureuse que les fleurs t'aient fait plaisir.
J'ai une grande nouvelle pour toi : je quitte mon boulot ! Qu'est-ce que tu en penses ? N'hésite pas à mentir et à me dire que c'est la meilleure décision que j'aie jamais prise. Au fait, j'adore ton adresse mail. Tu crois que je devrais changer la mienne pour chomeuse@yahoo.com ?

À : Emily M. Haxby, emilymhaxby@yahoo.com
De : Ruth Wasserstein, votrehonneur@yahoo.com
Objet : Rép : Rép : Merci !
Je crois que tu devrais changer pour labellevie@yahoo.com.
Félicitations ! Sincèrement, je suis très fière de toi.
Maintenant que tu vas avoir plein de temps libre, serais-tu intéressée par une participation à mon nouveau club de lecture ? J'espère que ça ne te fait rien, mais tu seras la seule membre en dessous de soixante-quinze ans.

À : Ruth Wasserstein, votrehonneur@yahoo.com
De : Emily M. Haxby, emilymhaxby@yahoo.com
Objet : Rép : Rép : Rép : Merci !
Très honorée que tu aies pensé à moi. J'adorerais me joindre à vous. Qu'est-ce qu'on lit en ce moment ?

À : Emily M. Haxby, emilymhaxby@yahoo.com
De : Ruth Wasserstein, votrehonneur@yahoo.com
Objet : Rép : Rép : Rép : Rép : Merci !
Une biographie de Margaret Thatcher.

Non, je plaisante.
Nous lisons le *Journal de Bridget Jones.* Nous avons toutes vu le film la semaine dernière, et sommes tombées amoureuses de Colin Firth. Ces avocats anglais ont quelque chose d'irrésistible, n'est-ce pas ? J'aurais dû prendre ma retraite à Londres.

À : Jess S. Stanton, jessss@yahoo.com
De : Emily M. Haxby, emilymhaxby@yahoo.com
Objet : Toujours rien.
Toujours aucune nouvelle d'Andrew, ça va bientôt faire une semaine. À ton avis, ça veut dire quoi ?

De : Jess S. Stanton, jessss@yahoo.com
À : Emily M. Haxby, emilymhaxby@yahoo.com
Objet : Rép : Toujours rien
Ça veut dire qu'il te déteste. (Je blague.)
Ça veut dire qu'il t'aime. (Je blague.)
Je n'ai aucune idée de ce que ça veut dire.
Peut-être que ça veut dire qu'il est occupé.

À : Ruth Wasserstein, votrehonneur@yahoo.com
De : Emily M. Haxby, emilymhaxby@yahoo.com
Objet : Rép : Rép : Rép : Rép : Rép : Merci !
Ruth, j'ai envoyé un mail à Andrew il y a une semaine et je n'ai toujours pas de réponse. Qu'est-ce que ça veut dire ?

À : Emily M. Haxby, emilymhaxby@yahoo.com
De : Ruth Wasserstein, votrehonneur@yahoo.com
Objet : Rép : Rép : Rép : Rép : Rép : Rép : Merci ! Ça veut dire qu'il t'aime toujours, ma chérie.
C'est bien ça que tu veux entendre, pas vrai ?

17.

Le voyant de mon répondeur clignote. Cling. Cling.Cling. Cling. *Andrew.* Je traverse l'appartement avec une feinte nonchalance – lâche mes clefs, ôte mes chaussures, pose mon sac –, mais me retrouve illico devant l'appareil. Un papillon de nuit pris dans la lumière.

C'est gênant, cet empressement à appuyer sur un bouton, cette manière de décrire des cercles au-dessus du répondeur, vorace, prête à fondre sur ma proie. C'est tellement un cliché de s'exciter à la vue d'un stupide clignotement.

Non, je ne suis pas prête à appuyer sur ce bouton. D'abord, prendre une douche. Mettre de l'ordre dans ma tête. Je me déshabille, ouvre l'eau, mais l'impatience me submerge.

Je cours vers le répondeur. Mets la main sur mes yeux. Appuie sur « play ».

Bien sûr, ce n'est pas Andrew. En fait, c'est *mieux* que ce ne soit pas Andrew.

— Salut, Em. Tu pourras emmener Jack à ce rendez-vous de médecin ? Si tu ne peux pas, je trouverai une voiture et une infirmière pour l'accompagner. Pardon de ne pas être disponible. J'avais promis, mais tu sais ce que c'est. Le Connecticut n'attend pas. S'il te plaît, rappelle-moi pour confirmer. Merci. À charge de revanche.

Si j'avais le pouvoir d'effacer quelques mots de la surface du globe, d'interdire de les coller ensemble, à coup sûr je choisirais : *le Connecticut n'attend pas.* Je ne choisirais pas d'effacer *je t'aime.* Ni même *ne le prends pas mal,* alors que tout le monde sait bien que cette entrée en matière déguise mal un affront. Non, je choisirais *le Connecticut n'attend pas.* Car mon père a beau en faire une excuse, ces mots-là sont un choix, et rien d'autre. À l'évidence, face aux bonnes gens de « l'État de la Constitution », je ne fais pas le poids. Ce n'est pas nouveau : il a loupé l'anniversaire de mes treize ans, le premier où j'invitais des garçons et le dernier que maman organisa pour moi, à cause d'une disposition législative de la plus haute importance visant à rebaptiser *Eubrontes Giganteus* le fossile officiel du Connecticut.

Je réécoute encore quatre fois le message de mon père. La répétition émousse la douleur. Franchement, peu importe qu'il vienne avec moi ou pas. De toute façon, je prévoyais d'accompagner papi Jack à son rendez-vous. Je me dis : *C'est sans doute une bonne chose. Il aurait juste été dans mes pattes. Qu'est-ce que ça peut faire qu'il te laisse tomber un peu plus, un peu moins ? Grandis, Emily. Sois adulte.*

Je m'efforce de raisonner la tristesse qui s'insinue en moi. Le genre de tristesse muette qui vous ankylose le bout des doigts. Celle qui est la plus dure à combattre car elle donne vraiment l'impression d'un grand vide. Autant raisonner avec un frigo.

Je fourre un surgelé dans le micro-ondes et mange à même les compartiments en plastique du plateau, comme si j'étais dans un avion. D'habitude, j'ignore les légumes rangés à l'extrême droite de la barquette ; aujourd'hui, je me force à les avaler, parce que c'est ce que font les adultes. Nous mangeons des haricots verts. Je m'allonge sur le canapé et m'anesthésie avec une série d'émissions de téléréalité. Ce soir, je fais en sorte de ne regarder que celles dans lesquelles on élimine l'un des concurrents. Je trouve apaisant de voir des gens attacher tant d'importance au fait d'avoir perdu, apaisant de les voir croire à tort que leur monde ne va pas au-delà des caméras.

— Je peux l'emmener, dis-je à mon père dans un coup de fil, quelques heures plus tard.

— Merci, ma petite, répond-il tout en remuant des papiers en fond sonore. Désolé de ce contretemps. J'ai un boulot dingue avec ces histoires de budget.

J'entends quelques froissements supplémentaires et reconnais l'astuce : elle donne l'impression que vous êtes tellement débordé que vous ne pouvez pas vous arrêter de travailler, fût-ce pour dire deux mots au téléphone. Je le fais tout le temps avec les avocats associés chez APT.

— Pas de problème, fais-je. J'avais l'intention d'y aller de toute façon.

J'enfile à la hâte mon sweat-shirt de Yale, mais avec lui sur le dos je me sens plus jeune, dans la peau d'une étudiante, alors je l'enlève pour passer un cardigan.

— Tu vas avoir des soucis au boulot si tu quittes de bonne heure ? demande mon père. Je ne veux pas que tu aies d'ennuis.

— Non, ça ne devrait pas poser de problème.

Il n'a pas besoin de savoir que je démissionne : une démission sera interprétée comme un échec, rien de moins.

— Alors merci, Em, et à charge de revanche.

À charge de quelle revanche ? ai-je envie de lui demander. *La revanche de se comporter en parent à la prochaine occasion ? La prochaine fois que je me retrouverai sans boulot, toute seule et morte d'angoisse pour papi Jack, je me souviendrai de la charge de revanche.*

— Au fait, ajoute-t-il, il faut qu'on parle de Thanksgiving.

Mon estomac se noue. Non, j'ai plutôt l'impression que mon père vient de m'enfoncer son poing dans la gorge et de me tordre les boyaux. Comme par hasard, j'avais oublié Thanksgiving et le marathon éreintant qu'il faut subir pour arriver jusqu'en janvier.

— OK.

— Que dirais-tu de le passer à mon club, dans le Connecticut ? La nourriture sera excellente, et tu rencontreras des voisins que tu n'as pas vus depuis des années. Ça sera amusant.

Il s'efforce d'avoir l'air enthousiaste, mais ça sonne faux. Mon père sait que je ne suis pas fan de son « club ». C'est le genre d'endroit dont Groucho Marx et Woody Allen auraient été ravis de se dire membres, dans la mesure où, naturellement, ça ne leur aurait pas été possible. En tout cas, jusqu'à il y a peu, très peu de temps, et, aujourd'hui encore, ils y feraient un peu *minorité ethnique.*

— Et papi Jack ? On ne peut pas le laisser passer Thanksgiving tout seul.

Le froissement de papiers s'interrompt, mon père s'éclaircit la gorge.

— Bien sûr. Tu ne m'as pas laissé finir. Tu prends le train, on déjeune au club, et puis on va à Riverdale passer la soirée avec mon père. Je demanderai à mon assistante de nous y faire préparer un petit dîner. Qu'en dis-tu ?

— Ça m'a l'air d'une bonne idée.

— Naturellement, Andrew est le bienvenu. Je ne l'ai pas vu depuis des siècles.

— Il ne peut pas. Il rentre dans sa famille pour Thanksgiving.

J'ajoute un mensonge de plus à la pile.

— Quel dommage ! J'aurais aimé lui parler du nouveau plan de santé publique qui est en discussion en ce moment.

— Oui, eh bien ce sera pour une autre fois. Écoute, papa, j'ai des tonnes de boulot, une requête importante à rendre pour dans deux semaines, faut que j'y aille.

— Moi aussi, ma chérie. Au revoir.

Et mon père et moi raccrochons sur fond de bruissements de papiers réciproques.

18.

Ce jour est mon dernier jour de travail. Mon bureau a été vidé de ses entrailles qui ont été retournées, étiquetées et expédiées aux archives. Les murs sont nus à présent, ne restent que quelques clous saillants auxquels étaient accrochés mes diplômes. Mes photos, mes mugs et mes bouquins sont tous soigneusement emballés dans deux boîtes en carton. Ça paraît étrange d'avoir si peu de choses à emporter au bout de cinq ans, étrange de pouvoir transporter en métro le total de mon expérience ici. Je ne sais pas pourquoi, mais ça devrait faire plus.

Je me demande si ces cinq années sont visibles sur mon corps. Les rides gravées sur mon front, celles qui poussent aux commissures de mes lèvres. Les poignets qui me font mal quand il pleut. Quelques kilos de trop, dont certains en paquets sous mes yeux. Peut-être que, pour l'instant du moins, ce sera le miroir qui fera remonter mes souvenirs du temps de chez APT.

Avant de descendre, je vérifie mes mails pour la dixième fois de la journée et sans doute la centième de la semaine. L'écran m'annonce que j'ai un nouveau message, je respire à fond avant de l'ouvrir. *Pourvu que ce ne soit pas un spam.* Je croise les doigts et je clique.

À : Emily M. Haxby, emilymhaxby@yahoo.com
De : Andrew T. Warner, warnerand@yahoo.com
Objet : Rép : Désolée

Salut, E. Je suis navré d'apprendre ce qui arrive à papi Jack. (Kate l'a dit à Daniel...) Si je peux faire quoi que ce soit, dis-le-moi, s'il te plaît. Il a été comme un grand-père pour moi ces deux dernières années ; et, si j'en juge par ce que j'éprouve, tu dois souffrir.
Concernant la soirée et mon message surtout, moi aussi je suis désolé. Aucun de nous deux n'est doué pour dire ce qu'il voudrait vraiment, j'imagine. Si seulement je savais ce que je voulais dire. Ça faciliterait les choses. Pas vrai ? Mais non, je ne sais pas. J'ai essayé depuis deux semaines, ou peut-être depuis la fête du Travail, et je suis resté sec. Alors je crois qu'il est sans doute temps de se dire juste adieu.
Salut.
A.

Au début, le seul fait qu'Andrew ait pris le temps de me répondre suffit à déclencher en moi des flots de soulagement. *Il ne me hait pas.* Ça fait presque intime de voir ses mots sur mon écran. Des mots qui ne sont adressés qu'à moi. J'aime être le E qui va avec son A. Je l'imagine assis à son bureau Ikea noir, une relique de la fac qui aura vécu ses examens de dernière année, son entrée à l'école de médecine et jusqu'à ce mail d'adieu qu'il m'envoie ; il compose méticuleusement chaque phrase et réfléchit à ses implications. Sa formule de fin est vraiment parfaite, encore que j'aurais préféré un « XO », voire un « affectueuses pensées ». Je sais que je n'ai mérité ni l'un ni l'autre. Mais Andrew si, et j'aimerais pouvoir réécrire mon mail d'origine et le re-signer : « Avec les toujours affectueuses pensées d'Emily. » Je ne vois pas trop ce que cela changerait, mais pour moi c'est important.

Je lis et relis le message, si bien que, sans le vouloir, je finis par le connaître par cœur. Mon premier mouvement, c'est de lui répondre tout de suite, ne serait-ce que pour prolonger le contact. Je préférerais presque le supplice d'attendre une réponse que de ne plus rien avoir à attendre. Je ne me sens pas prête à lâcher. Andrew a raison : je n'ai jamais été douée pour dire ce que je voulais, ni même seulement pour le savoir.

Je m'aperçois que ses mots recèlent une décision implicite.

Alors je crois qu'il est sans doute temps de juste se dire adieu. Pendant quelques instants, je mets tous mes espoirs dans le « sans doute », comme s'il suggérait une hésitation. Mais, après avoir lu la phrase tout haut, je comprends que je me trompe. J'ai demandé un adieu, j'en ai un. Le silence de mon bureau me suffoque, j'essaie de combler ce vide en tapotant du stylo contre la table. *Adieu, Andrew,* me dis-je à moi-même, psalmodiant en cadence. *A. Dieu. And. Drew.*

J'ai envie de lui envoyer un nouveau message, mais je me retiens. Une fois de plus, je ne sais pas ce que je veux dire. Tout ce que je sais, c'est qu'il y a des mots que j'aimerais pouvoir reprendre, des mots que j'aimerais pouvoir retirer. Des mots comme « oui » et des mots comme « adieu ».

— Vous allez laisser un vide, me dit Carl lors du pot de départ que Kate a organisé pour moi dans l'une des salles de conférences.

Il y a une quarantaine de personnes, toutes en train de manger des crevettes géantes et de boire du vin en mon honneur. Je n'en reconnais qu'une petite moitié. Les avocats ne résistent pas à un buffet gratuit.

— Merci. Mais j'ai le sentiment que la boîte continuera de tourner sans moi.

Même si, pour tout dire, imaginer lundi me met mal à l'aise. Je n'aime pas l'idée que toutes les personnes ici présentes vont retourner bosser en traînant les pieds, puis vaquer à leurs occupations sans plus penser que mon bureau est vacant désormais. À la seconde où j'aurai posé le pied dans l'ascenseur, je serai oubliée.

— Votre départ n'a rien à voir avec... comment dire ?... un quelconque malentendu en Arkansas, n'est-ce pas ? me demande Carl.

— Il n'y a eu aucun malentendu, Carl. En fait, je pense que vous vous êtes montré parfaitement clair. Et vous savez quoi ? Je suis sûre que Carisse a fait du beau boulot en rédigeant cette requête en procédure sommaire. Elle a montré son *investissement* dans le cabinet.

Je lève mon verre de vin pour porter un demi-toast à la victoire de Carisse et de Carl. Pour une fois, je dis exactement ce que je veux dire.

— Je ne suis pas sûr de bien vous comprendre, répond Carl.

Je hausse les épaules et laisse sa phrase en suspens, sans réponse. Je m'aperçois avec une bouffée d'exaltation que je ne suis plus obligée de lui parler ; je n'ai rien à gagner à lui lécher les bottes.

— Au revoir, Carl, dis-je avant de m'éloigner.

Je flâne entre les groupes et trouve ce pot de départ moins pénible que je ne le redoutais. Je m'étais figuré des bla-bla et des adieux embarrassés. Quand on se demande intérieurement s'il faut serrer la main ou faire la bise, et si ça vaut le coup de faire comme si on allait se passer un coup de fil un jour. Mais non, je passe la majeure partie du pot à parler avec des gens que j'apprécie, ceux qui vont vraiment me manquer.

Mon avocate préférée, Miranda Washington, vient me dire au revoir. Elle est noire et lesbienne, de quoi donner des orgasmes à un directeur des ressources humaines quand il coche les cases d'une enquête sur la discrimination. Grâce à elle, les brochures promotionnelles d'APT peuvent vanter les multiples facettes du cabinet. Nous avons des avocats noirs ! Des avocats homosexuels ! Des avocats femmes !

Diversité ou pas, au début, les associés n'étaient pas enthousiastes à la perspective de la voir les rejoindre : ils ne savaient pas trop quoi faire d'elle. Mais, comme toujours, ils ont fini par voter avec leur portefeuille. Avant, Miranda travaillait dans une banque d'affaires, elle apportait à APT l'énorme carnet d'adresses de ses années Wall Street.

— Doug m'a raconté que vous aviez eu la peau de Carl, me dit-elle. Je voulais juste vous dire que je suis fière de vous. Il était temps que quelqu'un parle.

— Merci, fais-je, baissant le regard vers ses pieds. (Elle porte des baskets roses avec un tailleur classique à fines rayures.) Mais je ne suis pas sûre d'avoir eu sa peau, vraiment. Je n'ai pas mené le bon combat, si vous voyez ce que je veux dire.

— Faux. Entre nous, vous avez obtenu ce que vous vouliez pour ce trou du cul. Avec un peu de chance, ce sera officiel au prochain conseil des associés. Il y a des années que j'essaie, et personne ne m'écoute. Alors merci.

Nos yeux se tournent vers Carl. Il est en train de parler tout bas à Carisse, une main sur son épaule. On dirait qu'ils vont se mettre à valser. L'espace d'un instant, je plains Carisse. Je les plains tous les deux.

— Je peux vous poser une question ? me demande Miranda.

— Tout ce que vous voudrez.

— Qu'est-ce qui vous a poussée à venir travailler ici ?

— Je ne sais pas vraiment. Je devais rembourser mon prêt étudiant. Mais ce n'est pas la seule raison.

— Qui est ?

— Le manque d'imagination, je suppose. Accepter un poste dans un gros cabinet, c'était ce que tout le monde faisait. Le plus triste, et je sais que je vais vous paraître d'une naïveté affligeante, c'est qu'au début je voulais faire autre chose. Je voulais changer le monde. Il fut un temps où je croyais vraiment que c'était possible.

— Je m'en doute. Vous m'avez l'air d'une bonne âme.

— Merci, mais ce n'est plus si vrai.

— Eh bien, c'est peut-être le moment de commencer.

— À quoi ? À changer le monde ? Pensez donc.

— Je ne plaisante pas, si j'apprends que vous avez atterri au même poste mais dans un autre cabinet, je vous botterai les fesses personnellement. Allez-y, faites quelque chose de concret. Changez le monde. Pourquoi ne seriez-vous pas celle qui réussirait ?

— Je ne sais pas.

— D'accord, ne parlons pas de changer le monde, reprend Miranda. Ça semble un peu rude comme boulot. Mais que diriez-vous d'en changer un petit bout ? Vous me promettez ? ajoute-t-elle en levant la main. Vous me promettez au moins d'essayer ?

— D'accord, j'essaierai.

Et je lève la main pour jurer.

Deux heures plus tard, je fais mes adieux à Kate et à Mason.

Ce sont des adieux d'aéroport, avec larmes, embrassades et reniflements spectaculaires. Je me sens stupide, je sais que je vais les revoir l'un et l'autre dès la semaine prochaine. Mais c'est plus fort que moi. C'est la fin de notre trio, et même si j'ai fait mon temps, ce n'en est pas moins triste. C'est comme dire adieu à des compagnons d'armes. Ils étaient tapis avec moi dans les tranchées. Ils allumaient mes cigarettes, me protégeaient du feu de l'ennemi.

Je sors pour la dernière fois des bureaux d'APT, un carton sous chaque bras. Dans l'ascenseur qui me conduit au rez-de-chaussée, c'est comme si je donnais l'impression d'avoir été virée. Il y a quelque chose d'humiliant dans ces cartons, dans mon fatras qui déborde, dans mes yeux humides. Les autres gens reculent dans les coins de la cabine, comme si le licenciement était une maladie contagieuse. J'ai envie de leur dire que j'ai démissionné, de l'annoncer avec extase, mais je sais que ça ferait bizarre. Alors je tiens ma tête le plus haut possible, redresse le dos et sors de l'ascenseur avec toute la dignité que je peux encore mobiliser en moi.

Au portique de sécurité, je vois Marge montant la garde dans son costume bleu. Je voudrais qu'elle me félicite, me souhaite bonne chance, me dise le mot de la fin, mais je sais que c'est trop lui demander. Je me glisse dans le tourniquet, un déclic se produit dans mon dos, et le numéro qui s'affiche sur le côté augmente d'un chiffre. Un anonyme vient de quitter le bâtiment.

— Au revoir, Marge, dis-je en passant devant elle.

Peut-être est-ce les cartons, peut-être comprend-elle que je la harcèle pour la dernière fois, toujours est-il qu'elle répond.

— Au revoir, fait-elle.

Elle a bien l'accent britannique, mais pas aussi guindé que je l'imaginais, plutôt cockney et pragmatique. Je la regarde, le choc et la jubilation se lisent sur mon visage. *Marge vient de m'adresser la parole. Elle m'a parlé, elle l'a fait.* Son regard croise le mien, mais elle n'ébauche pas un sourire. Elle se contente de me dévisager, pensive, comme pour jauger cette femme avec ses cartons.

Puis, en un éclair, elle cligne de l'œil.

19.

Assise dans mon bas de pyjama rayé, à manger avec des doigts poisseux une tartine de confiture et épousseter sur mon sweat-shirt les miettes accrochées à mes seins, je me fais l'effet d'une folle. C'est une chose qui, la semaine dernière encore, m'aurait paru amusante et originale, une chose que je rêvais de faire – aujourd'hui, elle me semble pathétique. *Et maintenant, qu'est-ce qui se passe ? Je reste ici toute la journée à prier pour qu'il y ait des émissions de téléréalité ?*

Je me suis donné quinze jours avant de me lancer dans une recherche d'emploi. Le but étant de pouvoir m'éclaircir l'esprit. À présent, on est lundi matin, je me suis réveillée et ne suis pas partie travailler. Les seules émissions à la télé sont des feuilletons à l'eau de rose et les infos locales, tous mes amis sont au boulot, et je n'ai aucune putain d'idée de ce que peut bien vouloir dire « m'éclaircir l'esprit ».

J'envisage l'éventualité de faire un peu d'exercice, histoire de voir si mes jambes fonctionnent et sont toujours aptes à transporter mon corps, et puis je décide que non. Je suis trop fatiguée pour m'habiller, transpirer, me doucher, me rhabiller à nouveau. À vrai dire, je suis trop fatiguée pour tout. Même trop fatiguée pour dormir. Je me couche sur le canapé, les pieds en l'air sur des oreillers. J'allume la télé et laisse mes yeux fixer l'écran sans le voir. *C'est comme ça que les gens se détendent,* me dis-je à moi-même, étendue là, et, très vite, je glisse dans un état proche de la catatonie.

J'ai beau ne pas en connaître l'histoire, je regarde en boucle des feuilletons romantiques. La manière dont parlent, bougent, s'embrassent et se hurlent dessus des gens très beaux et dont les cheveux sont couverts de laque a quelque chose de réconfortant. J'aime que l'essentiel de l'intrigue se comprenne à des regards lourds de sous-entendus, le plus souvent entre deux portes. Je parle littéralement, bien sûr. En effet, les acteurs ne cessent de fermer d'énormes portes en acajou, puis ils regardent la caméra avec l'air de dire : *J'aime cet homme* ou *Je vais bientôt le tuer.*

Afin d'éviter toute subtilité, la musique remplit les vides : elle s'intensifie si un personnage est dangereux ou en danger lui-même, et s'allège quand ils vont s'embrasser.

Je me fabrique des épisodes alambiqués pour rattraper les années que j'ai manquées. De méchants jumeaux, des morts qui ressuscitent. Des fratries récemment découvertes et réunies. Des coups de poignard dans le dos, métaphoriques ou non. Des amours perdues, trouvées, reperdues. Dans mon imagination, les personnages ont droit à plein de deuxièmes chances.

Le dimanche suivant, je commence à envisager la possibilité que quelque chose ne tourne pas rond. À mon insu, je suis passée en douceur au-delà de la relaxation. Il n'y a eu ni transition inquiétante, ni accompagnement musical. Je n'ai pas quitté le canapé depuis six jours. J'ai même dormi dessus. Je me raconte que j'aime sentir son tissu pelucheux dans mon dos, que c'est un trop gros effort de traverser la pièce pour gagner mon lit. Je n'en vois pas l'intérêt.

Parfois, je ne me lève même pas pour aller aux toilettes et je patiente, espérant que l'envie de faire pipi va passer. En général, c'est ce qu'elle fait.

Je n'appelle personne ; certes, le téléphone sonne deux ou trois fois, mais je ne bouge pas pour répondre. Le voyant du répondeur est allumé, seulement je n'ai pas l'énergie de compter les clignements, ni de presser les boutons. Je me demande si c'est ça une dépression, j'essaie de me remémorer les symptômes décrits dans les spots télévisés. Je n'ai pas envie de me faire du mal, c'est bon signe. Je ne me sens ni triste ni irritable. D'accord, d'accord. Je ne me sens pas non plus heureuse. C'est peut-être la grippe, me dis-je. Sauf que je n'ai ni maux de tête ni fièvre. J'envisage de prendre du paracétamol, mais pour soigner quoi ?

Je reste juste assise devant la télé, parfois je complète les épisodes qui me manquent par des histoires inventées, parfois pas. Parfois je dors. Des heures innombrables défilent ; ne sachant pas ce que j'en ai fait, je suppose que je les ai passées à dormir d'un sommeil de plomb. Le genre de sommeil que ne troublent ni les cauchemars, ni le besoin de se retourner. Juste un sommeil vide, immobile. Manifestement, je n'ai rien de mieux à faire, alors je reste là. Là où il fait chaud, et où rien ne m'effraie. Le travail, je le constate aujourd'hui, n'était qu'un fond sonore, une manière de remplir le vide de mes journées. Sans lui, c'est comme si on avait éteint tous les bruits.

Je pense beaucoup à Andrew. Je fais comme s'il était assis là avec moi. Il ne dirait pas grand-chose, mais il regarderait aussi la télé. Peut-être qu'il me tiendrait la main ou qu'il irait me chercher un verre d'eau. Il fabriquerait des épisodes bien meilleurs que les miens. Il y aurait plus de passion dans les siens. Plus de sexe. De la vengeance aussi peut-être.

Je m'autorise même à imaginer que ma mère est là également, à paresser sur mon canapé. Je ne laisse pas mon esprit s'y attarder trop longtemps, juste par moments. Je la vois poser ses doigts frais sur mon front, guetter une petite fièvre. Elle me ferait sûrement manger quelque chose, car je ne me suis guère aventurée au-delà de la miche de pain depuis deux jours. Je l'ai presque finie, mon frigo est vide, et je n'ai pas le courage de me faire livrer. Il faut trouver de la monnaie, c'est trop de boulot.

Si, dans mon imagination, ma mère reste assise sans rien dire, c'est surtout parce que je n'arrive pas à me rappeler sa voix. Je déforme la réalité car, de son vivant, ma mère ne restait jamais assise en silence : elle parlait, elle parlait, elle parlait sans arrêt, et ce quel que soit le programme télévisé, même le *Cosby Show*. Elle a toujours trouvé la vraie vie tellement plus intéressante que la télévision ; elle n'a jamais compris le besoin de s'en évader.

Ma mère aussi a droit à un scénario de mon cru. Le sien tend plutôt vers la science-fiction. Genre miracle de la médecine.

Le contraire de l'amour, c'est ça me dis-je en jetant un œil à mon canapé pour constater qu'il est vide, et que mes compagnons ne sont qu'imaginaires. Le contraire de l'amour n'est pas la haine ; ce n'est même pas l'indifférence. Le contraire de l'amour, c'est une putain d'éviscération. Un hara-kiri. C'est prendre une énorme pelle et creuser pour extraire son cœur, ses intestins, sans rien laisser derrière. Rien de soi à donner, rien, même, à emporter. Rien qu'un pouls silencieux et quelques feuilletons à l'eau de rose très modérément distrayants.

Si aimer, c'est se donner corps et âme, alors ceci, mes amis, oui ceci – une auto-éviscération – est bien le contraire d'aimer.

Je regrette de ne pas savoir manier l'aiguille, sinon j'en ferais une citation et la broderais sur un putain de petit coussin.

20.

Je suis réveillée par de violents bruits de coups. J'ouvre les yeux ; au début, je ne sais pas trop où je suis. Ce que je vois ne m'est pas familier. Du bois blond, des angles nets et une moquette beige. Lentement, ça me revient. Je suis toujours couchée sur le canapé. Le chauffage a dû se mettre en route pendant la nuit, car mes vêtements sont tout collants de transpiration, et j'ai les cheveux humides sur la nuque.

J'entends une clef dans la serrure ; trop sonnée pour me retourner, je ne regarde pas qui est en train d'entrer. Je ne suis pas sûre d'être intéressée. Si c'est un cambrioleur, il n'a qu'à se servir. À mon avis, rien ici n'a réellement de valeur. Sauf ma télé. Elle, il faudra me passer sur le corps pour la prendre.

— Emily ? Mais qu'est-ce que tu fous ?

Jess pénètre dans l'appartement et pose les clefs sur la table de la cuisine, en propriétaire. Elle me contemple sur mon canapé, puis regarde longuement autour d'elle. Je la vois calculer dans sa tête le nombre de jours écoulés depuis que nous nous sommes parlé la dernière fois ; je la vois essayer de compter depuis combien de temps je suis couchée là. Le dire pourrait lui faciliter les choses, mais dire quoi ? Je n'en sais rien.

— Pourquoi tu ne réponds pas au téléphone ? me demande-t-elle. J'ai dû te laisser une centaine de messages.

Elle traverse la pièce et, en venant se planter devant moi,

me bouche la vue sur la télé. Je me demande si je suis obligée de lui répondre. Je peux peut-être refermer les yeux et faire semblant de dormir. Je ne voudrais pas la vexer, mais je suis trop fatiguée pour écouter, trop fatiguée pour faire la conversation. Je suis même trop fatiguée pour être gênée qu'elle me voie dans cet état.

— Tu es malade ?

— Je sais pas.

— Ça fait combien de temps que tu es couchée là ?

— Je sais pas.

— Emily, dit-elle.

Ce n'est ni une question ni un appel, mais un soupir. Un soupir fatigué. Un instant, je me demande si c'est moi qui ai produit ce bruit-là. Non, c'était bien Jess, parce que, après le soupir, je la vois se reprendre en main, et moi avec.

— Lève-toi, dit-elle en arrachant ma couverture.

Jess est impitoyable.

— Jess, je suis fatiguée. Laisse-moi juste encore quelques minutes.

Je veux du rab de ce sommeil, ce sommeil que je ne connaissais pas avant aujourd'hui, cette sorte de sommeil qui s'installe au plus profond de l'âme, un sommeil qu'on prendrait volontiers en intraveineuse si c'était possible.

— Non.

— Mais...

— Debout, et à la douche. (Elle m'attrape les poignets et me force à me lever. J'ai un vertige ; je ne me rappelle pas la dernière fois où j'ai été à la verticale.) Et tout de suite, ajoute-t-elle en désignant la direction de la salle de bains, comme si je risquais de ne pas la retrouver.

— Bonne idée, dis-je, n'ayant pas la force de me battre, et aussi parce que Jess est connue pour utiliser ses longs ongles comme une arme.

Elle me suit dans la salle de bains et ouvre l'eau.

— Nom de Dieu, ça fait combien de temps que tu n'as pas pris de douche ?

— Je sais pas.

Je commence à me déshabiller, lentement, comme une

strip-teaseuse attardée. Mon sweat-shirt à capuche a le même fumet qu'une chambre d'ado.

— Quand as-tu mangé pour la dernière fois ?

— Je sais pas. Mangé du pain. Beaucoup de pain, fais-je avant de compléter, histoire de gagner quelques points : C'était du pain complet.

Jess sort de la salle de bains, mais laisse la porte ouverte.

— Je rentre sous la douche !

Je lui ai crié cette phrase pour lui montrer que je suis là, que je veux l'aider à m'aider. Mais elle ne m'entend pas, elle est déjà au téléphone.

— Deux mégapizzas au salami, s'il vous plaît, dit-elle avant de donner mon adresse au livreur. Et faites vite. C'est pour une urgence.

Environ une heure plus tard, nous sommes attablées dans ma cuisine. J'apprends qu'on est samedi ; il y a juste une semaine, je quittais mon boulot. Il est quatre heures et demie de l'après-midi, j'aurais pourtant juré que c'était le matin. Je porte les vêtements propres que Jess m'a choisis et laissés dans la salle de bains. Un T-shirt blanc et mon jean préféré. Avant qu'on parle, je mange cinq portions de pizza d'affilée.

— Je ne suis pas loin de battre mon propre record, dis-je. Tu te souviens à la fac, le jour où j'en ai mangé sept ?

J'essaie de mettre Jess de mon côté, de la gagner à ma cause en évoquant le bon temps. De lui faire oublier à quoi je ressemblais il y a à peine soixante minutes. Je sens la honte s'insinuer lentement en moi. Quelqu'un a été témoin de ma déchéance.

— Ouais. Bois un peu d'eau aussi, répond Jess.

Je me penche et vide le verre qu'elle a posé devant moi. Elle le re-remplit, et je le re-vide.

— Merci. Excuse-moi. Je ne voulais pas ne pas te rappeler. (Je la regarde, elle me regarde, puis détourne les yeux. Elle semble ne pas trop savoir comment aborder ce nouvel avatar de moi, ni s'il faut me traiter avec délicatesse ou bien me flanquer le coup de pied au cul que je mérite.) Je vais bien maintenant.

C'est la vérité ; je ne sais comment, mais l'épuisement a disparu. Je me sens éveillée et vivante. Je me demande si Jess a mis quelque chose dans ma pizza.

— Tiens, fait-elle en me tendant un bout de papier avec le nom et l'adresse de son psy. Tu as rendez-vous mercredi. Pendant que tu étais sous la douche, précise-t-elle avant même que je pose la question.

— Merci.

Je ne suis pas en situation de protester, je le vois bien. Je n'ai pas perdu les pédales au point de ne pas m'apercevoir que la situation n'est pas normale.

— Je ne voulais pas ne pas te rappeler. Je veux dire que j'étais vraiment fatiguée, j'avais envie de dormir. J'ai juste un peu perdu pied, tu comprends ?

Jess hoche la tête sans rien dire. Je sais qu'elle comprend. Elle aussi, elle a eu une histoire d'amour avec un canapé, du temps de la fac.

— Ça va aller, Em. Ça arrive de perdre ses moyens. On va te réparer. En fait, tu vas te réparer toi-même.

Elle attrape les boîtes de pizza vides et les fourre dans un sac poubelle déjà plein. Je vois dépasser la capuche de mon sweat-shirt, mais je laisse faire. Il est peut-être temps.

— Oui, dis-je, en donnant aux mots le temps de se faire écho dans ma tête. *Ça arrive de perdre ses moyens.*

Nous sortons prendre le frais ; c'est l'une des spectaculaires journées d'automne sur Manhattan, quand les arbres virent au jaune et au rouge, qu'ils ont encore quasiment toutes leurs feuilles. Elles ne sont pas encore prêtes à joncher les rues, à capituler devant l'hiver. Le soleil brille haut, ses rayons sont aussi incisifs que la fraîcheur de l'air. Nous marchons lentement, bras dessus bras dessous, dans l'ouest de Greenwich Village ; les autres passants me font l'impression d'être les figurants ou les danseurs de notre duo de filles. Jess assure l'essentiel de la conversation pendant notre promenade. Elle me montre certains détails architecturaux des maisons de grès rouge, son marchand de bagels préféré, son teinturier, et les coins où elle a échangé des baisers pas comme les autres – toutes choses que je connais déjà, mais suis heureuse d'entendre à nouveau. C'est là-bas, au coin de la Onzième Rue et de la Sixième Avenue, pile en face de l'école, qu'elle a embrassé son petit copain du lycée, une fois adulte, juste un baiser avant qu'il aille en épouser une autre. C'était l'après-midi, à la fin de la récréation ; dans la cour, les gamins les applaudissaient, alors que leur instituteur tentait en vain de les faire rentrer en classe.

Le lendemain matin, au réveil, je fonce sous la douche. Je n'approche ni du canapé ni de la télé, désormais tournée vers le mur et débranchée. Je me suis dit qu'une petite séparation ne nous ferait pas de mal. Je me rase les jambes, m'épile les sourcils, enfile des vêtements propres tout droits sortis du sèche-linge, je mets même un peu d'anti-cernes, car j'ai beau avoir passé une semaine à dormir, j'ai une mine de déterrée. Puisqu'il est temps de renouer avec le rôle d'être humain en état de marche, il paraît logique d'avoir la tête de l'emploi.

Quand je sors de mon immeuble, Robert me gratifie d'un sifflement admiratif prolongé. Venant de mon concierge, il est sans doute déplacé, cependant j'apprécie le compliment.

— Je sais pas où vous allez, me dit-il. Mais ils vont tous tomber comme des mouches.

Je le remercie, mais juge préférable de taire ma destination : l'étage « soins continus » de la maison de retraite de Riverdale.

Le seul endroit où ce soit vraiment une possibilité.

21.

— Je ne les laisserai pas m'enfoncer un kaléidoscope dans le cul. Je ne ferai pas cet examen, dit papi Jack en me tendant la lettre du médecin.

Je ne sais pas de quel médecin il s'agit, mon grand-père ayant fait une grande tournée médicale ces derniers temps. Depuis notre visite chez le neurologue il y a quelques semaines, il a vu un psychiatre, un cardiologue, un interniste, un urologue, un gastro-entérologue et, apparemment, un spécialiste de la partie colorectale. Il me lance le papier à la tête comme un enfant boudeur, bien qu'aujourd'hui il soit parfaitement lucide. On peut presque faire comme si tout était normal quand il est comme ça, qu'il ressemble trait pour trait au papi Jack d'avant, qu'on n'est pas plantés une fois de plus dans une stupide salle d'attente. J'ai bien envie d'ébouriffer ses cheveux blancs et de pincer ses joues tombantes, mais, je le sais, ça ne ferait que l'énerver encore plus.

Nous sommes au restaurant, *notre* petit restaurant cette fois, et j'ai dans la bouche un goût aigre-doux, vestige d'un repas composé exclusivement de café sucré et de pickles. Il y a plus de monde que d'habitude, à cause d'une fête enfantine dans le fond de la salle, et notre conversation est sans cesse interrompue par les siffleurs dans lesquels ils soufflent bruyamment. Et quand ils se mettent à chanter *Joyeux Anniversaire* à un certain Steven au bavoir couvert de spaghettis, nous reprenons en chœur, papi Jack et moi.

— Ce n'est pas un kaléidoscope. C'est juste un microscope, une caméra, ou un truc dans ce goût-là. La lettre dit qu'ils doivent examiner ton colon. C'est important.

Je jette un œil à la lettre et je sens peser le poids de l'inversion des rôles. C'est moi qui suis responsable de ses décisions médicales, désormais. Moi qui signe les permissions de sortie.

— J'ai quatre-vingt-deux ans, réplique papi Jack. Qu'est-ce que ça peut leur faire que mon colon soit dans la merde ? (Je lève les yeux et vois un petit sourire narquois sur son visage.) Sans mauvais jeu de mots, bien sûr.

Sa blague nous fait rire longuement, plus longuement qu'elle ne le méritait.

— Je peux te parler franchement ? me demande-t-il en écartant la paille de son milk-shake.

— Bien entendu.

— Emily, je sais ce qui m'arrive. Je le vois. À ton avis, ce serait une catastrophe si j'avais des trucs dangereux dans le colon ?

Je ne réponds pas. Je fixe la lettre entre mes mains avec une intensité telle que les mots se coagulent et finissent par se transformer en une tache d'encre, un test de Rorschach.

— Sérieusement. Ça serait une bonne chose, fait papi Jack.

Sa voix est douce, il me chante une berceuse. J'ai envie de poser ma tête sur son épaule, de me soulager de sa pesanteur. Mais non, je croise les bras sur mon ventre, mes mains agrippant mes flancs.

— Il y a quelque chose… comment dire ? Quelque chose de juste dans le fait de laisser courir. De laisser arriver ce qui doit arriver.

Il dit cela comme si c'était facile de rester là, à attendre de le voir dévasté par les cellules cancéreuses, ou toute autre maladie tapie en lui. Je visualise son ventre. Des fourmis en colère se déchirent ses organes, elles s'en régalent. Elles ne laissent rien derrière elles, rien que des ballons dégonflés.

— C'est mieux comme ça. Même si tu refuses de l'admettre. Je suis peut-être la première personne au monde à pouvoir déclarer sincèrement qu'elle espère avoir un cancer. En fait, je vais tout de suite augmenter ma ration de saccharine. Emily, je *prie* le ciel d'avoir un cancer. Mon Dieu, je t'en prie, donne-moi un cancer !

Il parle de plus en plus fort et s'agenouille sur le sol du restaurant dans un simulacre de prière, la main serrée sur une poignée de sachets roses.

— Seigneur, donne-moi le crabe ! Vas-y. Tu peux le faire. Je veux le crabe !

— Arrête ça.

Je l'attrape par le coude pour le faire se relever, peine perdue.

Il est trop occupé par ses génuflexions.

— Le crabe ! Le crabe ! Le crabe !

— Arrête, tu te donnes en spectacle. Les gens commencent à nous regarder. Ce n'est pas drôle.

— Allez, répète avec moi. Le crabe !

— Non.

— C'est de quel côté La Mecque ?

Et papi Jack se lance dans des prosternations enfiévrées.

— Qu'est-ce que tu fabriques ?

— Je mets toutes les chances de mon côté.

— OK, dis-je. D'accord. J'ai pigé. Pas de coloscopie.

— Dis-le.

— Que je dise quoi ?

— Tu le sais bien. Le crabe !

— D'accord. Le crabe ! Maintenant, s'il te plaît, assieds-toi.

Mon grand-père se relève et, satisfait, vient s'affaler près de moi sur la banquette.

— Courage, petite, fait-il en étalant sa serviette sur ses genoux. Je te promets que, si j'arrive à quatre-vingt-dix ans, je laisserai ces docteurs me tailler un nouveau trou du cul, si ça leur chante. D'ici là, j'aurai tellement perdu la boule que je me baladerai avec des couches sur la tête.

— Papi, tu nous mets dans la merde, tu le sais.

Il me lance un coup d'œil, et un large sourire barre lentement son visage. Alors il presse ma main dans la sienne, et je sais qu'il n'a jamais été plus fier qu'en ce moment.

— Sans mauvais jeu de mots, bien sûr. Sans mauvais jeu de mots.

22

Le cabinet du Dr Lerner se trouve à l'ouest de Greenwich Village, dans une rue bordée par ces charmantes maisons de grès rouge typiquement new-yorkaises. Mais cet immeuble-là, laid et étouffant, domine de quatre étages ses voisins. Tout à fait le genre de bâtiment à abriter une centaine de dentistes (plus au moins un psychanalyste et deux chirurgiens esthétiques), le genre de bâtiment dont on se demande ce qu'il a bien pu remplacer, quels foyers ont cédé sous le poids du commerce et comment la commission d'urbanisme a pu valider les plans. Il y a sûrement quelqu'un qui a dû tirer un appareil dentaire gratuit ou une rhinoplastie dans l'affaire.

À en juger par l'allure du bâtiment, la destruction et la reconstruction ont dû avoir lieu quelque part dans les années 1970. L'éclairage au néon du hall donne à l'intérieur blanc un air miteux et oublié. Un vigile regarde une minuscule télé posée sur une table pliante, il ne lève même pas les yeux quand je me dirige vers l'ascenseur sans signer le registre.

Je suis heureuse de ne laisser aucune trace écrite.

Je pénètre dans le cabinet du Dr Lerner, prête à y trouver du public. Des gens qui me dévisageront en se demandant ce qui ne tourne pas rond chez moi. Je m'imagine une salle d'attente pleine de patients, dont un ou deux en train de baver à cause d'une surdose médicamenteuse. En définitive, je suis seule. Je ne sais pas si c'est un soulagement ou une déception.

Je me suis entraînée devant la glace à avoir un visage serein, un visage qui dit : *Je suis là seulement parce que je suis compliquée.*

Je m'assois sur un canapé écossais défoncé et j'attends. Il y a des magazines sur une table basse, j'ai le choix entre *The Economist* et *Cosmopolitan*, tous ont plus de deux ans d'âge. Présumant qu'il s'agit d'une sorte de test psychologique, je décide d'opter pour *The Economist.* Ainsi, je l'espère, j'aurai l'air de me soucier des affaires du monde et de la progression de la démocratie. L'air d'avoir une vie plus large que les problèmes que je viens déverser et abandonner dans le bureau du Dr Lerner.

Je tourne lentement les pages du magazine. Incapable de me concentrer sur les mots, ni même de comprendre les graphiques, je fais semblant de lire. Je suis angoissée ; il y a dans l'idée de payer quelqu'un pour m'écouter quelque chose d'immoral, d'illicite, comme de payer pour faire l'amour. Cela semble receler une contradiction fondamentale avec le code de conduite WASP. J'aime voir les miens comme des optimistes taciturnes : fiche la paix à cet éléphant, après deux ou trois coupes de champagne-orange, il finira bien par quitter la pièce tout seul.

Au bout d'une dizaine de minutes, deux femmes sortent par la porte qui se trouve sur ma droite, l'une d'elles traverse la salle d'attente d'un pas vif. Je respecte l'étiquette en vigueur chez les psychanalystes en m'abstenant de la suivre des yeux. Je concentre en revanche toute mon attention sur celle qui reste et que je suppose être le docteur.

Encore qu'à mieux y regarder, le Dr Lerner ne ressemble pas à un docteur. Plutôt à une tireuse de cartes. Des bracelets tziganes en or dansent sur ses bras, et elle porte un sari rose fuchsia. Malgré la pénombre qui règne dans la pièce, je suis sûre à quatre-vingt-quinze pour cent qu'elle n'est pas indienne.

— Vous devez être Emily, me dit-elle en me tendant la main. Je suis le Dr Lerner.

Elle m'introduit dans son bureau, encore plus sombre et caverneux que la salle d'attente, avec des piles de livres tapissant les murs. Un lourd parfum d'encens flotte dans l'air. Il me rappelle l'appartement de mon petit ami quand j'étais étudiante ; les bougies censées masquer l'odeur de l'herbe me faisaient pleurer, et la lumière était toujours très basse pour que je ne puisse pas voir son acné.

— Asseyez-vous, dit le Dr Lerner en me montrant un autre canapé écossais.

Elle s'assoit face à moi, dans un fauteuil pliant pourvu d'un coussin, et s'installe dans la position du lotus. Elle a pourtant l'air trop vieille pour pouvoir manœuvrer son corps avec si peu de difficultés. Je m'assois aussi, en me demandant si je suis supposée l'imiter. Mais il me revient que je porte une jupe, et je décide que non.

— Alors, qu'est-ce qui vous amène ? me demande-t-elle d'un ton enjoué, comme une vendeuse prête à me montrer ses articles.

Elle pose les mains sur ses mollets, paumes en l'air ; ses bracelets assurent un bruit de fond tintinnabulant.

— Je viens de traverser une mauvaise passe.

Le Dr Lerner ne répond rien : j'identifie immédiatement la tactique. Je m'en suis souvent servie face à des témoins réticents. Rien de tel qu'un pesant silence pour faire parler les gens. Je mords à l'hameçon, dans la mesure où, à cent dollars de l'heure, je suis là pour ça.

— Je viens d'avoir une phase dépressive.

— Je vois. Et qu'est-ce qui vous fait dire ça ? Qu'est-ce que cela signifie exactement ?

Son ton est informel, pas clinique ni sec comme celui d'un médecin. On dirait deux amies assises en train de bavarder autour d'un café.

— Disons que je n'arrivais pas à me lever de mon canapé. J'ai dormi. Beaucoup. À peu près une semaine d'affilée.

J'improvise un bâillement, bizarre tentative visant à souligner mon propos.

— Et maintenant ?

— Je dors moins. Je veux dire que je me suis secouée. Mais je me sens un peu triste. Alors qu'avant j'étais juste engourdie. En un sens, je préférais avant. Est-ce que c'est normal ?

— Absolument. C'est un mécanisme de défense très courant. Beaucoup de gens ferment émotionnellement la porte quand ils refusent d'affronter ce qui se passe dans leur vie. Certains la ferment pendant des années, ajoute le Dr Lerner. (Là, je pense à mon père.) Racontez-moi ce qui vous est arrivé. Il s'est passé quelque chose, vous avez vécu un changement récent ?

— Pas vraiment. Enfin... j'ai rompu avec mon petit ami, Andrew, le jour de la fête du Travail, mais c'était il y a quelques mois, en plus c'est moi qui ai cassé, donc je devrais avoir surmonté ça à l'heure qu'il est. Et j'ai quitté mon boulot, mais c'est probablement une bonne chose. Je détestais cette boîte. Le seul autre événement qui me vienne à l'idée, c'est que mon grand-père est tombé malade. On lui a diagnostiqué un Alzheimer. Mais c'est arrivé doucement, ça n'a donc pas été un trop grand choc.

Je prononce les mots à la hâte : quitte à être ici, autant tirer le maximum de mon heure.

— Emily, avez-vous remarqué que vous minorez tous vos sentiments ? Emily, on dirait que vous ne vous permettez pas d'être bouleversée, de réagir à quoi que ce soit.

Je me demande si le fait de répéter mon prénom est aussi une tactique.

Quel est le prénom du Dr Lerner ? Elle a une tête de Peggy. Ou de Priya peut-être...

— Laissez-moi vous faire une suggestion, reprend-elle. Quand je vous dis quelque chose, j'aimerais que vous preniez le temps d'y réfléchir. De vous concentrer. Je vois bien que votre esprit bouillonne, je voudrais être sûre que vous m'entendiez.

Est-ce que j'ai l'air de ne pas faire attention ? Au fait, est-ce que je fais attention ? Concentre-toi, Emily, concentre-toi.

Est-ce que je minore tous mes sentiments ?

— On pourrait commencer par Andrew. Que s'est-il passé ? me demande le Dr Lerner.

Sa question me fait l'effet d'une intrusion. J'ai envie de lui dire de se mêler de ses oignons, puis me rappelle que je la paie pour s'occuper des miens.

— J'ai rompu. On était ensemble depuis deux ans, j'ai eu peur qu'il ne me demande en mariage. Alors j'ai arrêté.

Je dis cela d'un ton neutre, avec la désinvolture d'une femme fatale.

— Je vois, fait-elle. (Sauf que moi je ne sais pas ce qu'elle voit.) Pourquoi avez-vous arrêté ?

— À vous de me le dire. (Le Dr Lerner ne juge pas cette réplique digne d'une réponse, son silence me rabat mon caquet. Son regard me dit : *travaillez avec moi.*) Franchement, j'en sais trop rien. J'ai senti qu'il fallait le faire à ce moment-là. Je savais que je ne pouvais pas l'épouser.

— Pourquoi ? Pourquoi ne pouviez-vous pas l'épouser ?

— Je ne sais pas. Je ne pouvais pas, c'est tout. Ç'aurait été de l'arnaque.

— Voilà un mot intéressant.

— Sans doute.

— Quel est le sens du mot arnaque pour vous ?

Je respire à fond afin de neutraliser mon exaspération. Je ne suis pas là pour prendre une leçon de vocabulaire.

— OK, vous savez bien, une arnaque, quoi. Comme si je faisais semblant. Comme si j'étais là, mais sans y être vraiment.

— Aimiez-vous Andrew ?

— Oui. C'est vrai... je l'aimais.

— Et aujourd'hui ?

— Aujourd'hui ?

— Aujourd'hui.

Je ne réponds pas tout de suite, pourtant je connais la réponse à cette question. Mais je ne suis pas sûre d'être prête à la formuler.

— Oui, je l'aime toujours. Oui.

— Et côté sexe ?

— Pardon ?

— Côté sexe, c'était comment ?

Nouveau silence de ma part.

— Je vous pose la question parce que cela en dit long sur une relation. Alors, c'était comment ? Le sexe.

— Un putain de pied.

Je ne sais comment, mais parler de sexe brise la glace, je me sens soudain plus à l'aise avec le Dr Lerner. Un peu comme si nous étions vraiment des amies en train de bavarder autour d'un café, sauf qu'on ne parle que de moi.

— Passons à votre famille, me dit-elle à peu près au milieu de la séance.

J'ai envie de rire, je savais qu'on en arriverait là. Au psy qui attend une resucée des traumas infantiles.

— Je n'ai pas grand-chose comme famille, et donc pas grand-chose à raconter. Je suis enfant unique. Mon père vit dans le Connecticut. C'est un politicien. Et je vous ai déjà parlé de mon papi Jack. C'est tout.

— Et votre mère ?

Bien sûr qu'elle allait poser la question. L'espace d'un instant, j'ai envie de mentir. Je pourrais répondre que ma mère vit aussi dans le Connecticut. Ça m'est déjà arrivé, les gens ne sachant comment réagir quand vous leur dites que votre mère est morte. Après les *Je suis désolé(e)* et les *Je ne savais pas*, c'est dur de reprendre une conversation. Parfois, je mens par omission, je dis *Ma famille vit dans le Connecticut*, c'est plus simple que de devoir expliquer. Ce n'est pas que ça me gêne d'annoncer que ma mère est morte, c'est juste que ça gêne tout le monde de l'entendre.

— Elle est morte.

Mentir à son psy est une mauvaise idée.

— Je vois.

Cette fois, je sais ce qu'elle voit. Elle voit que ma mère est morte et que ça m'a irrémédiablement bousillée.

— Oui, d'un cancer. Quand j'avais quatorze ans.

— Cancer. Quatorze ans, répète le Dr Lerner, comme s'il s'agissait là de mots inconnus, mais qui lui paraîtraient intéressants. Eh bien, ça craint, conclut-elle.

J'éclate de rire, parce qu'elle a mille fois raison. Oui, ça craint.

Le reste de l'heure passe à toute allure. J'oublie qu'on est au compteur et perds beaucoup de temps à parler de choses et d'autres. De Marge, de Carl, de la façon de recueillir une déposition. Parfois, j'ai peur de trop m'écarter de ce qui m'a amenée ici : mon abonnement au canapé. Je pose la question au Dr Lerner, elle me répond juste de *me détendre* et de *me fier au processus*. Et, comme je suis surprise que la séance soit déjà finie, comme je décide de me fier et à elle et à son processus, quel que soit le sens de ce mot, je reprends rendez-vous pour la semaine suivante.

En rentrant, j'opte pour l'itinéraire long, celui qui fait le tour du quartier. Les feuilles ont commencé à tomber, elles forment des petits tas sous les arbres soigneusement espacés. Je donne des coups de pied dedans, ravie du bruit qu'elles font en s'éparpillant sur le trottoir : j'apporte ma modeste contribution au chaos de la ville. À intervalles réguliers, je renifle les manches de mon pull-over. Ça me plaît assez qu'elles empestent le patchouli.

23.

Pour moi, le calendrier peut être un vrai champ de mines. Tous les ans, je sais qu'il y aura des jours plus rudes que d'autres. La plupart des jours fériés. La fête des Mères. L'anniversaire de la mort de maman. Son anniversaire. Le mien. Si je les marquais d'une croix noire indélébile, on arriverait probablement à un jour merdique tous les deux mois. Rien de bien méchant. Seulement, à la fin de l'année, avec le pack Thanksgiving-Noël-nouvel an, c'est le grand chelem ; j'ai à peine le temps de me remettre du premier que le deuxième et le troisième me tombent dessus.

Alors, quand janvier arrive enfin, je suis dans un tel état d'épuisement émotionnel que je prends chaque année la même résolution : dormir davantage. Comme si fermer les yeux plusieurs heures d'affilée et dans le noir pouvait remplir les petites cases de mon âme vidées par les fêtes.

Mais ma semaine sur le canapé a au moins l'avantage d'avoir déboulonné le mythe du sommeil rédempteur.

J'appréhende le jour d'aujourd'hui, celui de Thanksgiving, depuis que mon père et moi avons fait des projets communs, voire depuis Thanksgiving de l'année dernière. Ici, une précision s'impose. Je dois remercier le ciel de beaucoup de choses, j'en suis consciente, et, par comparaison – surtout à l'échelle mondiale –, j'ai vraiment la belle vie. Néanmoins, pour je ne sais quelle raison, Thanksgiving me montre inévitablement le verre à moitié vide, comme on dit. Chacun d'entre nous ne dispose que d'une seule et unique source d'amour inconditionnel, or j'ai perdu la mienne à quatorze ans. Je ne dis pas cela pour m'apitoyer sur moi-même. Je dis juste que Thanksgiving me rappelle que, dorénavant, une grosse part de l'amour que je recevrai dans la vie devra être méritée. Et c'est un boulot dingue de mériter de l'amour. Je ne suis pas sûre d'avoir l'énergie qu'il faut pour ça.

Mon père passe me prendre à la gare, et nous nous rendons directement à son club. On ne s'arrête pas chez lui, il n'y a plus de raison. Je n'aime pas voir les transformations de la maison : la lente décrue des photos et le remplacement des meubles. Un témoignage de l'érosion progressive de la mémoire. Papi Jack version maison.

Le country club de mon père, ou juste « le club », comme il aime à l'appeler, ressemble à une ancienne plantation, avec des pelouses tentaculaires au vert incroyable, de multiples vérandas et une longue allée circulaire. De hautes haies entourent la propriété : il s'agit de l'isoler des méchantes rues de Greenwich, Connecticut, et de contrarier les plans de tous ces voyous qui voudraient jeter furtivement un œil au paradis terrestre. Vous stoppez dans l'allée, après avoir montré patte blanche à un homme au portail de sécurité, et des voituriers aux visages noirs et aux uniformes raides viennent vous accueillir. Vous ouvrent la portière. S'inclinent. Puis font disparaître votre véhicule dans un lointain parking.

L'entrée est tapissée de trophées de tennis et de golf. Les gagnants ont des noms prétentieux suivis par des chiffres, des noms qui iraient mieux à des yachts qu'à des gens. Il y a aussi des photos des équipes de tennis : rien que des Blancs et, comme pour accentuer cette blancheur uniforme, ils portent des polos à cols blancs, des shorts blancs, des socquettes blanches et des chaussures de tennis blanches, de ce blanc aveuglant qui n'existe que dans les pubs pour lessives, le genre de blanc qui dit *nous sommes plus blancs que vous.*

La salle de restaurant a un aspect faussement décontracté, une salle de bal mâtinée de pavillon à la campagne et ornée de décorations florales automnales. Deux pommes de pin traînent dans un coin pour faire authentique. Quand nous entrons, mon père balaie la pièce des yeux afin de repérer les visages connus, puis fait des signes de tête, des sourires, des gestes de la main, comme une miss dans un concours local. L'endroit est rempli de ses « électeurs », des gens dont il espère qu'ils le feront gouverneur d'ici à quelques années. N'ayant jamais su maîtriser le bonjour à longue distance, j'évite les regards et suis consciencieusement le maître d'hôtel jusqu'à notre table.

— Vous n'avez rien de plus petit ?

Je lui pose la question parce qu'il nous a placés à une table de six.

— Je crains que non. D'ordinaire, nous ne recevons que les groupes pour Thanksgiving, répond-il en nous tendant la carte avant de s'éloigner.

Mon père et moi nous asseyons sur deux chaises opposées ; les quatre autres, vides, nous regardent fixement. Nous les remplissons mentalement de nos morts. Mes grands-parents maternels, la mère de mon père, ma mère, et bientôt peut-être mon papi Jack. Mon père fait signe à un serveur et demande qu'on enlève les chaises superflues. Il ne le dit pas, mais son geste, sa brusquerie et son impatience sont limpides : *On ne déjeune pas avec des fantômes.*

— M. Haxby, c'est un plaisir de vous avoir parmi nous aujourd'hui. Voici sans doute cette adorable fille dont vous nous parlez toujours. Emily, n'est-ce pas ?

Le serveur s'exprime avec un accent anglais saccadé, qui ajoute encore au côté protocolaire de notre repas ; on se croirait dans un avion pour Londres, partis pour célébrer la conquête du Nouveau Monde. Je suis surprise qu'il connaisse mon nom : peut-être tiennent-ils un registre des invités afin de donner un peu de chaleur à leur club. Mon père sourit au serveur, moi je lui serre la main.

— Mlle Anne sera-t-elle des nôtres aujourd'hui ? demande-t-il.

Anne est l'assistante personnelle de mon père, la femme sans laquelle, dit-il en riant, il ne peut pas vivre. Je m'étonne que le serveur la connaisse aussi par son prénom.

— Non, répond mon père sur un ton qui réprimande l'homme de son indiscrétion.

Pourtant, il s'est trahi tout seul. Il doit sortir avec Anne, une femme qui a à peine quelques années de plus que moi. Trente-trois ans, à tout casser. Anne est une brunette trapue dont les accessoires décoratifs suivent la ligne du parti : rang de perles, petites boucles d'oreilles, montre plate, téléphone plat. Il me faut un moment pour digérer cette nouvelle information – mon père et Anne –, et, en définitive, l'idée ne me déplaît pas. D'une certaine manière, mon père y gagne en humanité.

Après ça, le serveur se dépêche de nous quitter, avec les chaises en trop, mais sans notre commande de boissons. Il s'éloigne, tête basse, comme si nous l'avions banni de notre île.

— Alors, dis-je, vous venez souvent ici avec Anne ?

— Pour des déjeuners de travail. On n'est pas trop loin du bureau. Tiens, je crois apercevoir les Pritchards. Veux-tu que nous allions les saluer ?

— Allons, papa. Je ne suis pas idiote. Tu sors avec elle ? Si c'est le cas, bravo. C'est une femme formidable.

À vrai dire, j'ai de l'admiration pour Anne. Avec elle, la vie s'accélère ; sa voix, ses gestes, sa présence imposent l'attention sans la solliciter, ils sont éclatants sans être lourds. Si elle ne travaillait pas pour mon père, si elle ne couchait pas avec lui, bref dans d'autres circonstances, je nous verrais bien devenir amies.

— Ne sois pas ridicule, Emily. Je suis son patron. Ce serait déplacé.

Il évacue le sujet d'un geste du poignet. Signe pour le serveur de nous apporter à boire. Deux martinis, secs, avec un supplément d'olives.

— Comment va Andrew en ce moment ?

— Il va bien. Il a beaucoup de boulot.

Et voilà. Les Haxby continuent à se mentir. C'est comme ça que ça marche entre nous.

— Bien, répond mon père en se frottant les mains. Maintenant, choisissons.

Puisque, aujourd'hui, le menu est fixe, ce que mon père veut dire, en réalité, c'est : *Commençons tout de suite, on aura plus vite fini.* Nous sommes mal à l'aise, assis à cette grande table peuplée de petits mensonges ; nous nous sommes laissé peu de place pour une vraie conversation.

Après la commande, les plats arrivent rapidement. Le personnel fait tout un tas de manières pour les présenter ; les serveurs les posent devant nous avec beaucoup de chichis, dans un cliquetis de cloches soulevées artistiquement. L'un des aides dit même *Voilà*, en français, en soulevant la mienne.

Avant d'attaquer le repas, mon père récite le bénédicité, chose qu'il fait uniquement en public. Les mains sont jointes en prière, les yeux fermés, les cheveux, plus sel que poivre et un peu longs sur le devant, sont passés derrière les oreilles. Il a l'air sérieux – une mine d'écolier, plus jeune que ses cinquante-huit ans – quand il demande à Dieu de bénir ce repas et de procurer du pain à ceux qui n'en ont pas, ainsi soit-il.

Nos assiettes contiennent la quintessence de Thanksgiving, dinde et purée de pommes de terre, farce et sauce, sauf qu'on nous les apporte en portions individuelles. Je la trouve déprimante, ma ration personnelle soigneusement compartimentée en quelques cuillerées bien nettes et bien rondes.

— Tu veux un peu de ma sauce aux canneberges ? dis-je à mon père.

— J'ai la même, Emily, me répond-il. Pourquoi voudrais-je ta sauce alors que j'ai la mienne ?

Peu importe que nous n'ayons pas grand-chose à nous dire pendant ce déjeuner, car nous sommes constamment interrompus. Je suis sûre, d'ailleurs, que c'est la raison pour laquelle mon père tenait à venir ici : une excellente occasion de mêler l'utile à l'obligation. Des hommes et des femmes pleins de sérieux viennent lui serrer la main et lui taper dans le dos avec entrain. Nous gardons un sourire avenant plaqué sur le visage, un vrai boulot d'attaché de presse. Quelques familles nous abordent aussi, des voisins que j'ai connus pendant des années mais auxquels je pense rarement. Leurs noms ne refont surface que maintenant, à l'occasion des potins racontés par mon père, potins qui se résument, pour l'essentiel, aux naissances et aux décès.

Des divorcées s'arrêtent, une à la fois, en passant pour aller se « repoudrer le nez ». Elles effleurent la joue de mon père d'un baiser, le comblent de leur décolleté, de leur parfum et de sous-entendus du genre *Il faudra qu'on le prenne, ce verre.* Il accepte leurs hommages de bonne grâce, comme surpris par l'attention qu'elles lui témoignent, comme s'il ignorait leur convoitise, alors que, depuis la mort de ma mère, il est le plus beau parti de Greenwich. Il est séduisant, réputé et veuf : autrement dit, il n'est affligé ni d'une ex-femme empoisonnante, ni des valises de l'éternel célibataire. À son crédit, il n'a jamais montré beaucoup d'intérêt pour ces opportunités et il réserve à ces femmes un accueil qui préserve leur dignité comme leur bulletin de vote.

Les vieux amis de la famille sont sans doute ceux qui me rappellent le plus pourquoi je n'ai jamais aimé cet endroit. Autoglorification sans vergogne. Ils nous parlent de leurs filles qui épousent des familles avec *fonds spéculatifs,* maisons de vacances de huit cents mètres carrés et diplômes des meilleures universités. Je complimente une femme sur son sac ; elle me répond : « Oh ! cette petite chose ? », avant d'ajouter dans un murmure : « C'est un Marc Jacobs, mais de chez Barneys », comme si elle était gênée qu'il soit si aisément accessible aux masses populaires. On nous raconte, avec des chuchotis appuyés et ravis, les malheurs des autres : ruines, cancers, divorces.

Ce n'est pas la richesse en tant que telle que je trouve déplaisante. Après tout, je travaillais chez APT, un cabinet où les associés empochaient des millions chaque année. Non, c'est la culture de la compétition mêlée au fait de se réjouir du malheur des autres qui me sape le moral. Après, j'ai l'impression d'avoir passé une heure à me faire enfoncer par Carisse. D'avoir été ratatinée dans un jeu auquel je ne joue même pas.

Je me débrouille pour éviter le sujet du boulot jusqu'à la tarte au potiron. Ce ne sont pas des parts de tarte que l'on nous sert, notez bien, mais des mini-tartes individuelles avec une mini-croûte ronde. J'imagine qu'elles sont censées être adorables, ces tartes miniatures.

— Alors, comment ça va au travail ? me demande mon père, revenant à ce qui était jadis un paisible sujet de prédilection.

Je m'y attendais, bien sûr, mais je n'ai toujours pas décidé de ma réponse. Si je dis la vérité, le pire qui puisse arriver, c'est qu'il le prenne mal. Tandis que si je mens, il n'arrivera rien.

Je mens.

— Bien. Je suis débordée.

— Et l'affaire Synergon ? Comment ça se passe ?

— Bien. Mais je peux pas vraiment en parler. Secret professionnel.

— Ah.

La figure de mon père s'allonge. Soit parce que je ne le laisse pas s'engager dans la seule voie où nous puissions nous rencontrer, soit parce que j'appartiens à un club dont il ne peut être membre. Sa mine me fait me sentir coupable, et je reconsidère ma réponse. Peut-être que je devrais cracher le morceau ? Ça paraît impossible après lui avoir menti aussi effrontément. Je décide donc de lui donner un autre os à ronger et de passer à la politique, son autre thème favori.

— Et ton travail à toi ? Quelles sont les grandes nouvelles au bureau du gouverneur ?

— Je suis heureux que tu poses la question. Et fier de t'annoncer que, rien que cette année, nous avons créé quinze mille nouveaux emplois.

Une seule question a suffi. La fin du repas et tout le trajet jusqu'à Riverdale sont consacrés à la politique dans le Connecticut, sujet que je domine par osmose. Toutefois, n'étant pas encartés dans le même parti, nous sommes l'un et l'autre passés maîtres dans l'art d'éluder toute discussion idéologique.

— Bon, mettons que tu sois sur Fox News dans un débat contre Bill O'Reilly. Qu'est-ce que tu fais ? me demande mon père.

— Je vomis sur ses godasses.

— Sois sérieuse, Emily. Quand on a des convictions solides, il faut apprendre à les vendre. Il ne s'agit plus seulement de l'idée. Mais de son emballage. De l'aptitude à la communiquer.

— Je sais argumenter, lui dis-je. J'ai fait du droit.

— Tu te trompes. Ce n'est pas un problème d'argumentation. C'est un problème de com. De présentation. Par exemple, il faut commencer ses phrases par des trucs comme « Vous conviendrez, j'en suis sûr, que bla-bla-bla ». Ça oblige l'adversaire à contredire une chose avec laquelle on ne peut pas ne pas être d'accord.

— Tu es en train de me dire que tout ça, c'est une question de force oppositionnelle. Qu'il est beaucoup plus dur d'argumenter contre rien que contre quelque chose. Que, pour qu'il y ait donnant-donnant, il faut donner.

— Exactement. Je dis que l'idée, c'est de parler sans dire. C'est ça le truc.

— Parler sans dire ?

— Ouais, parler sans dire.

— Ça, je sais faire.

— Qu'est-ce qui vous a pris tout ce temps ? demande papi Jack quand nous pénétrons dans sa chambre à l'étage des soins continus.

Il est assis dans un fauteuil, en train de feuilleter un vieux *National Geographic* plein de femmes tribales aux seins nus. À cause de Thanksgiving, les infirmières se font rares, l'endroit est désert. Ici, tout le monde a renoncé et filé soit à la maison, soit au ciel. L'accueil abrupt de mon grand-père ne présage rien de bon pour la suite. Peut-être était-ce un excès d'optimisme de ma part que d'espérer une bonne journée.

— Salut, papi Jack, lui dis-je en l'embrassant.

L'aide que j'ai engagée pour lui tenir compagnie se lève d'un coup et jette un œil à sa montre, puis à moi. Je lui réponds d'un signe de tête que oui, elle peut partir, mais suis trop distraite pour penser à la remercier avant qu'elle ait franchi la porte.

— Salut, papa, dit mon père en serrant la main de papi Jack.

— Bon sang, mais où étiez-vous passés ? demande mon grand-père en balayant d'un geste nos salutations. On avait réservé pour cinq heures et demie.

Mon père recule d'un pas et détourne la tête, incapable de regarder dans les yeux ni moi, ni papi Jack. Il est évident qu'il n'est pas venu ici depuis une éternité. Il est nouveau pour lui, ce papi Jack-là, celui dont la peau est trop tendue près de la bouche et fine comme du papier sur les pommettes, celui qui a été réduit au délire par le crash d'une synapse, par un raté neuronal. Aujourd'hui, papi Jack a les chairs rongées, les paupières gonflées et le visage hagard de quelqu'un qui a vécu trop longtemps.

— Pardon, lui dis-je. On a eu un empêchement. Mais tout va bien. On va faire Thanksgiving ici.

Mon ton est trop enjoué et, apparemment, mon faux enthousiasme ne fait qu'ajouter à la tension qui règne dans la pièce.

— Et le spectacle, Martha ? demande papi Jack.

À l'évocation de sa mère, morte quand je portais encore des couches, mon père plonge la tête dans ses mains. Le fait qu'elle resurgisse me fait douter une seconde de la réalité : serions-nous tous victimes d'un gigantesque malentendu ? Mais, bien sûr, il ne s'agit là que de ma propre pollution chimique par l'espoir.

— On ne va pas au spectacle, papi. Par contre, on va manger de la dinde. Tout est prêt en bas.

Mon père parvient à accrocher mon regard et me fait un signe en direction de la porte.

— On revient tout de suite, papi.

Je le précise afin qu'il ne se croie pas abandonné. Peu importe qui nous sommes pour lui : je ne veux pas qu'il se sente seul.

Mon père et moi sortons dans ce qui ressemble à un couloir d'hôpital. Un corridor blanc, qui sent l'antiseptique, avec des appareils électroniques dans tous les coins. Les murs renvoient l'écho de sons désincarnés, les gémissements des vieillards changeant de position dans leurs lits. Une femme en blouse bleue est assise seule à une demi-lune en Formica dans le bureau des infirmières, elle farfouille dans un sac en papier graisseux de chez McDonald's. Il faudra que je me rappelle de l'inviter au festin prévu au rez-de-chaussée. Si je compte le faire, c'est moins pour elle que pour nous.

Mon père m'attrape par le coude et m'entraîne au bout du couloir, jusqu'à un petit renfoncement avec deux chaises et un distributeur automatique. Le genre de renfoncement où l'on annonce les mauvaises nouvelles.

— Qu'est-ce qui se passe ? dis-je à mon père.

— Tu te fous de ma gueule ? fait-il en braquant sur moi ses longs doigts afin de montrer son désarroi. (Tiens, lui aussi il se ronge les cuticules, me dis-je distraitement, je n'avais jamais remarqué.) Est-ce que tu te fous de ma gueule ?

Cette fois il hurle, et avec violence, il n'y a pas à s'y tromper. Je suis trop abasourdie pour répondre. Jamais je n'ai entendu mon père prononcer cette expression. Pas une fois de toute ma vie. Jamais non plus il n'a hurlé après moi, en dépit de mes nombreux efforts pour le provoquer, et ce pendant toute l'adolescence. L'expérience est tellement nouvelle que je ne suis pas sûre qu'elle soit désagréable. En revanche, elle est déconcertante, et je vois que, lui aussi, la rudesse de ses paroles le surprend. Est-ce qu'on a tous perdu la boule ? Une sorte de court-circuit collectif chez les Haxby ?

— Qu'est-ce qu'il y a ?

— Pourquoi ne m'as-tu pas dit qu'il était dans cet état ? Pourquoi ne m'as-tu pas dit qu'il allait si mal ?

Le poing de mon père s'abat sur le mur blanc, ses articulations s'éraflant sur le plâtre.

— Je te l'ai dit. (Une vague de lassitude me submerge, rivalisant avec la colère qui monte juste en dessous.) Oui, je te l'ai dit.

Je répète les mots, mais, cette fois, ils sortent dans un murmure.

— Non, tu ne me l'as pas dit. Tu ne m'as pas dit qu'il était comme ça.

Maintenant, il a une voix d'enfant irrité. Ce n'est plus l'homme de pouvoir avec lequel j'ai déjeuné, celui qui serrait la louche à tout le monde dans son club. À cet instant précis, il a l'air hagard, perdu, un gamin qui demande à sa maman de lui dire que tout va bien se passer. C'est drôle, j'éprouve exactement la même chose.

— Bordel, tu crois que c'est quoi un Alzheimer, papa ? Tu aurais pu t'en rendre compte par toi-même le jour où papi a disparu. Si tu t'étais donné la peine de me rappeler. Tu aurais aussi pu venir chez le neurologue et lui parler. Tu aurais pu prendre un peu de temps sur ton putain de planning surchargé par ce putain de Connecticut pour venir lui rendre visite à un autre moment. (Je m'interromps pour reprendre mon souffle.) Mais peut-être, oui peut-être que tu étais trop occupé à baiser Anne.

Je lui crie dessus avec une telle force qu'il recule, encaissant mes phrases comme des coups physiques. Mais je n'ai pas fini. Pas encore. Ma rage déborde, elle vomit brutalement les mots, on dirait que j'ai attrapé un très bizarre virus de gastro.

— Putain de merde, pourquoi ça serait ma faute ? Ma responsabilité ? C'est ton père. C'est ta famille à toi aussi. Tu crois que c'est facile pour moi ? (Je crie aussi fort que je peux, jusqu'à ce que ma gorge soit irritée. Jusqu'à ce que ça fasse mal.) Non, ce n'est pas facile. Comment oses-tu... ?

Je pose cette question faute de trouver autre chose à lui lancer à la figure. Je suis choquée par la puissance de mon explosion ; elle se dissipe tout aussi vite qu'elle s'est emparée de moi. Elle ne laisse aucun résidu de colère derrière elle, juste une fatigue écrasante. Je glisse le long du mur et me retrouve assise en position fœtale. Je serre les genoux contre ma poitrine, pose ma tête dessus. J'entends des sanglots sans comprendre qu'ils viennent de moi. Ce genre d'affrontement, dans les cris et les larmes, est sans précédent entre nous : ni mon père ni moi ne sommes à l'aise dans cette version inédite du scénario. Pendant un petit moment, aucun de nous ne dit rien, nous laissons cet interlude calmer les esprits.

Il finit par s'asseoir par terre à côté de moi : nous ramassons la poussière avec nos vêtements noirs, mais peu importe. Mon père adopte exactement la même position que moi, puis passe un bras sur mes épaules.

— Pardonne-moi, dit-il, et je remarque qu'il a lui aussi les joues mouillées. Je suis vraiment, vraiment désolé. (Il me prend dans ses bras, et mon nez coulant laisse une trace sur sa manche.) Je ne m'y attendais pas... à ce qu'il soit comme ça.

— Je sais.

— J'ai paniqué.

— Je sais.

Il a beau être mon père, j'ai conscience qu'il est toujours l'enfant de papi Jack.

Nous retournons lentement à la chambre, en réfléchissant à chacun de nos pas, comme si c'était nous qui avions besoin de « soins continus ». En passant devant le bureau des infirmières, je note que la femme n'est plus assise à la table et j'en suis soulagée. Finalement, je n'ai pas envie de l'inviter à notre Thanksgiving. J'ai envie qu'on soit juste nous trois.

Pour la seconde fois de la journée, je m'empiffre de dinde, de patates et de sauce aux canneberges, parvenant, je ne sais comment, à ménager une place dans mon estomac pour cette deuxième tournée. Nous sommes assis à une petite table en chêne dans l'un des salons du rez-de-chaussée. Le repas est présenté à la mode familiale et, comme le traiteur a oublié de laisser des cuillères de service, nous piochons avec nos couverts dans les barquettes en aluminium. Nos fourchettes creusent des sillons dans la petite montagne de purée.

Bien que d'humeur sombre, mon père se ressert et propose de remplir à nouveau nos assiettes. Il ne quitte pas papi Jack des yeux : on dirait qu'il s'efforce de localiser visuellement l'endroit où tout a capoté. Ou alors, il cherche une preuve que la personne assise en face de lui est toujours son père.

— J'ai eu la visite de ton fils l'autre jour, lui dit papi Jack, alors que mon père se lève pour faire une nouvelle distribution de tarte aux pommes.

Jusqu'à présent, ses divagations ont pris la forme d'une sorte de voyage dans le temps : quand mon grand-père ne nous parle pas à nous, il parle à sa femme et à son fils il y a cinquante ans. Je me demande si c'est ce qu'on devrait tous attendre avec joie. Cette totale déconnexion du concret, du réel.

— C'est un si gentil jeune homme. Et docteur en plus !

Là-dessus, papi Jack bat des mains, absolument ravi de ce petit-fils imaginaire.

— Papa, je n'ai pas de fils. Juste Emily, tu te rappelles ?

— Ne dis pas de bêtises, Kirk. Il était ici il y a deux jours. C'est devenu un géant, tu sais ? Et il m'a laissé gagner au poker.

— Qu'est-ce que tu racontes ?

— Demande à Ruth. Elle était si heureuse de le voir. À nous deux, on lui a vidé les poches à ce pauvre gamin.

— Andrew ? dis-je.

Andrew est venu rendre visite à papi Jack ?

— Oui, Andrew ! (Mon grand-père répète après moi et tape à nouveau dans ses mains.) Je l'ai battu quatre fois de suite. Un si gentil jeune homme.

— Pourquoi Andrew viendrait-il ici sans te le dire ? me demande mon père, et je sens mon estomac dégringoler.

— Il l'a fait. Il me l'a raconté, je veux dire. C'est juste que j'ai oublié.

Mon père a l'air décontenancé, mais il laisse passer. *Andrew est-il vraiment venu rendre visite à papi Jack ? Ou est-ce juste un nouveau délire ?*

— On a beaucoup joué au poker, dit papi Jack en sortant une liasse de billets de sa poche de pantalon. Regarde, j'ai gagné trente dollars.

Après le dîner, mon père me dépose en ville avant de rentrer dans le Connecticut. Sur le trajet, nous ne disons pas grand-chose : nous sommes tous deux trop fatigués pour parler. Nous avons beau avoir fait ce que le Dr Lerner appellerait un « progrès », savoir que cette journée touche à sa fin est une délivrance pour moi.

— À propos de Noël, dit mon père alors que je descends de voiture.

— Oui ?
— Qu'est-ce que tu as envie de faire cette année ?
— Je ne sais pas.
— Vu ce qui se passe avec Jack, que dirais-tu de sauter Noël ?
— Sauter Noël ?
— Oui, je ne me sens pas d'humeur à faire la fête, et je suis sûr que toi non plus. Alors pourquoi on ne ferait pas, tu sais, comme si ça n'existait pas.
— D'accord.
— Oui, il n'y a pas de quoi faire la fête. Tu ne crois pas ?
— Si, sans doute.
— Ce serait mal.
— C'est vrai, dis-je. Donc on va le sauter. Je ferai juste comme si...
— Oui. Comme si ce n'était pas...
— Comme si ce n'était pas Noël.

24.

En frappant à ma porte à deux heures et demie du matin le lendemain de Thanksgiving, Kate interrompt un rêve troublant dans lequel papi Jack et Andrew jouent au strip-poker. Dieu merci, elle me réveille juste avant qu'ils se retrouvent l'un et l'autre en slip kangourou. Quant à Kate, elle porte un pantalon de pyjama en flanelle, un sweat-shirt de l'université de Columbia et des chaussons-chaussettes. Bien que je ne l'aie pas vue depuis des semaines, elle ne me dit pas un mot. Elle se tient juste debout devant ma porte, avec les yeux bouffis, la goutte au nez et pas de chaussures. Elle a les cheveux qui frisent : c'est là que je comprends qu'il y a vraiment urgence. Je prends des mesures immédiates et, dans les trente secondes, la voilà assise sur mon canapé, un paquet de Kleenex dans une main et un whisky Coca dans l'autre.

— Le mariage est annulé, dit-elle en fixant son verre comme s'il contenait des feuilles de thé dans lesquelles lire son avenir.

— Quoi ?

— Le mariage est annulé, répète-t-elle.

Cette fois, sa voix se lézarde, je vois qu'elle lutte contre un nouvel assaut des larmes.

— Que s'est-il passé ?

Je m'assois face à elle sur le canapé et me frotte les yeux pour me réveiller. J'envisage de me servir aussi un remontant. Je ne suis pas sûre de pouvoir supporter la désintégration de

Kate et de Daniel : c'est un réconfort de savoir qu'il existe en ce bas monde des gens qui non seulement ont cru au « grand amour », mais qui l'ont trouvé.

— Notre relation était comme le communisme, commence Kate, et là je me demande si elle en est à son premier verre de la soirée. On était bons pour la théorie. Mais beaucoup moins bons pour la pratique.

Sa plaisanterie la fait s'étrangler, et elle renverse un peu de liquide sur son sweat-shirt.

— Que s'est-il passé ? (Je répète ma question, mais Kate ne répond pas. Non, elle regarde fixement l'écran vide de la télé.) Qu'est-ce qui a abattu le mur de Berlin, Kate ? Qui a donné le premier coup de marteau ?

— C'était une comédie. Voilà ce que c'était. Nous, on était une comédie, fait-elle en croisant les bras. (Elle s'adosse dans le canapé, comme ébahie par une découverte aussi brusque que capitale.) Imagine que le mur de Berlin soit en Lego, poursuit-elle. Non, comment on appelle ce jeu où on retire une brique du dessous pour la poser sur le dessus, et où celui qui fait s'écrouler la tour a perdu ?

— Les dominos ?

Je ne vois absolument pas de quoi elle parle.

— Non.

Kate fait claquer son verre sur ma table basse.

— Euh, le Scrabble ? Le Cluedo ?

— Non ! La Tour de Jenga ! s'écrie-t-elle en levant les mains. Dieu merci, ça allait me rendre dingue. Peu importe, l'idée c'est qu'on était comme ça. Construits juste sur deux ou trois briques mobiles.

— Mais vous étiez construits sur bien plus que des briques, des bûches, ou que sais-je encore.

— Si ça ressemble à un canard et si ça se comporte comme un canard, alors ça doit être un canard, pas vrai ? Mais nous, on n'était pas un putain de canard. (L'hystérie de Kate grimpe d'un cran à mesure qu'elle me bombarde de métaphores.) On ressemblait à un canard, on se comportait comme un canard, mais on n'était pas un canard.

— Qu'est-ce que vous étiez alors ? À la place du canard.

— Une tour de Jenga. On était une tour de Jenga. (Kate me répond avec calme maintenant, comme si c'était parfaitement logique, comme s'il fallait que je sois idiote pour ne pas suivre.) Le jeu avec les briques instables.

L'instabilité, je pige. En fait, nous sommes assises à l'endroit même où j'ai eu ma déprime. Je me demande un instant si ce canapé n'aurait pas un truc qui rend les gens cinglés et s'il ne faudrait pas aller faire un tour chez Ikea. Puis je me rappelle qu'étant au chômage je n'ai pas les moyens de m'en offrir un neuf.

— D'accord, Daniel et toi, vous étiez comme une tour de Jenga et pas comme des canards. Ça, j'ai pigé. Mais qu'est-ce qui est arrivé ? Qu'est-ce qui s'est réellement passé, Kate ?

Je pose la question en ces termes car il est temps d'arrêter les conneries. Il faut qu'on parle pour de bon.

— Je me suis juste rendu compte que je l'épousais pour toutes les mauvaises raisons du monde, me répond-elle. Je croyais que, si on ressemblait à un couple et qu'on se comportait comme un couple, on finirait par en devenir un. Seulement, ça n'a pas marché. On n'était pas comme Andrew et toi. On n'était pas faits l'un pour l'autre.

— Mais Andrew et moi, c'est fini.

— Je sais, mais vous n'étiez pas *pas* faits l'un pour l'autre.

Kate se mouche bruyamment dans son Kleenex. Ça fait un bruit de cloche.

— On n'était pas *pas* faits ?

Je suis encore larguée, mais cette fois par un problème grammatical. Cette foutue double négation me fait le coup à chaque fois. *Est-elle en train de me dire qu'Andrew et moi, on était faits l'un pour l'autre ? Ou est-elle en train de me dire le contraire ? Quant au mur de Berlin, il symbolise la chute du communisme, OK ?*

— Andrew et toi, vous avez rompu parce que tu es paumée et sans doute un peu givrée, mais pas parce que vous n'étiez pas faits l'un pour l'autre, dit-elle sur le ton de l'évidence et en me tapotant la main. (On dirait que c'est moi qui me suis pointée chez elle à deux heures du mat, en déblatérant des trucs sur les jeux de société.) Et je te le dis avec beaucoup de bienveillance.

— Il n'est pas question de moi.

— Je veux dire qu'en surface on a beaucoup de points communs : Daniel a toutes les qualités que j'ai toujours dit rechercher. Il est drôle, intelligent, et tout et tout. Mais, franchement, je ne suis même pas sûre qu'il me plaise tant que ça. Tu comprends, il s'épile les sourcils à la cire. Comment épouser un homme qui s'épile les sourcils à la cire ?

— Pense à l'autre solution : tu ne voudrais pas non plus épouser un monosourcil.

— Exact, répond-elle comme si elle réexaminait la totalité de la rupture. (Elle secoue la tête pour chasser cette idée.) Mais c'est pas une histoire de poils, Emily. Si je me suis mis en tête d'épouser Daniel, c'est sans doute parce qu'il s'est pointé au bon moment. À trente-quatre ans, je suis censée vouloir me marier, d'autant que, si je veux des enfants, je dois me dépêcher. Or je viens de m'apercevoir que ce n'est pas une raison pour se contenter d'un homme qui n'est pas le bon.

— Mais vous aimez tous les deux les lofts, dis-je sans aucun à-propos.

J'essaie de me raccrocher à tout et n'importe quoi, en réalité je croyais que Kate aimait Daniel. Jamais je n'avais pensé que leur relation puisse être une façade minutieusement fabriquée.

— Écoute. Ce soir, il n'est rentré qu'après minuit. Il n'a pas appelé pour me prévenir. En fait, il est allé boire un verre avec des clients, et son portable ne passait pas dans le bar. Pas de quoi en faire un plat, pas vrai ? Mais voilà où le bât blesse. J'étais à la maison en train de l'attendre, convaincue qu'il me trompait, et tu sais ce qu'a été ma première réaction ? (Je réponds non d'un mouvement de tête.) Le soulagement. Tu y crois, toi ? Je me sentais soulagée parce que, s'il me trompait, si horrible que ce soit, ça réglait tout. Je n'avais pas d'autre solution que de le quitter. En fait, je voulais ne pas avoir le choix. C'est pour ça que j'ai fini par rompre. C'est épuisant d'être lâche, je m'en rends compte aujourd'hui.

— Kate, je veux te dire quelque chose. Tu es mon héroïne.

— Tu ne m'écoutes pas. Tout est fini. Je vais vieillir toute seule et avoir des milliards de chats. Je ne suis pas une héroïne. Je suis une perdante.

Et Kate se met à pleurer, de gros sanglots dans des mouchoirs en papier.

— Non, tu es une putain d'héroïne. Parce que tu es courageuse. Tu as le courage de te lancer à la poursuite de ce que tu veux. Tu ne te cases pas juste sous prétexte que le monde entier te dit de le faire. Très peu de gens peuvent prétendre vivre selon leurs propres règles, tu le sais ? On passe notre temps à avoir peur et à faire les choses en imaginant qu'on n'a pas le choix.

Elle me regarde, un demi-sourire éclaire son visage.

— Tu crois ?

— Oui. Maintenant, laisse-moi te poser une question : est-ce que tu aimes Daniel ?

Je veux m'assurer qu'il ne s'agit pas juste d'un accès de panique pré-marital.

— Oui et non. Je veux dire que je lui suis très attachée. Il est une énorme partie de ma vie. Quant à l'aimer d'amour ? Jusqu'à ce que la mort nous sépare ? Je n'en sais rien. Je ne crois pas. (Kate pose la tête sur l'accoudoir du canapé.) Peut-être que je suis folle, tout simplement. Peut-être que je suis devenue dingue.

— Est-ce parce que Daniel n'est pas parfait ? Car personne n'est parfait.

— Non. Hormis les sourcils, rien chez lui ne me déplaît vraiment. Il n'est pas loin de la perfection, conclut-elle avec un haussement d'épaules.

— Quand tu rentres et qu'il est à la maison, tu es heureuse de le retrouver ?

— Parfois, mais la plupart du temps, je préférerais qu'il ne soit pas là.

— S'il avait besoin d'un rein, tu lui donnerais l'un des tiens ?

— Certainement pas.

Elle a répondu sans hésitation.

— Et moi, si j'avais besoin d'un rein, tu m'en donnerais un ?

Je profite du fait qu'elle n'est pas en état de mentir pour poser la question.

— Certainement, répond-elle, et là-dessus elle se remet à pleurer. Est-ce que ça veut dire que toi et moi, on devrait se marier ? Que je suis lesbienne ? Je n'avais jamais envisagé cette possibilité. Peut-être que je le suis. Merde alors. Ça serait donc ça ?

J'ai du mal à garder mon sérieux.

— Kate, tu n'es pas lesbienne, encore qu'il n'y ait rien de mal à cela.

— Tu crois qu'être lesbienne va augmenter ou diminuer mes chances de passer avocate associée ?

Pour le coup, il m'est impossible de ne pas rire car, pour la première fois de la soirée, j'entrevois un semblant de la Kate que je connais.

— Tu n'es pas lesbienne, cela n'affectera donc absolument pas tes chances de devenir associée. Au fait, merci pour le rein. Sans rire, ça signifie beaucoup pour moi. (C'est vrai. Je m'aperçois que, même fille unique, j'ai des sœurs en ce bas monde. Moi aussi, je te donnerais un rein, Kate.) Tu as fait ce qu'il fallait. En rompant les fiançailles, je veux dire. Il ne faut pas passer le reste de sa vie avec quelqu'un qu'on n'a pas vraiment envie de retrouver chaque soir.

Je dis cela sur un ton d'autorité, en femme qui connaît son sujet. Je ne pense pas que Kate doive épouser Daniel. Je ne le pense plus.

— Il a loupé le test du rein, conclut-elle, comme si l'affaire était entendue. Même en théorie, je n'ai pas envie de lui donner mon rein. En fait, notre relation est pire que le communisme.

— Comment Daniel a-t-il réagi quand tu le lui as annoncé ?

Je pose cette question deux heures plus tard. Nous sommes toujours sur le canapé, mais j'ai remplacé le whisky Coca par une tasse de thé. Kate aura assez à faire demain, sans avoir en plus la gueule de bois.

— Il s'est beaucoup inquiété pour les arrhes. Tu sais, les

sommes qu'on a versées pour réserver la salle, l'orchestre, les fleurs. En fait, il a sorti un calepin et s'est mis à tout calculer.

— Et qu'as-tu ressenti face à ce comportement ?

C'est une réplique que j'emprunte au Dr Lerner ; je suis curieuse de voir si elle fonctionne hors de la grotte à chauve-souris de la psychologue.

— Franchement, je me suis sentie mieux. J'ai eu le sentiment que, lui aussi, il était là pour de mauvaises raisons. Si son plus grand souci quand je lui annonce qu'on ne se marie plus, c'est combien d'argent il va perdre, alors il ne pouvait pas vraiment vouloir passer le reste de sa vie avec moi, pas vrai ?

Je voudrais pouvoir lui répondre. *Je ne sais pas. Non, je ne sais vraiment pas comment ça marche.*

— J'aimerais pouvoir te le dire, mais je ne suis pas très fine psychologue. Par exemple, je croyais que vous étiez heureux.

— Nous n'étions pas malheureux. Juste pas heureux-heureux, tu comprends ?

— Je comprends.

Je ferme les yeux un instant et pense à tout ce qu'on gaspille de nos vies à faire semblant.

— Je suis morte de trouille, dit Kate.

— Oui, mais peut-être qu'on a parfois besoin de faire ce qui nous effraie le plus pour arriver là où on doit aller.

— Je sais que tu as raison.

Je vois qu'elle commence à s'endormir. Elle me demande de la réveiller dans deux heures, elle doit rentrer se changer avant de se rendre au bureau. Sa marche inexorable vers le statut d'associée se poursuivra demain, et j'espère que le travail lui procurera une distraction bienvenue, du moins pendant un temps.

— Emily, fait-elle après que j'ai déposé sur son front un baiser de bonne nuit.

— Oui.

— Merci d'être là.

— À ta disposition. C'est pas cher payé pour un rein.

Quand je retrouve enfin mon lit, je ne rêve plus de papi Jack et d'Andrew jouant au strip-poker. Non, je rêve que je suis dans un lit d'hôpital, mes bras sont bleu et noir à cause des perfusions. Je lève les yeux et vois un tas de gens massés autour de moi, un cercle de têtes autour d'un plafonnier. Je n'arrive pas à distinguer leurs visages, la lumière est trop crue, mais j'entends leurs voix qui parlent de moi.

— Ses organes sont inutilisables, finalement, dit le docteur. Je n'ai jamais vu un patient avec si peu de pièces. Il n'y en a même pas de rechange.

— Que voulez-vous dire ? demande Andrew.

Il a sa blouse de médecin et un stéthoscope autour du cou. Il a un air de docteur, pas de petit ami.

— Ce que je veux dire, c'est qu'elle est... euh, voyez vous-même.

D'un geste théâtral, le médecin remonte ma chemise : je sens ma peau exposée à la vue de tous. J'ai envie de demander ce qui se passe, mais quand j'ouvre la bouche, rien ne sort. Juste l'épouvantable silence des cauchemars.

— Elle est creuse ! s'écrie Andrew, tout excité, comme s'il ne me connaissait pas et que je constituais une passionnante énigme médicale. Regardez ces marques. À mon avis, elle a dû se faire ça toute seule.

J'entends la stridulation aiguë qui signifie électrocardiogramme plat, le son de la mort dans chaque épisode d'*Urgences*. *Alors, ça y est,* me dis-je. *Je suis morte. Morte par éviscération.*

Sauf que, bien sûr, je ne suis pas morte. Et quand je me réveille, quand je comprends que ce bruit atroce vient de mon réveil, je suis déçue. J'avais envie de savoir la suite.

25.

Le rêve me hante toute la journée, et même toute la semaine, il me fait mal au ventre. Je ne supporte pas l'idée de n'être plus rien pour Andrew, rien qu'un bout de viande comme un autre sur une table d'opération. Je ne supporte pas d'avoir provoqué ça toute seule, de l'avoir perdu pour de bon. Avant, quand je pensais à nous, je n'éprouvais qu'un vide – un faible bourdonnement –, mais maintenant, on dirait une scie électrique, un océan dans mes veines, des points de suture qui lâchent. Jamais je n'ai déploré qu'il soit là en rentrant à la maison, jamais je n'ai pensé que nous nous réduisions à un simple artifice. Nous manquions de viabilité, peut-être, mais pas d'intimité véritable.

Ça fait mal de penser qu'il continue sa vie. Kate prétend ne pas savoir s'il a quelqu'un, mais j'imagine que oui. Andrew est un mec qui marche à l'absolu. Son adieu est un adieu pour de bon. Et sa demande en mariage aurait été pour la vie.

Je ne suis pas sûre que lui écrire soit une brillante idée : j'envisage d'attendre le rendez-vous de la semaine prochaine avec le Dr Lerner pour la lui soumettre. La dernière fois, on a été tellement occupées à démonter Thanksgiving, qu'avant d'en arriver à Andrew, la séance était finie. Cependant, je refuse d'être le genre de personne incapable de prendre une décision sans son psy et, surtout, je ne veux pas la laisser me conseiller de ne pas le faire, alors je m'assois devant l'ordinateur et j'écris un mail à Andrew.

À : Andrew T. Warner, warnerand@yahoo.com
De : Emily M. Haxby, emilymhaxby@yahoo.com
Sujet : Salut
Salut, A. Papi Jack dit que tu lui as rendu visite la semaine dernière. Si c'est le cas, je voulais juste te dire merci. Je sais qu'il aime la compagnie, et le seul fait qu'il s'en souvienne en dit long. J'espère que tu as passé un bon Thanksgiving.
Tu as aussi le droit de savoir que je pense à toi tout le temps et que tu me manques.
À toi toujours,
E.

Je ne m'arrête ni pour me demander si je n'ai pas l'air de le harceler, ni pour relire et chercher d'éventuelles coquilles. Je clique juste sur « envoyer » et laisse mon mail s'envoler à travers Manhattan ; cette fois, je le vois comme la boule d'un gigantesque flipper, esquivant taxis et piétons pour arriver jusqu'aux beaux quartiers : tout ce travail juste pour marquer un point. Peut-être Andrew va-t-il la renvoyer, il y sera poussé par son énergie cinétique, il y aura des aller-retour comme ça pendant un moment, la machine vrombira, et enfin nous communiquerons, nous serons connectés. Eh bien non, au lieu de ça, je frappe la boule, et elle plonge droit dans le trou ; je vois clignoter le voyant « game over ». Je sais déjà qu'avec Andrew j'ai épuisé mes chances.

Cinq minutes plus tard, j'ai un nouveau message.

À : Emily M. Haxby, emilymhaxby@yahoo.com
De : Andrew T. Warner, warnerand@yahoo.com
Sujet : Rép : Salut
Je suis allé voir papi Jack pour moi. Pas pour toi. J'ai pensé que je devais lui faire moi-même mes adieux.
Emily, je ne sais pas comment dire ça gentiment, je ne suis pas sûr qu'il existe une manière gentille de dire ça, alors je vais le dire tout simplement : s'il te plaît, cesse de me contacter. S'il te plaît, fiche-moi la paix.
A.

Je le mérite. Je m'en rends compte. Je mérite les larmes, le chagrin et la perte, parce que c'est moi qui ai tout provoqué. C'est moi qui nous ai cassés. Par conséquent, tout ce que je peux faire, c'est écrire à Andrew une réponse qui tient en une phrase sur mon écran :

Je te donnerais mon rein.

Et tout ce que je peux faire, c'est ne pas cliquer sur « envoyer ».

26.

Aujourd'hui, le Dr Lerner porte un kimono. Il est en soie rose, avec de longues manches souples. Son cabinet est toujours plongé dans le noir, mais j'ai vu le Dr Lerner assez souvent désormais pour pouvoir affirmer que son costume n'a jamais été assorti à ses origines ethniques. En revanche, ses traits, eux, sont toujours flous et fuyants. Parfois, quand elle a les cheveux tirés en arrière sous un foulard, je suis persuadée qu'elle a l'âge d'être ma grand-mère ; mais aujourd'hui, ils pendent en vagues brunes autour de son visage, et je me demande si elle a même quarante ans.

— J'ai vu ma mère aujourd'hui, dis-je, à peine assise sur son divan.

— Parlez-moi de cette rencontre.

Le Dr Lerner ne mord pas à l'hameçon. Non, elle attend patiemment une réponse, comme si je pouvais avoir une explication parfaitement logique au fait de revoir ma mère quinze ans après sa mort. Comme si j'étais tout à fait saine d'esprit.

— D'accord, je n'ai pas vraiment vu ma mère. Ce que je veux dire, c'est que j'ai cru la voir, ce qui m'arrive assez souvent, en fait. Je suis dans le métro, dans un magasin, n'importe où, et je crois voir maman.

Je tente d'imiter le Dr Lerner et de plier mes jambes comme elle. J'arrive à un demi-lotus, mon côté gauche refusant de coopérer.

— Continuez, dit-elle.

— Eh bien, d'habitude ça se déclenche avec une petite chose. La coiffure d'une femme, son oreille, la façon dont tombe son pantalon ; alors, une fraction de seconde, juste une fraction de seconde, je suis persuadée que cette femme est ma mère. Et j'échafaude une histoire très compliquée pour expliquer qu'elle soit en vie. Pour qu'il soit normal de la retrouver avec moi sur la ligne six, ou ailleurs. C'est n'importe quoi de chez n'importe quoi, pas vrai ?

— Totalement n'importe quoi, répond le Dr Lerner, mais du ton de quelqu'un qui ne trouve pas du tout que c'est n'importe quoi. Racontez-moi comment c'est venu aujourd'hui.

— J'attendais à un feu, à l'angle nord-est de la Vingt-Troisième et de la Troisième Rue pour être précise, et voilà que je remarque une femme juste devant moi. Pour je ne sais quelle raison, quelque chose dans ses cils ou dans la forme de ses yeux, je me suis demandé une seconde – non, ça n'a pas pu durer plus d'une seconde – est-ce qu'elle pourrait être ma mère ? Au bout de quinze ans, elle aurait peut-être changé de tête, pas vrai ? J'ai fabriqué une histoire idiote pour me le faire croire. Et puis j'ai arrêté, je me suis rendu compte que j'étais ridicule, et c'était fini ; je suis allée m'acheter des dessous neufs, vu que j'ai horreur de faire la lessive.

— Racontez-moi cette histoire idiote et ce que vous avez ressenti, dit-elle en traçant dans l'air des guillemets autour de « histoire idiote » et en me tendant une boîte de mouchoirs, bien que je ne sois pas en train de pleurer.

Je prends la boîte, au cas où le Dr Lerner entreverrait une chose que j'ignore.

— C'est vraiment gênant. Enfin, aujourd'hui, je me suis mis dans l'idée que, peut-être, ce jour-là à l'hôpital, quand je l'ai vue mourir, tout n'était qu'un canular très sophistiqué. Peut-être s'était-elle trouvée mêlée à une méchante affaire mafieuse ou un truc dans ce goût-là, et, maintenant, elle bénéficiait du programme de protection des témoins. (Dès que je m'entends prononcer les mots, je me sens idiote, pire, pathétique ; je ne sais comment, mais, l'espace d'une milliseconde, ils m'ont paru plausibles.) Vous savez bien, il y a des tas de profs de lettres dans le Connecticut qui ont des accointances secrètes avec la mafia.

— Mais comment vous êtes-vous sentie ? C'est cela qui est intéressant, qui peut nous apprendre quelque chose, or on dirait que vous voulez l'éviter.

Je commence à faire sauter en l'air la boîte de mouchoirs. On attrape, on relâche. On attrape, on relâche.

— Bien. Comment je me suis sentie ?

Je lance encore la boîte et la regarde tournoyer verticalement.

— Oui, Emily, comment vous êtes-vous sentie ?

Le Dr Lerner rattrape la boîte au vol et la pose près de moi, sur le divan.

— Bien, je crois. À mon avis, le plus dur, dans le fait qu'elle soit morte, c'est que c'est définitif. Que je ne la reverrai plus jamais jamais. C'est fini. Fini depuis quinze ans. Ça, c'est vraiment angoissant.

À peine ai-je prononcé les mots, je sens que ça remue dans mon ventre. Les larmes commencent à couler, trop vite pour que je puisse les arrêter. Je saisis un mouchoir, furieuse que le Dr Lerner ait eu un temps d'avance sur moi.

— Faire en sorte que ce ne soit pas vrai, même grâce à une histoire aussi stupide que la mafia, me donne une petite seconde d'espoir. Une possibilité. Quelque chose. Et avant de m'apercevoir que c'est n'importe quoi, je me sens, enfin j'imagine que je me sens... Je me sens apaisée.

— Je ne crois pas que ce soit « n'importe quoi », comme vous dites, de rechercher parfois ce genre d'évasion. C'est parfaitement logique, et sans doute très courant. Mais j'aimerais que vous pensiez à d'autres moyens de trouver l'apaisement, dit le Dr Lerner en encadrant « n'importe quoi » et « apaisement » d'une nouvelle série de guillemets aériens. – Si je n'étais pas si occupée à pleurer, le geste me ferait rire. – Au fond, nous sommes ici pour démonter vos mécanismes de défense. Parce que, avec le temps, des mécanismes de défense normaux peuvent nous empêcher de vivre notre vie.

— Mais je vis ma vie.

— Pour l'instant, revenons à votre mère. (Elle ignore ma

réponse : elle est passée maître dans l'art d'ignorer ce que je dis.) Qu'est-ce qui vous manque le plus ?

À nouveau, je suis sur le point d'éclater de rire : j'ai l'impression de regarder un de ces films sur le cancer, un de ces mélos manipulateurs qui montrent des crânes chauves luisants et des enfants qui meurent, et néanmoins estampillés « cinés bonheurs de l'année ». Les bandes-annonces devraient porter un avertissement : *Ce film vous laissera en larmes et totalement déshydraté.*

Le Dr Lerner se rend coupable du même genre de publicité mensongère. Elle a l'air gentil, telle une déesse de la Fertilité assise en lotus dans son kimono tissé main, mais en réalité, elle est diabolique.

— Vous savez ce qui me manque le plus ? Ça va vous paraître horrible, mais je crois que c'est l'idée d'une mère qui me manque, plus que toute autre chose. Je ne suis pas si sûre que ce soit *ma* mère à moi qui me manque. Ce qui me manque, c'est juste d'avoir *une* mère.

— Qu'est-ce que ça signifie ? Avoir une mère ?

— Parfois, c'est juste vraiment dur de ne pas avoir de maman. Quand les gens rentrent chez eux pour les vacances, par exemple, ils ont cette personne – peut-être que j'idéalise un peu –, mais ils ont cette personne qui souhaite prendre soin d'eux, qui les aime de manière inconditionnelle. Ce qui me manque, c'est cette personne, *cette personne* qui m'aimerait quoi qu'il arrive, quels que soient mes ratages.

— Beaucoup de gens vous aiment, Emily.

— Je sais, mais ce n'est pas la même chose, non ? Ils ne m'aiment pas de manière inconditionnelle. J'ai beau avoir peu de souvenirs d'elle, je sais qu'elle m'apportait un réconfort que personne n'a su ou pu m'apporter depuis. Je ne me rappelle pas m'être jamais sentie seule ou mal aimée étant enfant. J'étais sans doute un peu solitaire, mais jamais je ne me sentais seule.

— Quels souvenirs avez-vous de votre mère, et qui la concernent elle en particulier ?

— Des détails par-ci par-là. Le fait qu'elle était toujours plus intelligente que tout le monde. On aurait dit qu'elle savait tout. Elle était capable d'expliquer comment fonctionnent les piles ou la photosynthèse.

Le Dr Lerner hoche la tête. Elle n'enfonce pas cette porte ouverte : *comment pouvez-vous ne pas vous rappeler toutes les fois où votre maman vous a bordée en vous disant « je t'aime », où elle a veillé tard pour coller des coquillettes sur vos œuvres d'art scolaires ? Comment pouvez-vous ne pas vous rappeler cela, et vous souvenir qu'elle expliquait la photosynthèse ?*

Qui ne se rappelle pas sa mère ? Je me souviens d'elle mourante, de la femme qu'elle était alors – courageuse, rebelle et malade, si incroyablement malade –, mais elle, ce n'était pas cela. Autant juger un livre sur sa dernière phrase. Je n'ai pas pris le temps de la graver dans ma mémoire quand c'était encore possible. Je n'ai rien retenu de ce qui est important : le tempo de son rire, la texture de sa voix, le contact de ses doigts sur mon front. Je n'ai jamais pensé avoir un jour besoin de ces souvenirs.

Pour me la représenter aujourd'hui, je dois m'appuyer sur la forme la plus banale de la nostalgie. Une photo. Je pense à ce cliché qui nichait dans l'une des bibliothèques du salon, bien qu'il ait lui aussi disparu dans les limbes. Il avait été pris au début des années soixante-dix ; on y voyait ma mère, assise sur la plage, sans une serviette pour protéger du sable le bas de son maillot de bain. Mais ce sont ses yeux noisette qui me sont restés, spontanés et brillants, assez vifs pour défier la fixité de la photo. Elle avait été prise longtemps avant ma naissance ; ainsi, quand je me représente ma mère, je vois une femme qui ne me connaissait pas et que je ne connaissais pas.

— Oui, c'est l'idée qui me manque. Parce que j'ai oublié de connaître la personne qui se trouvait derrière l'idée.

— Foutaises.

— Pardon ?

— Ce sont des foutaises, et vous le savez. Vous venez de me dire très exactement ce dont vous vous souvenez concernant votre mère. Qu'elle vous faisait vous sentir moins seule. Qu'elle était plus intelligente que tout le monde. Ne lui enlevez pas ça, et ne vous l'enlevez pas à vous-même.

— C'est justement le problème. Il n'y a rien à m'enlever à moi. Elle est partie depuis longtemps.

— Parlons un peu de vos autres mécanismes de défense, me dit plus tard le Dr Lerner, après m'avoir appris que l'heure suivante est libre et que je dois rester.

— Quels autres mécanismes de défense ? S'il vous plaît, pas un mot sur Andrew. Là, tout de suite, je ne pourrai pas le supporter.

J'ai bien envie de prendre la porte et d'aller me jeter dans la gueule de New York. De me faire avaler et broyer pour devenir, moi aussi, une anonyme sans visage traînant dans les rues.

— Eh bien, revenons au présent, voulez-vous ? fait-elle. (Elle joint les mains comme le ferait un avocat avant son exposé préliminaire : après m'avoir vue deux fois par semaine depuis bientôt deux mois, le Dr Lerner s'apprête à présenter le cas de sa cliente.) Je ne sais même pas trop par où commencer.

Un véritable avocat se serait préparé, me dis-je. *Suis-je paumée à ce point, qu'elle ne sache même pas par où commencer ?*

— Tiens, commençons par papi Jack, reprend-elle. Vous avez choisi de ne pas voir les symptômes de sa maladie. Ce n'est pas un reproche. Je comprends pourquoi, mais il faut que vous, vous repériez le schéma. Votre père. Il faut être deux pour ne pas communiquer. Vous pensez que la meilleure solution, dans la vie, c'est de garder le silence sur vos désirs. Quant à Andrew – je sais, vous m'avez dit de ne pas en parler –, mais laissez-moi seulement vous dire ceci : je pourrais écrire tout un volume sur vos mécanismes de défense avec Andrew.

Le Dr Lerner défait le clocher que formaient ses mains pour les poser sur ses genoux, l'une sur l'autre. Elle a l'air contente de sa formulation. Le même air qu'ont les gens quand ils vous disent *Ne le prends pas mal, mais...*

— Oh, j'allais oublier, poursuit-elle. Votre carrière. Combien de temps allez-vous faire semblant d'ignorer que vous êtes sans emploi ? Avez-vous seulement pris le temps de réfléchir à ce que vous voulez vraiment faire de votre vie ? De vos journées ? Vous ne saisissez pas ? Vous n'en avez pas marre d'être dans le déni ?

— Je vois ce que vous voulez dire.

C'est un mensonge. Je ne vois rien du tout, sinon la boîte de mouchoirs, qui n'est plus qu'un carton vide. Apparemment, c'est comme ça que fonctionne la thérapie : le Dr Lerner lance un truc, et mon boulot consiste à prendre ses mots et à les illustrer par des exemples tirés de la réalité. Je pourrais lui raconter que je n'ai pas dit à mon père que j'aimerais passer Noël avec lui. Qu'il m'a fallu plus d'un an pour avouer à Andrew que je l'aimais. Que j'avais tellement peur de le perdre, d'éprouver quelque chose, que je l'ai quitté la première. Mais je ne vais rien exprimer de tout cela devant le Dr Lerner.

Je ne peux pas. Peut-être parce que je ne la crois pas, que ses explications sont trop simples, trop étriquées façon psy. Quand je pense mécanismes de défense, je pense à un petit garçon frappant sa petite fille préférée dans la cour de récré. Je ne pense pas à moi. Je ne pense pas canapés, mères mortes, ex-petits amis, Alzheimer, chômage, pères absents, harcèlement sexuel, et autres fauteurs de trouble dans ma vie.

Non, je ne pense pas du tout à moi. En conséquence, je ne dis rien, je mijote dans un pesant silence et attends le Dr Lerner. On peut être deux à jouer son petit jeu.

— J'adore quand vous me démontrez que j'ai raison, dit-elle quelques minutes plus tard avec un sourire. (Pas un sourire heureux, un sourire qui dit *j'ai gagné*.) Je vous parle de vos mécanismes de défense, de la manière dont vous faites taire votre vie, dont vous l'entravez, et quelle est votre réaction ? Que faites-vous ? Vous faites silence.

— Mais...

— Mais quoi ? Emily, réveillez-vous. Il s'agit de votre vie, nom d'un chien. Il est temps de lui faire face. Vous n'irez nulle part, ne résoudrez rien, si vous ne vous laissez pas d'abord avoir des sentiments. Il est temps.

— OK.

— Et arrêtez de regarder cette fichue boîte de mouchoirs. Elle ne vous apportera aucune réponse.

— C'est juste que je... je ne sais pas.

— Qu'est-ce que vous ne savez pas ? Que votre maman est morte depuis quinze ans et qu'enfin, enfin vous commencez à affronter la chose ? Que vous sabotez votre vie par peur de la vivre ?

— C'est juste que. Je ne sais pas, je...

— Parlez plus fort, dit le Dr Lerner, mais gentiment maintenant. Je ne vous entends pas. Personne ne vous entend.

27.

Vingt-quatre heures se sont écoulées depuis ma dernière séance avec le Dr Lerner, et je me retrouve en pleine crise Andrew. Une torture au cours de laquelle je me le re-raconte, nuances et détails compris, avec une minutie de documentariste. Je m'aperçois maintenant que j'ai passé le plus clair de nos deux ans ensemble non pas à profiter, non ç'aurait été trop facile, mais à mémoriser, à enregistrer des morceaux choisis pour plus tard. Des morceaux à savourer quand il m'aurait quittée. Le Dr Lerner a raison : je n'ai vécu que dans la gratification différée : la cigarette après l'amour.

Sauf qu'on m'a arraché mon gilet pare-balles. On m'a forcée à regarder en long, en large et en travers cette vie que je perds sans même lui jeter un regard.

Pas « on », Emily, toi.

Regarde-la, me dis-je. *Regarde ta vie.*

C'est ce que je fais. Je la regarde tout entière, en boucle, je regarde tout ce qui me manque, tout ce que j'ai mérité de perdre.

Me manque sa façon d'embrasser mon épaule chaque fois qu'elle était nue et qu'il se trouvait à proximité. Me manque sa manière de s'éclaircir la gorge avant de boire une gorgée d'eau, et de se gratter le bras gauche avec la main droite quand il était nerveux. Me manque le geste qu'il avait pour ramener mes cheveux derrière mon oreille lorsqu'une mèche s'échappait, pour prendre ma température quand j'étais malade ou quand il s'embêtait. Ses lunettes sur ma table de nuit me manquent. Le voir faire la sieste sur mon canapé le dimanche après-midi, avec le journal posé en couverture sur l'estomac, me manque. Et ses mains, serrées l'une contre l'autre, les doigts noués, pendant son sommeil. Le débit de sa voix et ses calembours idiots me manquent. Jouer au docteur quand on faisait l'amour, et même quand on ne le faisait pas, me manque. Me manque son odeur, linge frais et miel (à cause de son shampooing), à sa place dans le lit. Linge frais et noix de coco (à cause de mon shampooing), à ma place à moi. Me manque le rap français qu'il me forçait à écouter et qu'il accompagnait avec un accent épouvantable. Me manque le « je t'aime » qu'il disait toujours à sa sœur avant de raccrocher, jamais timide ni gêné, indifférent à qui se trouvait dans la pièce. Me manque son vendredi soir idéal : DVD, traiteur chinois à même le carton et câlins sur ma couette. Me manque sa relecture des livres de son enfance, puis de mon enfance à moi. Qu'il soit le seul homme devant lequel, et avec lequel, j'aie jamais pété, et généreusement encore, me manque. Me manque qu'il n'ait jamais voulu que je me sente seule pendant les fêtes, sachant qu'elles sont un sale moment pour moi.

Plus jamais seule de toute ma vie.

Andrew me manque tellement que je m'arrête et m'effondre, la tête entre les genoux. Andrew me manque tellement que je me mets à me balancer d'avant en arrière, les bras serrés autour de moi pour que ça passe. Andrew me manque tellement que je vomis dans les toilettes, vidant d'un coup unique et violent mon corps dans la cuvette.

Andrew me manque tellement que je tire la chasse sur tout ça.

28.

À : Jess S. Stanton, jessss@yahoo.com, Ruth Wasserstein, votre-honneur@yahoo.com, Mason C. Shaw, APT, Kate R. Callahan, APT
De : Emily M. Haxby, emilymhaxby@yahoo.com
Sujet : Au secours !
OK, les gars, je vous mets à contribution. Il me faut un nouveau job et dare-dare, or je sais pas trop quoi faire avec ce diplôme de droit à la con. Toute suggestion ou idée sera la bienvenue.
Affectueusement,
Emily.

P.-S. : S'il vous plaît, rien qui suppose cuisine, sueur ou fanfreluches, ni aucune combinaison des trois.

À : Emily M. Haxby, emilymhaxby@yahoo.com
De : Kate R. Callahan, APT
Sujet : Rép : Au secours !
Peut-être que tu devrais faire psy. En parlant de ça, un énorme merci pour ton aide l'autre nuit, et pour tout ton soutien depuis. Grâce à toi, je me sens beaucoup mieux. Je commence à me dire que rompre ces fiançailles a été la meilleure décision que j'aie jamais prise...

À : Emily M. Haxby, emilymhaxby@yahoo.com
De : Jess S. Stanton, jessss@yahoo.com
Sujet : Rép : Au secours !
Meilleure amie hors pair ! Dommage que ça ne paie pas, parce que tu as déjà le poste. Je sais que ça va te paraître saugrenu, mais que dirais-tu d'un boulot d'avocate ?

À : Emily M. Haxby, emilymhaxby@yahoo.com
De : Mason C. Shaw, APT
Sujet : Rép : Au secours !
Je te propose strip-teaseuse.
Au fait, qui est cette Ruth dans tes amies ? Elle est sexy ?
On va toujours boire un pot vendredi ?

À : Mason C. Shaw, APT
De : Emily M. Haxby, emilymhaxby@yahoo.com
Sujet : Rép : Rép : Au secours !
Ruth est sexy, mais ne boxe pas dans ta catégorie. Toujours d'accord pour le pot. Le strip-tease exige souvent et fanfreluches et sueur. La prochaine fois, lire attentivement les consignes.

À : Emily M. Haxby, emilymhaxby@yahoo.com
De : Ruth Wasserstein, votrehonneur@yahoo.com
Sujet : Rép : Au secours !
Désolée de ne pas avoir été des vôtres pour Thanksgiving, mais j'ai pris du bon temps à Washington avec mes petits-enfants. Quoi qu'il en soit, il est temps que tu t'occupes de retrouver un emploi. J'ai des idées formidables, mais je les garde pour moi tant que je n'ai pas passé quelques coups de fil.
Au fait, j'ai encore flanqué une raclée à Jack au poker.
J'ai gagné trente dollars !

29.

— Quand elle annonce qu'elle a envie de tirer une « taffe », est-ce que Bridget veut dire qu'elle a envie de coucher avec un *gay* ?

Maryann, une toute petite bonne femme ridée comme un raisin sec, avec une tache de rouge à lèvres écarlate sur la bouche, pose la question aux autres membres de mon club de lecture octogénaire.

— Je trouve le terme très déplaisant. Mon petit-fils est gay.

— Je ne savais pas, Maryann. On devrait lui arranger quelque chose avec mon Walter. Il a fait son *coming-out* au moins de juin, répond Shirley en s'emparant d'une serviette en papier pour y inscrire le numéro de téléphone de son petit-fils.

Shirley est davantage pruneau que raisin sec : elle porte son poids en plein milieu du corps. On dirait qu'il a gardé un rembourrage supplémentaire rien que pour tenir ses organes au chaud.

Nous sommes six, cinq femmes dans les quatre-vingts ans – quoique je soupçonne Shirley d'avoir largement dépassé les quatre-vingt-dix – et moi, attablées dans notre petit restau habituel, à papi Jack et à moi. Nous sommes là depuis une demi-heure à peine, et je suis déjà amoureuse de chacune d'elles, sans exception. Leurs cheveux sont teints dans des couleurs improbables, des jaunes, des rouges, des bleus, et laqués de manière à former un ballon autour de leurs visages.

Le parfum collectif du groupe est lourd et se mêle aux odeurs du restaurant, âcre mélange de talc et de bacon.

Jusqu'alors, le repas lui-même ne s'est pas déroulé sans heurts. Elles sont trois à avoir renvoyé leur soupe : deux parce qu'elle était trop froide, une parce qu'elle était trop salée. On a baissé la climatisation, puis on l'a remontée. Le restaurant est trop bruyant, notre serveur trop lent, les portions trop importantes. Chose étonnante, leur côté tracassier n'a rien d'agaçant : c'est un soulagement de se retrouver avec des gens qui ont choisi d'abandonner la politesse sociale. Il y a belle lurette qu'elles ont fini de jouer la comédie et de filtrer leurs pensées avant de parler.

J'ai lu le *Journal de Bridget Jones* il y a quelques années, mais je ne suis pas ici pour discuter du livre. Mais à cent pour cent pour la compagnie, si loufoque soit-elle. J'ai envie de poser ma tête sur leurs genoux, de les prier de me caresser les cheveux et de me raconter leurs vies. Leurs amours perdues et retrouvées. Et sans doute à nouveau perdues. Ont-elles déjà été fatiguées au point de ne pas bouger du canapé ? Ont-elles déjà vomi de chagrin ? Ont-elles peur de mourir ?

Je me demande si elles ne trouvent pas étrange ma présence parmi elles, d'autant qu'elles savent à présent que je ne suis même pas parente avec Ruth. Mais, apparemment, je suis la seule chose qui ne les dérange pas. Non, elles me prennent pour une représentante de tout ce qui est jeune, une porte-parole de ma génération. Du coup, je regrette qu'en définitive elles n'aient pas choisi la biographie de Margaret Thatcher. Je n'ai pas envie de parler du marasme des « célibattantes », des mœurs des filles dans *Sex and the City*, ni même de cette Bridget délicieusement fleur bleue. J'ai déjà ressassé tout ça avec mes amis. Non, je veux savoir ce que ça fait d'être à l'autre bout de sa vie, quand les choix sont faits. Je veux qu'elles, elles m'apprennent quelque chose, pas l'inverse.

— Tirer une taffe, c'est tirer une bouffée d'une cigarette, dis-je. C'est une expression argotique.

— C'est sûr, Bridget fume beaucoup. Vos amies fument-elles autant qu'elle, Emily ? me demande Shirley, dont la voix rocailleuse trahit des années passées à téter des Winston.

Elle sort son portable, ouvre le clapet d'un coup sec, puis le referme. J'ai remarqué qu'elles font toutes ça, l'appareil étant visiblement une distinction honorifique chez les seniors.

— Pas vraiment, dis-je.

C'est la vérité, pourtant je crois que, même si elles avaient fumé, j'aurais menti. Je veux faire bonne impression.

— Et la boisson ? Vos amies boivent tant que ça ? fait encore Shirley en sifflant son café comme on siffle une vodka.

Cette femme doit en avoir à raconter. Je l'imagine à vingt ans, traînant dans l'arsenal en fumant de longues cigarettes, dans l'espoir de séduire un jeune et bel officier vêtu d'un uniforme empesé.

— Certaines boivent. Mais la plupart de mes amies font de longues journées au bureau, elles n'ont donc pas trop le temps.

— Pardon de vous poser toutes ces questions, dit Maryann. C'est juste qu'on a choisi ce livre pour voir ce que c'est d'être jeune aujourd'hui.

— Et aussi parce que Colin Firth est magnifique, complète Shirley.

— Je suis heureuse que ça finisse bien pour Bridget, reprend Maryann. (Elle se sourit à elle-même, puis se remet du rouge, ce qui a pour effet de tenir son sourire en place.) J'aime quand ça finit bien.

— Moi aussi, renchérit Shirley en fermant les yeux.

Dans sa tête, elle s'évade vers des jours meilleurs, des jours d'avant la maison de retraite de Riverdale. Peut-être voit-elle un officier bien précis et lui fait-elle l'amour à l'arrière d'une Chevrolet.

— Et vous, vous avez un petit ami, Emily ? me demande Maryann ; alors toutes les femmes se tournent d'un coup vers moi, la curiosité palpitant sous leur peau.

Ce qu'elle veut savoir, en réalité, c'est dans quelle catégorie je me situe : catégorie en chasse ou déjà prise ?

Si seulement c'était aussi simple. Ni l'un ni l'autre, ai-je envie de répondre. Je me donne un F sur mon bulletin. F comme « fouteuse de merde ».

— Parlons plutôt du bouquin, les filles, intervient Ruth. Et arrêtez de mettre Emily sur le grill.

Elle connaît une grande part de l'histoire Andrew et sait que le sujet est toujours douloureux. Douloureux étant, bien entendu, l'euphémisme du siècle. Mes coutures ont cédé, et mes boyaux se sont répandus sur l'autoroute. J'en suis toujours à ramasser mes morceaux et à les assembler.

— Ça ne fait rien, dis-je. J'ai eu un petit ami, mais on a rompu il y a quelques mois. J'imagine donc que, maintenant, j'ai un ex. C'est dur. Mais c'est ma faute. C'est moi qui ai cassé, alors je ne devrais pas me plaindre.

— Ma pauvre chérie, je suis désolée. Je n'aurais pas dû être indiscrète, répond Maryann en pliant sa serviette sur ses genoux avec un air guindé. Alors... qu'est-ce qui s'est passé ?

— Maryann ! s'écrie Ruth.

— Est-ce que c'était le « grand amour » ? demande Shirley en se penchant.

— Je ne sais pas. Vous y croyez, vous, au « grand amour » ?

— Moi non, dit Ruth.

— Comment ça ? s'exclame Maryann. Tu as été mariée pendant plus de cinquante ans !

— Exact, mais je le sais rétrospectivement. Je sais qu'Irving était le grand amour aujourd'hui, parce qu'on a passé cinquante-trois ans ensemble. Mais il n'y avait aucune prédestination là-dedans. Et je suis incapable de vous dire à quel moment il a cessé d'être l'adorable Irving, le Irving sur qui on pouvait compter, mon époux pharmacien de Bensonhurst, pour devenir le grand amour. Ça ne s'est pas fait du jour au lendemain.

— Bien sûr, repartit Shirley. Mon Stan, je l'ai aimé plus que j'ai jamais imaginé aimer un être humain, mais au début ce n'était pas si évident. J'ai failli le quitter un paquet de fois. Un jour, j'ai mis les gosses et toutes mes affaires à l'arrière du break, et je suis partie pour la Floride. Je suis allée jusqu'à l'autoroute et je l'ai appelé d'un téléphone public sur une aire de repos. À l'époque, je n'avais pas de portable. C'est drôle, je ne pourrais même pas vous dire pourquoi on s'était disputés. Morale de l'histoire, quiconque vous dit que c'est facile ment comme un arracheur de dents.

— Moi, je n'ai pas encore trouvé le grand amour, dit

Maryann. Son ton est décidé, et je me demande si c'est la première fois qu'elle prononce ces mots-là.

— Et machin-truc, ton mari ? fait Shirley, pas du tout gênée de ne pas se rappeler le nom du défunt mari de sa meilleure amie.

— Ah ça non. Je l'ai épousé parce que je vieillissais, qu'il m'a demandée en mariage, et que ma mère m'a conseillé d'accepter. C'était un brave homme, seulement... (Maryann fait une pause avant d'ajouter en aparté : *Pas très éveillé*). Mais ne vous inquiétez pas pour moi, je n'ai pas interrompu les recherches. Et je me fiche qu'ici le ratio homme/femme soit de un pour deux. Je suis toujours un bon plan.

Nous éclatons de rire avec Maryann, mais c'est un rire approbateur : pour quelle raison devrait-elle arrêter ses recherches ? Peut-être que, pour elle, le *happy end* viendra effectivement en son heure, à la fin.

— Moi, je suis à moi-même mon propre grand amour, dit Betty, une femme qui n'est guère entrée dans la discussion, peu disposée à démolir ou encenser Bridget, comme nous l'avons toutes fait. Je l'ai toujours été, je le serai toujours. Et ça me plaît comme ça.

— Moi, j'en ai eu deux ou trois, des grands amours, fait Shirley en riant. À mon avis, tous ceux qui rendent heureuse comptent. Et quelques-uns m'ont rendue heureuse dans le temps.

Elle ferme à nouveau les yeux, et j'imagine que, cette fois, elle voit plus que la banquette arrière d'une Chevrolet. Elle les rouvre au bout d'un moment et pousse un soupir. Ses souvenirs font monter en elle une bouffée de plaisir, son visage s'empourpre.

— Je ne sais pas vous, dit-elle. Mais moi je tirerais bien une taffe.

30.

Nous nous sommes parlé presque chaque jour, mais je n'ai pas vu Kate depuis deux semaines, depuis qu'elle a fait irruption devant ma porte sans chaussures. Aujourd'hui, dans son bureau, elle a les cheveux brillants et la peau mate. Ses vêtements sont impeccables, ajustés et monochromes. Pas une tache, pas un pli, pas une miette. Elle n'est pas cette femme qui vient de rompre ses fiançailles. Elle n'est pas cette femme qui travaille quatre-vingts heures par semaine pour oublier un dénommé Daniel. Elle est quelqu'un d'enviable, quelqu'un à côté de qui on passe dans la rue en pensant : *Ça ne me déplairait pas d'être elle.*

— Tu ne vas pas le croire, fait-elle comme si nous étions déjà au milieu d'une conversation.

Elle ne semble pas remarquer que je ne travaille plus au bout du couloir.

— Que se passe-t-il ? dis-je.

— Attends un instant. Qu'est-ce que tu fiches ici ? me demande-t-elle avant de se lever pour m'accueillir dans les règles de l'art.

Je l'observe à la dérobée, histoire de voir si cette Kate nouvelle formule n'est pas juste une illusion.

— Je vais boire un verre avec Mason ce soir, je passais voir si tu vas bien et si tu ne voulais pas nous accompagner.

J'essaie d'accrocher son regard. J'espère qu'elle va bien. J'espère qu'elle ne s'écroule pas dès que la porte est refermée.

— Non, merci, j'ai du boulot. Mais je vais bien, vraiment. Pas fantastiquement bien, mais c'est en bonne voie. Quand tu sais que tu as pris la bonne décision, ça facilite les choses. Et puis je crois que Daniel aussi est soulagé.

L'espace d'un instant, elle m'apparaît triste et pensive ; je vois qu'elle dit la vérité. L'image qu'elle donne d'elle correspond donc à la fois à la réalité et à ce qu'elle voudrait montrer.

— Alors, qu'est-ce que je ne vais pas croire ? lui dis-je.

— Carl est viré.

— Sans blague ?

— Les associés l'ont annoncé il y a environ une heure. J'allais t'appeler, mais je me suis fait coincer dans une réunion. Bon, ils n'ont pas précisément dit qu'il était viré. Ils ont dit qu'il quittait le cabinet, mais tout le monde sait ce que ça signifie. Je suis si heureuse de ne plus jamais devoir bosser avec lui, ajoute Kate en allant se rasseoir derrière son bureau, comme si, maintenant, on parlait boulot. Par conséquent, merci, conclut-elle.

— De quoi me remercies-tu ?

Elle me répond par un regard qui dit *allez, pas à moi*, regard que je lui retourne avec un demi-sourire.

— Et que se passe-t-il pour Synergon ? Carl les emmène comme clients ?

Je me rappelle, il n'y a pas si longtemps je prenais la déposition de M. Jones et lui posais des questions sur le régime alimentaire de sa femme disparue. Aujourd'hui cette idée me fait honte.

— Pas du tout. C'est Miranda qui reprend le dossier. Elle a convaincu Synergon que, puisqu'ils avaient eu mauvaise presse ces derniers temps, il serait bon pour leur image d'être représentés par une lesbienne noire. De montrer qu'ils soutiennent la diversité culturelle. En tout cas, le mieux, c'est qu'elle les a forcés à raquer, et qu'elle a réussi un coup fumant. Avec sept zéros au bout.

— Tu ne peux pas savoir à quel point ça me fait plaisir. Il est finalement sorti quelque chose de bon de mon départ ? Carl est parti ? Pour de vrai ?

— Ouais. Pour de vrai. Il a quitté les bureaux. *Adios amigo,* répond Kate en se frottant les mains dans un geste qui signifie « bon débarras », puis elle vient m'embrasser sur la joue pour me dire au revoir. J'aimerais fêter ça avec toi, mais j'ai une conférence téléphonique. On se voit bientôt ?

— Bien sûr.

— Em, je t'aime ! me lance-t-elle à la porte de son bureau, avant de se précipiter dans le couloir, haut les cœurs, et de me laisser derrière elle, confortablement installée dans le fauteuil visiteur standard de chez APT.

Ayant quelques minutes à tuer avant de retrouver Mason, je prends le chemin le plus long pour me rendre à son bureau et fais courir mes doigts le long des murs tout en marchant. Rien n'a changé ici, semble-t-il : les effluves de pop-corn brûlé en provenance du local à café, le ronflement et le cliquetis des photocopieuses, les associés qui demandent à leurs secrétaires de prendre/annuler/confirmer des réservations, et les collaborateurs, tête baissée sur d'interminables papiers, refusant de lever les yeux pour voir passer la vie.

Ça me fait du bien d'être ici, ne serait-ce qu'afin de ne pas oublier pourquoi je suis partie.

Je m'arrête aux toilettes, juste en souvenir du bon vieux temps. Il y a une femme en mocassins noirs dans mon cabinet préféré, alors je flâne aux lavabos en attendant qu'elle sorte.

— Emily.

— Carisse ?

Sans talons et vêtue d'une longue jupe paysanne noire, Carisse a l'air minuscule. L'air d'une amish aussi.

— Qu'est-ce que c'est que cette tenue ? T'as oublié ta coiffe à la maison ? J'ai failli ne pas te reconnaître.

Elle lève les yeux vers moi, et je vois son visage bouffi et barbouillé comme celui de quelqu'un qui vient de passer une heure à pleurer dans les toilettes. Un look habituel chez les collaborateurs de ce cabinet.

— Pardon, lui dis-je. Tout va bien ?

— Tu dois te réjouir, je parie.

— Comment ?

— Tu es venue pour fanfaronner sur le dos de Carl ? Pour qu'on te dise *bravo, beau boulot, Emily* ?

Son ton est neutre, sa question n'a rien de rhétorique.

— Non, je passais juste saluer quelques personnes.

— Pourtant, tu devrais fanfaronner. Profites-en.

— Je ne fanfaronne pas.

— Vas-y. Je ne te ferai pas de reproches. Tu n'as qu'à le dire.

— Je n'ai rien à dire.

— Mais tu le penses. Comment ai-je pu être aussi bête ? C'est ça que tu penses, pas vrai ? Franchement, qu'est-ce que je croyais ?

— Je ne sais pas ce que...

— Comment Carisse peut-elle être bête à ce point ?

— Tu n'es pas bête.

— Oh, si je le suis. Et tu veux savoir le comble du ridicule ? C'est que j'en suis tombée amoureuse. Raide dingue. Hier soir, il m'a laissé un message pour me dire que c'était fini. Se faire plaquer sur boîte vocale ! Et aujourd'hui, il part sans même me dire au revoir. Pauvre mec. Mais qu'est-ce que j'attendais d'un type qui trompe sa femme enceinte ?

— Je suis désolée.

— C'est un tel cliché. Regarde-moi bien. Mesdames et messieurs, voilà ce que c'est qu'un cliché.

Elle exécute une révérence, et la vulnérabilité du geste et de ses yeux suppliants me fait pitié.

— C'était un mauvais choix, rien de plus.

— Cette réponse est un cliché. Tout à fait adapté à la situation.

— Je ne sais pas ce que tu veux que je dise.

— Ne dis rien.

— D'accord, je ne dis rien.

— Je n'ai pas couché avec Andrew. Maintenant tu le sais. Je ne ferais pas une chose pareille.

— D'accord. Je veux dire, c'est bien. Enfin... merci de me dire ça.

— Oui.

Ses larmes ont cessé de couler, et elle s'essuie le visage avec une serviette en papier humide.

— Ça va aller ?

— Je m'en remettrai.

— Je suis navrée, Carisse. Vraiment navrée.

— Oui, tu as raison. J'ai fait de mauvais choix.

— On en fait tous.

— On dirait vraiment qu'il ne me manque que la coiffe ?

— Un peu. (Je lui souris d'un air contrit.) Ça te change.

— Merci beaucoup, répond-elle en laissant échapper un petit rire. Tu sais, ça doit être la plus longue conversation qu'on ait jamais eue.

— On devrait peut-être la reprendre un de ces quatre.

Carisse n'est plus sur la défensive et il n'y a plus trace de sarcasme dans ses propos.

— Oui, j'aimerais bien.

— Moi aussi, dis-je, mais sans être sûre de le penser.

— Emily ! Mon grand amour perdu, fait Mason alors que je manque de le renverser en me jetant dans ses bras. Je suis si heureux de te voir.

— Moi aussi, je suis heureuse, Mason, lui dis-je avec un sourire radieux.

— Oui, c'est ça. Je parie que, si tu souris, c'est juste parce que tu as appris la nouvelle pour Carl.

Mason m'embrasse sur la joue et m'emmène vers les ascenseurs. En marchant, je le vois de profil. Comme d'habitude, il a l'air astiqué, rasé et tout frais sorti de la douche, même après une journée de travail. Bizarrement, les cheveux sur sa nuque sont mouillés, alors que son col est sec.

Une fois en bas, je vois Marge au portique de sécurité. Elle n'était pas devant son tabouret de bois quand je suis arrivée. Mon cœur s'emballe un peu car je sais qu'elle ne va pas me saluer. Son clin d'œil, le dernier jour, faisait un bon point final ; je regrette de n'avoir pu rester là-dessus.

— Bonjour, dis-je.

— Merci, répond Marge de but en blanc, et je crois avoir une hallucination auditive.

Non, je n'ai pas rêvé, car Marge me barre la route avec sa matraque. *Elle croit que je présente un risque pour la sécurité ?*

— Pardon ?

— Je veux vous dire merci pour avoir fait virer ce salopard de Carl.

Je reste sans voix. *D'où sort cette femme ? FBI ? CIA ? Services secrets britanniques ?*

— Pardon ?

— Ce salaud m'a pincé les fesses tous les jours pendant dix ans, fait-elle en me laissant passer. Soit, en tout, deux mille quatre cent trente-deux fois. Je le sais, je les ai comptées.

— Vous les avez comptées ?

— Oui, je les ai comptées.

— Pourquoi n'avoir rien dit ?

— J'ai les études de mes deux gamins à payer.

— Deux mille quatre cent trente-deux fois, ça fait beaucoup. Beaucoup de main aux fesses.

— Oui, ça en fait pas mal. Alors, merci. Mes fesses aussi vous remercient, sincèrement.

— Eh bien, Marge, dis-je en souriant, vous direz à vous-même, et à vos fesses, que c'était un plaisir.

Je franchis le portique, puis me ravise. Je m'aperçois soudain qu'il me faut encore une chose d'elle, une seule chose. Elle aussi, elle y est prête apparemment, elle a déjà la main tendue.

Et pendant l'heure qui suit, j'ai la main cuisante d'avoir frappé dans la sienne.

Mason et moi allons prendre un verre à l'hôtel Royalton, accessible à pied depuis APT. Bien que nous soyons en plein centre-ville, l'endroit a un charme qui mêle minimalisme et Vieil Hollywood, et il est très chic d'être assis là, à siroter une coupe dans une robe sexy. Tous les fauteuils sont blancs, ce qui ajoute le frisson du danger à cette expérience, car ce que je bois a une couleur rouge sang.

Nous portons un toast au départ de Carl et à ma rencontre avec Marge, puis, sans demander le détail de ce qui s'est passé, Mason dit :

— Tu as bien fait.

Je suis soulagée que les détails ne l'intéressent pas ; la vérité est moins proche de l'exploit que de la solution de facilité. Nous portons un autre toast à nous-mêmes, après quoi je bois au costume de Mason, qui est bleu marine, à fines rayures, bref parfait. Avant que j'aie le temps de m'en rendre compte, nous en sommes déjà à la deuxième tournée, et les picotements dans mes bras me disent que je commence à être pompette.

— J'ai rompu avec Laurel, dit Mason.

Je n'en suis guère étonnée. Côté rapports amoureux, Mason est un hyperactif avec troubles de l'attention.

— Que s'est-il passé ?

— Je ne sais pas. Je lui ai dit que je ne voulais plus la voir. Elle était gentille et tout et tout, mais elle manquait de mordant, tu comprends ?

Maintenant Mason me regarde, il me dévisage vraiment et, pour la première fois ce soir, je me demande si je ne suis pas en plein rendez-vous galant. Il nous est déjà arrivé de prendre un verre en tête à tête, mais il a toujours été clair que nous n'étions qu'amis. Je ne sais pas pourquoi, ce soir, j'ai une impression différente. Nous sommes tous deux célibataires, mis sur notre trente et un, et en train de flirter. Une équation dans laquelle le sexe arrive toujours à s'immiscer.

— Oui, je comprends. (Je plonge les yeux dans mon verre. Je me sens nerveuse, je me demande si je rougis. Je pense : *Ce n'est que Mason. Du calme.*) Comment a-t-elle réagi ?

— Je ne crois pas qu'elle m'enverra ses vœux à Noël.

La serveuse vient nous demander si nous désirons autre chose.

— Un cosmopolitan pour moi et un martini pour monsieur. S'il vous plaît, rajoutez des olives, il en a besoin, dis-je avec mon plus bel accent sudiste. Il vient de briser le cœur d'une malheureuse.

— Tu vois, c'est ça qu'il me faut. Un petit peu de mordant.

Il se rapproche. Je sens mon estomac dégringoler, comme

quand un bel homme vous regarde avec l'air de vouloir vous dévorer toute crue.

— Ah oui ? dis-je, assez bêtement.

Est-ce que j'ai envie de ce plan ? Mason n'est pas le genre de gars avec qui on risque de *détruire une amitié.* Qui plus est, il est vraiment séduisant et a cette masculinité flagrante – large poitrine, phalanges poilues et manières médiocres – qui me fait m'imaginer qu'il baise comme un cow-boy. Rien que d'y penser, je suis tout excitée.

Je me force à le regarder dans les yeux et à poursuivre le petit jeu qu'il a entamé. Peut-être est-ce ce qu'il me faut pour oublier Andrew. L'effacer et me remplir de quelqu'un d'autre. Peut-être que, si j'écoute les singularités de Mason, si je les respire, si je m'en imprègne, j'oublierai celles d'Andrew. La bonne vieille méthode Coué.

Mon corps ne fera pas la différence.

Il se penche encore davantage, comme pour souligner ses intentions. Moi aussi, je me penche, comme pour dire *c'est peut-être pas une mauvaise idée.* Je bois une gorgée. Mason boit une gorgée. Nos regards restent rivés l'un à l'autre, et ça me plaît d'être cette fille-là, pour changer. Quelqu'un qui se lâche de temps en temps. Quelqu'un qui fait des choix inattendus. *Vas-y, fonce,* me dis-je. *Vis un peu.*

Ses genoux effleurent accidentellement les miens sous la table, mais il ne s'excuse pas. Nous parlons de ce que je vais faire, de la nécessité de trouver un travail, mais la conversation n'a rien de sérieux. Nous évoquons des carrières de rêve : goûteuse de glaces, rédactrice pour des voyages de luxe, et Mason ne cesse de revenir au strip-tease.

— Ce serait dans une boîte de grand standing, dit-il, cela va de soi.

Je fais courir mes doigts sur le bord de mon verre. Il les regarde tracer des cercles et ajoute :

— Ça te ferait tous les jours une bonne raison de porter cuissardes et résille. Voilà des habits qui respirent, conclut-il en fermant les yeux, comme s'il imaginait la scène.

J'éclate de rire et lui donne une tape sur le bras. Il attrape ma main et la garde une seconde de trop entre les siennes.

Puis il nous commande encore un autre verre, et je ne l'arrête pas. Un verre de plus, et je serai à la frontière entre pompette et complètement saoule, j'ai hâte de la franchir.

— Essaierais-tu de me pinter, Mason Shaw ?

Je pose la question d'une voix que j'espère futée et pas stupide.

— Oui, m'dame, réplique-t-il. Tu sais, tu m'as manqué au boulot ces derniers temps. Sans toi, ce n'est pas la même chose.

— Merci. Toi aussi, tu m'as manqué. Je viens de passer deux semaines dingues.

— Qu'est-ce que tu as fabriqué ?

Je réfléchis un instant avant de répondre. Absolument rien, et tout. Mon canapé et Thanksgiving. Le Dr Lerner et papi Jack. Souffrir du manque d'Andrew. Avoir l'impression d'être à tout moment sur le point d'imploser, que mes boyaux vont lâcher, s'effondrer. L'apothéose après des années d'érosion. Mais, bien sûr, je ne dis rien de tout cela à Mason. Il n'est pas du genre à comprendre une implosion émotionnelle. En revanche, il est du genre à comprendre qu'on fasse l'amour pour oublier quelqu'un. En fait, il serait même du genre à encourager cette démarche. Alors je réponds :

— Pas grand-chose. Trop regardé la télévision.

Encore une heure ou deux, et nous sommes saouls l'un et l'autre, nous rions et sautons sur tous les prétextes pour nous toucher. Mason touche mes cheveux, mes doigts, mon genou. Je touche son épaule en me levant pour me rendre aux toilettes, la touche encore en revenant. Je me sens à la fois floue et hyperconsciente. Comme si le corps de Mason était une partie de la conversation, le signe de ponctuation qui rythme notre danse assise.

La note arrive, et je propose d'en payer la moitié, mais il balaie mon geste en me frôlant l'intérieur du poignet. Il me rappelle que je suis sans emploi, et ça nous fait rire, parce que, pour une raison ou pour une autre, c'est drôle. Nous quittons le Royalton en pouffant, stupéfaits de n'avoir rien renversé sur les fauteuils blancs. Présumant que tout le monde partage notre ivresse, nous sourions aux gens en sortant du bar. Je ne regarde pas pour voir s'ils nous retournent nos sourires.

La main de Mason est posée sur ma hanche.

Nous grimpons dans un taxi, sans évoquer le fait que nous habitons dans deux directions opposées. Mason me dit d'indiquer mon adresse au chauffeur. Je le fais et, avant que j'aie compris ce qui se passe, nous sommes devant chez moi, il me tient la main et me guide à l'intérieur de l'immeuble.

— Tout va bien, Emily ? me demande Robert, montant la garde, comme à son habitude.

— Très bien, merci, dis-je en m'efforçant de ne pas avoir l'air ivre. Voici mon ami Mason. Un collègue de travail.

— Ravi de vous rencontrer, monsieur, fait Robert en lui serrant la main.

De l'œil, il évalue le costume de Mason, lui trouve un air suffisamment professionnel et nous laisse entrer.

Avant de pénétrer dans l'ascenseur, nous lui disons en chœur :

— Bonne nuit.

Soudain, une fois enfermée dans cette boîte, je suis tendue et déjà à demain matin, à l'après-cuite. Nous sommes adossés l'un face à l'autre, et Mason me sourit, un de ces sourires entendus qui disent *je meurs d'impatience de te voir toute nue.* Mais il ne m'embrasse pas encore, et je lui en suis reconnaissante. J'ai besoin d'une seconde pour recouvrer mon sang-froid. Voir Robert qui nous a salués, Andrew et moi, pratiquement tous les soirs pendant deux ans, me fait me demander si, en fin de compte, c'est une si bonne idée.

Tu peux le faire, Emily. Regarde-le donc. Il est délicieux.

Nous entrons dans mon appartement, c'est-à-dire dans ma chambre, vu que j'habite un studio. Avec Mason dedans, il a l'air plus petit, et bien que nous soyons toujours à l'opposé du lit, j'ai l'impression qu'on est encore trop près. Je voudrais qu'il y ait plus d'espace entre lui et nous.

— Tu veux un dernier verre ? dis-je.

— Non merci, chééérie, répond Mason en s'approchant de moi ; trente centimètres à peine nous séparent.

Il enroule un bras autour de mon dos et m'attire plus près,

nos visages se touchent presque. *Nous allons nous embrasser. Je suis sur le point d'embrasser Mason.*

Mais non, toujours pas, enfin pas encore. Il s'efforce d'abord de capter mon regard, de voir si je suis d'accord, mais je suis incapable de lever les yeux. Au lieu de cela, je fixe ses lèvres qui, à tout instant, vont effleurer les miennes.

Alors nous nous embrassons, très légèrement au début. Il s'y prend à merveille. Il opte pour les tout petits baisers, des petits baisers enjôleurs. Ses lèvres frôlent les miennes, il garde la bouche fermée, donc moi aussi, et ils me chatouillent, ces petits bisous. Puis, comme il se doit, nos baisers se font plus intenses, nos langues se mettent de la partie. Je ferme les yeux ; je n'ai plus besoin de regarder ses lèvres pour savoir où elles sont.

C'est une erreur. Non, pas le baiser, le fait de fermer les yeux. Ça me désoriente, c'est Andrew que je vois derrière mes paupières. J'embrasse Mason avec davantage de fougue, pour faire disparaître Andrew, son image et son nom, tout, j'écrase mes lèvres contre celles de Mason. Je me dis qu'Andrew est probablement en train d'embrasser quelqu'un en ce moment même, à quelques stations de métro d'ici, et que je n'ai aucune raison de me sentir ni coupable ni triste.

Il m'a dit de lui ficher la paix. Je suis en train de lui ficher la paix.

Alors je continue d'embrasser Mason, mais, maintenant, les yeux grands ouverts. Je l'observe pendant le baiser, c'est un gros plan, un plan clinique. Je vois les poils superflus au niveau des sourcils et un grain de beauté sous la pommette droite. *Concentre-toi sur ce grain de beauté. C'est charmant. Concentre-toi sur ça.*

Il ouvre les yeux et constate que je le dévisage, alors il cesse de m'embrasser et recule d'un pas. Il lui faut un instant pour reprendre son souffle, retrouver ses mots.

— Tu veux le faire ? me demande-t-il sans colère, doucement.

Je décide de continuer, enfin de continuer avec lui – c'est ce qu'il faut –, alors, en guise de réponse, je me penche vers lui, pose mes lèvres sur les siennes, et nous nous embrassons encore.

— Emily.

Il fait deux ou trois pas en arrière. Nous nous regardons dans les yeux, les siens disent : *Pas comme ça. Je ne te veux pas comme ça.*

— C'est Andrew ? fait-il, bien qu'il connaisse déjà la réponse.

Je hoche la tête, je me dégoûte trop pour parler. Pourquoi ai-je embarqué Mason dans un plan pareil ?

— Oh, Em, dit-il en me voyant au bord des larmes. (Il m'attire contre lui, mais son étreinte est amicale.) Je ne savais pas. Sinon, je n'aurais jamais...

— Je sais.

— C'était juste histoire de se donner du bon temps.

— Non, c'était pas ça. Je veux dire, pour moi. Enfin, tu n'y es pour rien. Pardon, Mason. J'ai cru que je pourrais. Et on se serait...

— Oui ?

— Oui, on se serait donné du bon temps.

Une larme s'échappe, qui vient atterrir sur sa veste de costume.

— C'est dommage, pas vrai ? fait-il d'une voix sonore, presque trop sonore pour la pièce vide.

— Qu'est-ce qui est dommage ?

— Ça. Il y a des années que j'espère te mettre dans mon pieu, chéééérie.

Et il éclate de rire, faisant se volatiliser tout soupçon de sensualité, il ne reste plus que nous, mon vieil ami Mason et moi.

— Sans blague ! Au fait, où as-tu appris à embrasser comme ça ? Tu es un pro.

— Je sais. Les filles me le disent depuis toujours. Je crois que je devrais breveter ma technique.

— Merci, Mason. Je veux dire, merci de comprendre.

Gênée, je porte la main à mes lèvres.

— Pas de problème. Les amis sont là pour ça, non ? répond-il en effleurant un chapeau imaginaire, toujours galant cow-boy. Seulement maintenant que tu m'as bien agacé, si tu me filais le numéro de cette nouvelle copine à toi. Ruth, c'est ça ?

— Désolée, Ruth ne donne pas dans le téléphone rose. Mais attends un peu. J'ai une idée. (J'emporte l'appareil dans la salle de bains, passe un rapide coup de fil et reviens avec un bout de papier.) Tu te souviens de mon amie Jess, dont tu me demandais tout le temps des nouvelles ?

— La grande blonde sexy ? C'est elle ? fait Mason, et je lis l'excitation dans ses yeux.

Ils m'ont tous deux avoué leur envie de coucher ensemble, mais ce n'était jamais le bon timing.

— Vas-y, dis-je en lui tendant l'adresse de Jess. Maintenant. Elle t'attend.

— Vraiment ?

— Vraiment.

— Chéééérie, je t'adore, conclut Mason en déposant un baiser sur ma joue.

Et, avant que j'aie eu le temps de répondre quoi que ce soit, il a déjà franchi la porte, en route pour coucher avec ma meilleure amie.

Je tiens à préciser ici que je suis pour le sexe libre, de la même manière que je suis pour les psychotropes, l'euthanasie et le droit à l'avortement. Je veux pouvoir en disposer, comme le monde entier, mais aimerais autant ne pas avoir à m'en servir. Coucher avec Mason ce soir aurait pu être une bonne idée, au moins sur le plan statistique. Mon score aurait grimpé à cinq, ce qui est un peu plus honorable et un peu moins embarrassant que quatre (même si les doigts d'une main suffisent toujours), vu qu'à vingt-neuf ans, les années au cours desquelles j'aurais dû connaître plein de nuits inoubliables avec une foule d'hommes intéressants sont déjà derrière moi.

Seulement il y a un hic. Le sexe libre n'est pas mon truc. (Je ne parle pas de l'activité elle-même, de ce côté-là je suppose être dans la moyenne, ni meilleure ni pire qu'une autre, mais sans doute pas aussi douée que Jess, qui a beaucoup plus d'entraînement et prépare ça comme l'examen du barreau. Elle fait des fiches.) Si j'avais couché avec Mason, demain matin je me serais réveillée en me demandant si ça avait un sens, et pour moi ça en aurait eu un, même si je ne sais pas lequel, alors que, pour lui, pas tant que ça sans doute. À l'échelle de l'univers, ou plutôt dans mon microscopique bout d'univers à moi, le fait que nous couchions ensemble n'a aucune importance. Et ce, quels que soient les talents déployés par Mason, puisque l'événement n'aurait probablement pas figuré dans mon autobiographie. Si je ne dois pas m'en souvenir quand j'aurai l'âge de Ruth et que je jacasserai avec d'autres vieilles dames dans la maison de retraite de Riverdale, alors ça ne vaut pas le coup de se tracasser aujourd'hui.

Mais il y a un autre hic : je suis une hypocrite ; même en sachant que coucher avec Mason n'avait aucun sens, j'y aurais pensé, je me serais fait du souci, posé des questions, sur Andrew et sur Mason, sur Mason et sur Andrew, sur moi et le sexe, et comment j'étais, et est-ce qu'on va le refaire, et est-ce que c'était vraiment un adieu à Andrew, et est-ce que je serais aussi accommodante la deuxième fois, et est-ce que je sentais bon. Or je n'ai pas l'énergie qu'il faut pour ça. Par conséquent, en ce qui me concerne, le sexe libre ressemble fort aux produits laitiers. Une pas si bonne idée quand on a des problèmes de digestion.

Une fois Mason parti, je me couche au milieu de mon lit, fixe le plafond et fais mentalement la liste des choses que je comprends. Deux moins un égale une. Je suis dans mon appartement parce que j'ai pris un taxi, l'ascenseur, ouvert la porte, embrassé Mason et fait quelque chose qui l'a fait partir, donc maintenant je suis ici toute seule. Deux moins un égale un. Ce bruit, c'est la chasse d'eau qui fuit car je n'ai pas appelé le plombier pour la réparer. Demain, je me réveillerai après avoir un peu dormi, mais pas tant que ça, ni si bien, et j'aurai mal à la tête, déshydratée à cause des six cosmopolitans que j'ai bus ce soir. Papi Jack est en train de disparaître parce que les cellules nerveuses de son cerveau meurent les unes après les autres, ce qui arrive à une personne sur dix avec l'âge. Ruth compte peut-être parmi les neuf autres, les neuf personnes non touchées, encore qu'on ne sait jamais : les pourcentages, ça ne marche pas comme ça. Andrew est sans doute au lit, peut-être avec une autre, mais vraisemblablement chez lui, à une course en taxi ou un bon trajet de métro d'ici. Assez loin pour que je ne puisse pas l'entendre. Deux moins un égale une. La femme de Carl porte des jumeaux dans son ventre parce que le sperme de son mari a fécondé son ovule, lequel s'est divisé, et ces choses-là arrivent indépendamment du fait qu'on soit un vrai trou du cul. J'ignore ce que mon père est en train de fabriquer, mais je parie qu'il est question de budgets et de calculs, de choix impossibles et de compromis. Deux moins un est toujours égal à un.

J'ai besoin d'entendre une voix, quelque chose de réel, de tangible, à quoi me raccrocher avant d'aller au lit. J'appelle Robert par l'interphone.

— Bonne nuit, Robert, lui dis-je entre deux grésillements.

— Bonne nuit, Emily, répond-il sur le ton de quelqu'un qui comprend.

Comme si les gens l'appelaient tout le temps par l'interphone juste pour entendre sa voix.

31

— Ma vieille, je te revaudrai ça, me dit Jess au téléphone le lendemain, avec d'étranges intonations paillardes dans la voix. Ce type devrait breveter sa technique.

— Alors tu ne m'en veux pas de t'avoir mise sur le trottoir ?

Ça me fait un drôle d'effet d'avoir expédié Mason chez elle ; après tout, c'était ma première incursion dans la profession de maquerelle pour copains.

— Tu plaisantes ? Tu ne m'as pas mise sur le trottoir. C'est plutôt lui que tu as mis sur le trottoir, mais il valait la dépense, crois-moi. Je t'épargne les détails, vu que tu me l'as refilé. Mais laisse-moi te dire que tu as loupé quelque chose. Une bonne baise t'aurait mis du plomb dans la tête.

— Dis-toi que c'est mon cadeau de Noël. À propos, tu ne voudrais pas aller faire les boutiques aujourd'hui ?

Je croise les doigts. J'appréhende de passer la journée à écouter seule les chants de Noël des magasins.

— Désolée, me dit-elle. Trop cassée pour marcher.

— Ma vieille, je te revaudrai ça, me dit Mason environ vingt minutes plus tard, et sur le même ton paillard.

— Donc toi non plus tu ne m'en veux pas de t'avoir mis sur le trottoir ? J'avais mauvaise conscience après ce qui s'est passé.

— Tu plaisantes ? C'était la meilleure nuit de ma vie. Un vrai rodéo. Elle restera dans les annales.

Il pousse le soupir du gourmet qui vient de finir un repas gastronomique.

— Tu veux faire des courses de Noël avec moi aujourd'hui ?

— Désolé, répond Mason. J'ai un torticolis.

— Qu'est-ce que tu fabriques aujourd'hui ? me demande Ruth lorsqu'elle m'appelle un petit moment après.

Elle pose la question sur un ton accusateur, comme si elle pouvait me voir, assise en pyjama sur le canapé, bien décidée à ne pas quitter mon appartement de la journée, ni peut-être de toute ma vie. Soudain, l'idée de me retrouver dehors au milieu des gens qui font leurs courses de Noël, des cloches de l'Armée du Salut et de la fausse neige des grands magasins m'a paru insoutenable. J'ai cédé au chant des sirènes de la télévision, là où le monde n'a pas de fuites. Tout est sagement contenu à l'intérieur du rectangle, et sans aucun rapport avec ma vie.

— Pas grand-chose, dis-je à Ruth.

C'est la vérité, encore que *pas grand-chose* ne précise pas : *je ne me lave pas, me pourris la cervelle avec MTV et les dents avec un sachet d'oursons gélifiés.* Or, ça c'est la vérité.

— Bien, dans ce cas on se retrouve chez Bloomingdales à une heure et demie. Nous avons une sortie organisée aujourd'hui, mais je crois avoir assez vu le spectacle des Rockettes. De toute façon, j'ai besoin de ton aide pour choisir quelques cadeaux de Noël.

Mon objection est écartée avant même que j'aie pu la formuler.

— D'accord.

Peut-être serai-je capable de supporter la frénésie de Noël avec Ruth à mes côtés. Elle sera mon bouclier, une sorte de Marge personnelle, juste beaucoup plus petite, octogénaire et juive.

— Emily, il faut qu'on parle, ajoute-t-elle avant de raccrocher, mais maintenant sa voix est tendre, comme si elle voulait m'aider à lâcher ce canapé.

Peut-être a-t-elle quelque suggestion de carrière à me faire et, en tête, une destination pour la pile de curriculum que j'ai imprimés sans trouver à qui les envoyer.

À moins qu'elle ne soit sur le point de devenir ma nouvelle boule divinatoire, la décideuse de ma vie, la boule magique que j'utilise depuis plus de dix ans ayant l'air en panne. En effet, elle avait répondu *bonnes perspectives* quand je lui avais demandé si je devais accepter ce poste chez APT, et la même chose quand je l'avais interrogée sur l'opportunité d'une rupture avec Andrew. Et voilà où j'en suis.

Aujourd'hui, je lui demande si Ruth va la remplacer, et elle me livre une autre réponse en deux mots : *Très incertain.* Très incertain ? Je la secoue et j'obtiens : *Réponse floue, recommencez.* Je recommence, suivant les instructions, et, obtenant trois fois de suite la même réponse, comprends qu'il se passe quelque chose. Ruth va mourir. C'est ce que dit la boule magique, bien à l'abri derrière sa lucarne en plastique incassable. Un jour, sans doute dans les cinq années qui viennent, dix avec un peu de chance, Ruth mourra ; alors j'irai à son enterrement et je jetterai peut-être une poignée de terre sur son cercueil. Est-ce que ça se fait dans les enterrements juifs ? La poignée de terre ? Le lendemain matin – poignée de terre ou pas –, je me réveillerai dans un monde sans Ruth, un monde sans pitié, et je vaquerai à mes occupations. Je ferai comme si tout était normal, comme si j'allais parfaitement bien, comme si des vieilles personnes, il en mourait chaque jour.

— Je déteste Noël, déclare Ruth en guise de bonjour lorsque nous nous retrouvons devant chez Bloomingdales à une heure trente tapantes.

Je me suis ressaisie, ai pris une douche et me suis maquillée pour cacher le fait que j'ai pleuré. J'espère que Ruth ne va pas me demander pourquoi j'ai les yeux rouges ; je ne peux pas lui expliquer que je viens de passer deux heures à rédiger son éloge funèbre dans ma tête. Je ne sais pas pourquoi mais, à mon avis, elle ne comprendrait pas.

— Regarde-moi cette cohue qui envahit la ville. J'ai envie

de leur dire à tous de rentrer chez eux et de me laisser faire mes courses tranquille, ajoute-t-elle en me prenant le bras afin de ne pas être emportée par les hordes consuméristes.

Je respire à fond et m'efforce de tout graver dans ma mémoire. La chaleur de sa veste de laine contre la mienne, les effluves de son Shalimar, légèrement différents de ceux du Shalimar que portait ma grand-mère, le son de sa voix. À peine entrée dans le magasin, je suis agressée par des milliers de stimuli, et agacée qu'ils viennent parasiter mon entreprise d'imprégnation. Aujourd'hui, c'est le jour auquel je veux me raccrocher, le jour où je veux apprendre Ruth par cœur, pour ne pas rester vide quand elle n'y sera plus.

Mais je n'arrive pas à me concentrer avec les lumières qui clignotent, l'air parfumé, les coudes, les parapluies, le foutu *Petit renne au nez rouge du père Noël*, les mères et les filles. Les mères et les filles surtout, comme une pub qui vante ce que je n'ai pas et ne pourrai jamais avoir. Un affichage ambulant de tous les détails que j'ai oubliés. Ou dont je n'ai jamais pensé à me souvenir.

Je regarde Ruth et serre un peu plus fort mon bras contre le sien. Elle me fait l'effet d'un isolant. Elle me guide dans la foule à travers le magasin, puis fait une boucle qui nous ramène à notre point de départ.

— Que dirais-tu de laisser tomber les courses et d'aller manger un morceau ? me demande-t-elle et, sans attendre ma réponse, elle m'entraîne vers le snack du rez-de-chaussée.

— Oui, s'il te plaît.

Je n'y arriverai pas aujourd'hui. Je le vois bien. C'est étouffant de se sentir écrasée sous le poids de tous ces gens qui consomment avec voracité et rayent des noms sur d'interminables listes. Je m'imagine les hommes en train d'acheter pour leur maîtresse et pour leur femme. Les filles pour leurs parents, beaux-parents, frères et sœurs. Demi-frères et demi-sœurs. Cousins. Amants.

Ma liste à moi est si courte que je n'ai même pas besoin de l'écrire.

— Tu as une mine épouvantable, me dit Ruth une fois assise face à moi dans le snack bondé.

Ici, il règne la même agitation, mais canalisée. Ici, on n'a pas l'impression que la tension collective va exploser.

— Merci. (J'aime que Ruth soit assez à l'aise avec moi pour formuler les choses ainsi.) C'est parce que je me sens épouvantable.

— Oui ? fait-elle, interrogative mais sans insistance.

— Andrew me manque. Il a dit qu'il ne voulait plus jamais que je le contacte.

— Ça a dû te faire de la peine.

— Ouais. Mais je l'ai cherché, pas vrai ?

— J'imagine. Mais ça ne rend pas la chose plus facile, n'est-ce pas ?

— Non. Et puis Noël est une sale période pour moi, tu sais ?

— Pour moi aussi, répond Ruth. Irving me manque toujours beaucoup à cette époque de l'année.

— Il était comment ? Irving.

— C'est étrange, mais j'ai horreur de le décrire, car je ne peux pas le montrer à sa juste valeur. D'une certaine manière, le transformer en une liste de détails, c'est le diminuer. La vérité, c'est que c'était un *mensch.* Tu connais le mot ?

Je réponds oui de la tête.

— Eh bien, voilà ce qu'il était. Bon, intelligent et gentil. Mais timide, tellement timide. Je devais toujours faire la conversation pour deux. Ses parents avaient quitté l'Allemagne juste avant la guerre pour venir s'installer à Brooklyn. Tu ne vas pas le croire, mais ils ont emménagé à la porte à côté de chez moi, et on a grandi en voisins. On est allés au bal des étudiants ensemble. On a tout fait ensemble. Il connaissait toutes mes métamorphoses : écolière maigrelette, procureur en colère, juge au tribunal. Ce qui est dur aujourd'hui, c'est qu'il ne connaîtra pas cette nouvelle version de moi : Ruth dans le troisième âge.

— Tu veux dire la Ruth qui flanque des dérouillées au poker ?

— Celle-là aussi. Il aurait été impressionné. Tu sais quoi ? Je crois que Noël est dur pour tout le monde. On donne tous un grand spectacle. Noël est une manière sophistiquée de dire à tout le monde : je vais bien. Si on a des cadeaux à offrir et des invitations à des fêtes, c'est que la vie va bien, pas vrai ?

— J'imagine.

— Tu as déjà vu quelqu'un rire à un enterrement ? reprend Ruth à brûle-pourpoint.

Je me demande si elle a pu savoir pour mes copines et moi après la veillée funèbre de ma mère. Quand on riait dans un coin, un rire aigu, hystérique, car c'était la seule chose qu'on savait faire.

— Ouais. (Et, parce que c'est Ruth, j'en dis plus.) Après l'enterrement de ma mère, c'est ce qui m'est arrivé. Et ce qui était drôle, c'était justement que ça ait l'air drôle. Hilarant, même. C'était tellement ridicule, ça ne pouvait être que drôle.

— C'est tout à fait ça. À mon avis, voilà ce qui se passe à Noël. On emballe joliment le tout avec une dinde, des cadeaux bien pensés, des litres de lait de poule, et des tonnes de rires, mais au bout du compte il y a toujours des gens qui manquent à table. Alors, soit tu t'assois avec ces chaises vides et tu ris, soit tu choisis de ne pas du tout venir à table. Moi, je préfère venir à table, conclut Ruth sur un ton catégorique, comme si elle rendait un verdict : coupable ou non coupable.

— Tu es en train de me dire que je devrais commencer à venir à table, c'est ça ?

— Je te dis de venir à table, oui. Mais je te dis aussi qu'un jour le rire finit par devenir un rire véritable, si tu le laisses exister. Tu ne dois pas le redouter. Tu dois te battre pour lui. Il y aura toujours des chaises vides, ça aussi c'est normal. Emily, j'ai quelque chose à te confier, ajoute-t-elle, et je pense : *Ça y est, elle m'annonce qu'elle va mourir.*

— Bien, dis-je en respirant à fond pour me calmer.

Ça va aller. Tu peux y arriver. Tu l'as déjà fait.

— L'état de Jack empire. Je crois qu'on est en train de le perdre.

Je suis troublée. Je le sais que nous perdons papi Jack ; j'étais là le jour où il a disparu. Je veux être sûre de comprendre ce qu'elle me dit, vu que la première fois qu'elle a voulu avoir cette conversation, il y a plusieurs mois, je ne l'ai pas entendue.

— Que veux-tu dire exactement ? Tu peux me mettre les points sur les « i ».

— Il est en train de mourir, Emily. De quelque chose d'autre. Il ne mange guère. Ils pensent que c'est peut-être un cancer du colon. Mais ils n'en savent rien.

— J'appelle tous les jours, il ne m'a rien dit. Il prétend qu'il se sent bien. (Je baisse les yeux et me mets à jouer avec ma serviette. Je la déchire en longs lambeaux blancs.) Tu as parlé au médecin ?

Je me cantonne d'abord aux détails techniques. Toujours commencer par le plus facile.

— Oui. Elle est passée il y a deux ou trois jours, j'étais avec Jack. Apparemment, ton grand-père refuse la coloscopie, ils ne savent donc pas avec certitude ce qu'il a. Mais tout laisse à penser que c'est ça.

Ma serviette n'est plus une serviette. C'est un tas d'une centaine de petits morceaux de ce qui était jadis une serviette.

— OK, dis-je. OK. Ils savent combien de temps ?

Je pose la question, car c'est ce que je suis censée vouloir savoir. Mais je ne suis pas sûre que ce soit l'important. Papi Jack et moi avons dépassé le stade des adieux protocolaires et du compte à rebours. J'ai emmagasiné toute une vie avec lui, il faudra bien que ça me suffise. *En fait, oui, ça me suffit.*

— Ils pensent que c'est pour bientôt. Probablement pas demain, mais bientôt.

Ses yeux ne quittent pas les miens ; ils sont chaleureux et maternels. Elle veut prendre soin de moi, elle veut adoucir la douleur. Mais son regard m'est plus douloureux que tout le reste, car c'est celui que je garderai, celui auquel je retournerai comme on retourne à une vieille photo. Je mémorise son visage, les sillons qui s'enchevêtrent au hasard, ses rides magnifiques, le genre de rides qui disparaissent avec la génération Botox. J'ai envie de les copier avec du papier calque. Envie de les effleurer. Envie de sentir pour toujours ce regard.

Je ne jetterai aucune poignée de terre, je le sais maintenant.

Si cela arrive, le jour où cela arrivera, je penserai à ce regard. Ce regard sera son éloge funèbre. Ni plus ni moins.

— Merci de me l'avoir dit. Comme ça. Sans me laisser d'échappatoire.

Je déverse mes lambeaux de serviette sur la table, ils forment une montagne miniature de papier inutile.

— Je t'en prie.

— Tu crois que je devrais appeler mon père pour lui dire ?

— Il sait.

Elle baisse les yeux afin de ne pas croiser mon regard.

— Il sait ?

— Il est passé tous les soirs cette semaine. Il doit savoir.

Ruth examine le tas de bouts de serviette inanimés.

— Mais pourquoi ne m'a-t-il pas appelée ? Pourquoi ne m'a-t-il rien dit ?

Je pose la question, mais ce n'est pas Ruth que je devrais interroger.

— Je ne sais pas. Quand j'ai vu que je n'avais pas de nouvelles de toi cette semaine, j'ai pensé que ton père n'avait pas dû te le dire. J'espère ne pas avoir outrepassé mon rôle. Je pensais juste qu'il fallait que tu saches.

— Merci. Sincèrement, tu ne peux pas savoir à quel point j'apprécie ton geste. (Je me lève et fais le tour de la table pour la prendre dans mes bras. Elle paraît minuscule, un petit tas d'os sous son épais tailleur de laine.) C'est mieux comme ça, tu sais. Que papi Jack s'en aille de cette manière. C'est ce qu'il voulait. Il me l'a confié.

J'ai mauvaise conscience de dire ça avant que ce ne soit vrai. Comme si je le comptais déjà parmi les morts.

— Je sais. C'est mieux comme ça.

Ruth pose sa main sur la mienne, une main plus lourde que je ne l'aurais imaginé. Solide.

— Oui, dis-je. Je sais.

Je respire un grand coup, puis expire, rapidement. Les petits bouts de serviette s'envolent sur le sol, tels des papillons kamikazes, mais aucune de nous ne se baisse pour les ramasser.

Enfin, Ruth et moi nous sentons assez revigorées pour affronter le magasin. Nous nous reprenons le bras et traversons la cohue, remarquant à peine quand les gens nous bousculent avec des sacs pleins à craquer. La musique de *Douce nuit* couvre le vacarme : à leur insu, quelques personnes articulent les paroles. Des vendeuses de parfums nous accostent, mais, dans l'ensemble, on nous laisse vadrouiller en paix. Nous tournons autour des écharpes en cachemire et laissons nos doigts goûter la douceur du tissu. J'achète des gants pour Kate et pour Jess. Ruth achète un chapeau pour son fils et un châle Burberry pour elle.

Tout en continuant de déambuler avec elle, je me demande si on nous prend pour une grand-mère et sa petite-fille. J'espère que oui. J'aimerais qu'on pense que j'ai une personne aussi exceptionnelle à qui donner le bras dans Bloomingdales. Aujourd'hui, je ne suis pas jalouse des autres personnes qui se promènent par deux dans le grand magasin. Avoir Ruth à ma table est plus que suffisant.

32.

À : Emily M. Haxby, emilymhaxby@yahoo.com
De : Doug F. Barton, APT.
Objet : Emploi
Bonjour, Emily. La famille APT vous souhaite d'excellentes fêtes de fin d'année. J'ignorais que vous connaissiez Ruth Wasserstein ! Comme le monde est petit. J'ai été son assistant stagiaire à la sortie de l'école de droit, et elle est mon mentor depuis vingt ans. Selon elle, vous avez décidé de vous mettre en quête d'un nouvel emploi, et on ne saurait vous convaincre de revenir chez APT. Pour faire bref, je suis au conseil d'administration de la Ligue des droits de l'homme, ils cherchent un nouvel avocat. Malheureusement, la différence de salaire est importante, mais Ruth pense que vous pourriez être intéressée. Si tel est le cas, ayez la gentillesse de me contacter le plus vite possible, je vous organiserai un entretien.
Cordialement,
Doug Barton.

À : Emily M. Haxby, emilymhaxby@yahoo.com
De : Miranda A. Washington, APT.
Objet : Emploi
Salut, Emily ! Je ne savais pas que vous connaissiez Ruth Wasserstein ! C'est mon héros. J'ai été son assistante stagiaire après mes études, il y a un million d'années. C'est la

femme la plus intelligente que je connaisse. Elle m'a contactée pour me dire que vous cherchiez un travail qui vous permette de défendre l'intérêt public. Je siège au bureau de l'aide juridictionnelle. Seriez-vous intéressée ? Je sais que le salaire est merdique, mais vous feriez un boulot formidable. À mon avis, c'est tout à fait dans vos cordes. Ils vous proposent un entretien le 27 décembre, faites-moi savoir si vous êtes disponible. Ils ont désespérément besoin d'aide.
Bonnes fêtes,
Miranda.

À : Ruth Wasserstein, votrehonneur@yahoo.com
De : Emily M. Haxby, emilymhaxby@yahoo.com
Objet : Merci !
MERCI, RUTH ! MERCI !!!
Tu es ma bonne fée !
Maintenant, si tu connais des appartements pas chers dans Brooklyn, n'hésite pas ! Si j'accepte une fonction d'intérêt public, je ne pourrai pas rester dans mon studio, à moins de vendre mes organes au marché noir.

À : Emily M. Haxby, emilymhaxby@yahoo.com
De : Ruth Wasserstein, votrehonneur@yahoo.com
Objet : Rép : Merci !
Les petites annonces sur Internet sont faites pour ça, ma chérie ! Vends tes organes ! Ça vaut cent fois mieux que vendre ton âme.

33.

Peut-être est-ce une de ces fois dans la vie où l'on fonce, tout simplement. Où l'on met son cœur en jeu. Où on laisse l'hémorragie s'épancher. Je n'ai rien à perdre. Au pire, je me retrouverai piégée dans la spirale du canapé. J'ai le tiercé dans l'ordre – besoin, désir, amour –, impossible d'y échapper. Ça suffit maintenant. Le Dr Lerner me dirait de le faire, tout simplement : *Ceci, Emily, c'est vivre votre vie.* Ainsi donc, j'envoie un mail à Andrew et finis par lui dire ce que je veux lui dire.

À : Andrew T. Warner
De : Emily M. Haxby
Objet : Peux pas me retenir
Salut, A. Je sais que tu ne veux plus entendre parler de moi, mais je ne peux pas me retenir. Je veux te dire trois choses :
Je t'aime.
Tu me manques.
Recommençons.

À : Emily M. Haxby
De : Andrew T. Warner
Rép : Peux pas me retenir
J'y crois pas. Un mail ? Grandis, Emily.
Et, s'il te plaît, fiche-moi la paix.

34.

— À votre avis, pourquoi les choses ont-elles tourné ainsi avec Andrew ? me demande le Dr Lerner à la séance suivante.

Nous avons déjà vécu ce numéro-là – en fait, deux fois par semaine depuis un mois – et bien qu'il y ait des « avancées », ce qui est juste une manière de dire que le bon docteur m'a fait pleurer, je ne suis pas du tout sûre d'aller mieux. Elle ne peut pas empêcher papi Jack de mourir ; elle ne peut pas faire qu'Andrew m'aime à nouveau. En revanche, elle peut me ruiner.

Pour la énième fois, nous recommençons le même petit jeu : le Dr Lerner me demande pourquoi les choses sont comme elles sont, et je lui réponds que je ne sais pas.

— Je ne sais pas.

Je baisse les yeux sur le tapis persan. Je me concentre sur le dessin, mais sans parvenir à y distinguer un motif. Il y a des cercles dans des cercles, et des larmes dans des larmes. La couleur dominante est la canneberge, une couleur de sang séché.

— Vous ne savez pas ? dit-elle.

Elle fait ça aussi, de temps en temps, répéter ce que je viens de dire, pour me pousser à parler, pour souligner le fait que j'évite de répondre à ses questions.

— J'ai tout fichu en l'air. J'ai essayé de réparer. À l'évidence, ça n'a pas marché. Fin de partie.

— Fin de partie ?

— Oui, fin de partie. J'ai essayé. J'ai brisé mon putain de cœur, quoi, trois fois ? Il est temps de passer à autre chose. Andrew ne veut rien avoir à faire avec moi. On ne saurait être plus clair.

— OK. « On ne saurait être plus clair. » Bien. À votre avis, pourquoi votre père ne vous a-t-il pas dit que la personne que vous aimez le plus au monde est en train de mourir ?

— Ce n'est pas une manière très gentille de formuler les choses. Vous êtes censée avoir de l'empathie, je crois.

— Non, je suis censée être honnête. Alors, pourquoi ne vous a-t-il rien dit ?

— Sans doute parce que, dans ma famille, ça ne se fait pas. Manifestement, la communication n'est pas son point fort.

Je remarque du doré dans le tapis en forme de petits diamants.

— Et vous ? Est-ce votre point fort ?

Je suis incapable de dire si son ton est sarcastique. Aujourd'hui, le Dr Lerner porte une aube de cérémonie et un turban blanc : elle a les cheveux entortillés dans le nœud du turban. Il émane de ce turban une impression d'autorité morale ou religieuse, une non-ambiguïté, je suppose donc qu'elle n'est pas sarcastique.

— Pas vraiment, mais j'y travaille, dis-je.

— Avec votre père ?

— Que voulez-vous que je fasse ? Le prier de bien vouloir m'informer à l'avenir, quand l'un de mes grands-parents sera en train de mourir ? Ça n'a plus d'importance, il n'y a plus de grands-parents. Lui dire que, même si je le comprends parfaitement, le fait d'annuler Noël me fait me sentir encore plus seule ? Lui annoncer que j'ai démissionné de mon boulot et rompu avec Andrew ? Que maintenant Andrew me déteste ? Que j'ai l'impression d'être une putain d'orpheline ?

Mais qui est le Dr Lerner pour juger ? Avec son faux turban et son tapis sans motifs. Qu'est-ce qu'elle sait de tout ça ?

Elle laisse mes questions en suspens pendant quelques instants et se sert de ce silence de mort pour me transmettre son message. *Oui, c'est exactement ce que vous êtes censée faire.*

— Pour avoir une conversation, il faut être deux.

Je sais que je parle comme une enfant gâtée, mais je suis épuisée. Le Dr Lerner se contente de secouer la tête et de poser ses poignets sur ses genoux. On dirait qu'elle entre en méditation. J'ai bien envie de lui rappeler que je la paie pour m'aider, pas pour atteindre un nirvana spirituel.

— Il ne m'entend pas. Autant parler à un mur.

— Qui dit qu'il doive vous entendre ? Il ne s'agit pas de lui, Emily. Il s'agit de vous. Vous ne pouvez pas changer les autres. Seulement vous-même. *Vous devez apprendre à communiquer*, ajoute-t-elle, tout en italique, comme si elle légendait un dessin du *New Yorker.*

— Ouais, ouais, dis-je, d'une manière délibérément indistincte pour délibérément la priver de la satisfaction d'une vraie réponse.

Une blague entre moi et moi-même.

— « Ouais, ouais », répète-t-elle comme un perroquet, avec un petit sourire narquois. Son expression dit le reste : *Vous n'êtes pas plus maligne que moi.*

Je voudrais savoir parler avec les yeux comme le Dr Lerner. Alors je n'aurais pas de problème de *communication.*

— OK, j'ai pigé. Il faut que je communique davantage. C'est juste plus facile à dire qu'à faire. (Elle a raison, bien sûr : elle est plus maligne que moi. C'est pour ça que je continue de venir.) J'ai essayé avec Andrew. J'ai vraiment essayé. J'ai abattu toutes mes cartes dans ce mail. Et il m'a tiré dessus à bout portant. C'était comme se faire rouler dessus par un tracteur.

— Ouais, sûr que vous vous êtes donné du mal. Avec ce *mail.*

— Qu'est-ce que je suis censée comprendre ?

— Vous le savez bien. Alors racontez-moi ce qui se passe. Qu'est-ce qui vous retient de dire ce que vous voulez dire ? me demande le Dr Lerner en reprenant un ton médecin-patient. (À nouveau, je fixe le tapis, mais il ressemble toujours à un patchwork de petites carpettes.) S'il vous plaît, insiste-t-elle, regardez-moi, moi, et pas le sol. Je veux savoir ce qui vous arrive, ce qui vous fait vous fermer.

— Parfois, quand je veux dire quelque chose, les mots ne

viennent pas, c'est tout. Comme s'il y avait un espace, je sais que je dois le remplir, mais je ne peux pas. (Le Dr Lerner se contente d'un hochement de tête, elle sent que je ne suis pas au bout de ma pensée.) J'imagine que le problème vient en partie de ce que je ne sais pas quoi dire. Parfois, je ne peux même pas mettre des mots sur tout ça. Comme avec Andrew. Je ne pouvais pas lui dire ce que je voulais car je ne le savais pas vraiment. Je vois bien que je devrais creuser ça. Mais j'ai toujours eu le sentiment qu'il n'y avait rien à tirer de là. Rien.

Je me laisse aller en arrière sur le divan et ferme les yeux. La pièce est plongée dans le silence. *C'est ça le point de départ,* me dis-je. *Partir du silence et fabriquer du bruit. Se construire à partir du vide. C'est à toi de créer ce qu'il y a à tirer de là. C'est comme quand on mange.*

— Exactement, fait le Dr Lerner, et on dirait qu'elle entend mes pensées. Exactement.

Nous restons encore un moment silencieuses, sauf que maintenant ce n'est plus vraiment du silence. Ma tête bourdonne de mots et de phrases dont je me remplis. Ce n'est pas tout à fait de l'énergie, mais c'est déjà quelque chose. C'est un début.

Bien que la température soit tombée largement en dessous de zéro, je rentre à pied du cabinet du Dr Lerner. Les rues sont désertes. Manhattan s'est encore vidée de ses habitants : ils se sont faufilés par les ponts, sous les tunnels ; ils se sont entassés dans des avions et des voitures ; ne restent plus que des silhouettes d'immeubles dans un rétroviseur, une poignée de touristes avec leurs bananes sur le ventre et deux ou trois barmans pour les servir. C'est ce qui se produit chaque année la veille du réveillon de Noël. La plupart de ses habitants quittent Manhattan et rentrent « chez eux », quel que soit le sens de ces deux mots, à moins qu'ils ne veuillent juste se trouver n'importe où, sauf ici. En résulte un son assourdi, comme si tous les bruits distincts de New York, ses sirènes, ses avertisseurs de taxis, ses bruits de pas, étaient étouffés sous une grande couverture. La ville n'est pas tout à fait paisible, plutôt assoupie.

Mon père ayant décidé de faire l'impasse sur Noël, je n'ai pas songé à passer les fêtes dans la maison où j'ai grandi. Je ne la vois plus vraiment comme un chez-moi, d'ailleurs, puisque je m'y sens désorientée. Ce n'est plus la même maison, à présent que l'intérieur a été démoli puis refait, et les meubles dispersés dans les vide-greniers du voisinage. Je suis sûre que ce n'est plus la mienne.

Quand je me sens comme ce soir – en apesanteur, avec la crainte de me désintégrer dans le néant –, je dresse mentalement la liste de tous les gens qui m'aiment sur cette terre. Aujourd'hui, ma liste comprend Jess, Kate, Ruth, et peut-être Mason (à sa manière), ainsi que mon père (à sa manière aussi). Papi Jack figure également sur ma liste, bien sûr, mais quand son voyage dans le temps le ramène une génération en arrière, c'est de la triche de le compter. Il ne peut pas se sentir abandonné, je ne peux pas lui manquer, il ne peut pas m'*aimer*, s'il ne se rend pas compte que j'existe. C'est comme cette photo de maman sur la plage à laquelle je pense souvent, la photo d'une femme dont le plus gros souci est d'obtenir un bronzage uniforme. Ce n'est pas du tout une photo de mère, car elle a été prise avant moi ; rien ne retient cette femme. Elle aussi, elle donne l'impression de pouvoir partir à la dérive.

Je sais maintenant que papi Jack va bientôt changer de colonne et passer dans celle intitulée *Les morts qui m'aimaient*. C'est une liste à part, pour des raisons qui se passent d'explication.

On l'aura remarqué, Andrew ne figure pas non plus sur la liste. Là encore, pour des raisons qui se passent d'explication.

Je le fais fréquemment, ce décompte. Je trouve du réconfort dans la statistique, cette capacité de mesure. Est-ce que tout le monde fait ça ? Compter l'amour – son poids d'amour – en unités humaines ? Je me cramponne à mon petit nombre à un chiffre, mon cinq ou mon six, tout dépend comment je compte, je m'y cramponne et me répète les noms dans ma tête tout en arpentant les rues. Une litanie qui me force à prendre une respiration entre chaque mot et à en enfermer une partie dans mon ventre. Chacune me rend plus lourde, plus pleine. Un point de départ.

Douzième rue, Jess, Jess, Jess. Onzième, Kate, Kate, Kate. Dixième, Ruth, Ruth, Ruth. Neuvième, Mason, Mason, Mason. Huitième, papa, papa, papa. Septième, papi Jack compte. Papi Jack, papi Jack, papi Jack compte toujours.

En arrivant à mon immeuble, je ne reconnais pas l'homme en faction à la porte.

— Où est Robert ?

Il y a une nouvelle personne, qui porte l'uniforme de Robert, la casquette de Robert.

— Parti passer Noël avec sa famille sur Staten Island. Je le remplace pour deux jours, répond l'homme en me tenant la porte ouverte. (Il peut avoir la cinquantaine, avec une tête de boxeur pleine de bosses et de vaisseaux éclatés, une tête qui dit : *Et encore, si vous aviez vu l'autre mec.*) Bonne nuit, m'dame.

Nous ignorons nos noms respectifs, pourtant sa voix sera la dernière que j'entendrai ce soir. Robert me manque.

— Bonne nuit, dis-je, juste après que se referment les portes de l'ascenseur.

Ça ne fait rien s'il ne m'entend pas.

35.

Je sais que je n'étais pas *obligée* d'être seule aujourd'hui. À l'heure qu'il est, je pourrais être à Providence, Rhode Island ou Short Hills, dans le New Jersey, dans la famille de Jess ou de Kate, en train de boire du lait de poule et d'ouvrir des cadeaux choisis à la dernière minute par leurs mères en apprenant que je n'ai nulle part où aller. Ruth m'a invitée à la rejoindre à Washington pour une journée ciné et restau chinois avec ses enfants et petits-enfants, et Mason m'a offert de prendre l'avion pour le Texas et de goûter ma première dinde frite à la marmite. Bien que tentée par les propositions de l'un et de l'autre, je crois que j'aurais été encore plus seule en parasite des familles, à feindre de faire partie d'une chose à laquelle je n'appartiens pas. Je me serais fait l'effet d'une étudiante étrangère.

Au lieu de cela, j'ai mon plan. Je me réveille de bonne heure, quand la lumière blanche éblouissante du soleil se faufile par mes fenêtres, et mange un bol de céréales debout devant l'évier.

Je ne vais pas me vautrer. Je ne vais pas regarder vers le canapé et la télé.

Je prends une douche, m'habille, enfile gros manteau, gants, chapeau, écharpe ; je m'emballe hermétiquement.

C'est facile. On tue des enfants au Darfour. Nous sommes une nation en guerre. Ce n'est rien.

Et je me retrouve de l'autre côté de la porte, dis « Joyeux

Noël » à l'homme qui n'est pas Robert et commence à marcher vers les quartiers chics. L'air froid s'insinue sous mes manches et me brûle les poignets.

Une petite chose qu'il faut que tu fasses. Ça te donnera de la force pour le reste. Vas-y, fais-la.

J'accélère le pas et suis par l'extérieur le circuit de la ligne six, qui serpente vers les quartiers est. Union Square. Madison Square Park. La tour de Met Life se dresse au-dessus de moi, mesure ma progression.

J'arrive à la gare de Grand Central, qui sent les sécrétions corporelles et le café, et donne l'impression d'être un camp de réfugiés à Miami. Le chauffage est poussé au maximum, l'air lourd et humide. Des familles se rassemblent dans les coins, elles s'efforcent en vain de regrouper des enfants vagabonds et essuient leurs visages en nage avec de mauvais foulards. Partout, fourrés sous des bras, coincés entre des pieds, des sacs au nom de grands magasins regorgent de papiers cadeaux rouges et verts qui dépassent. De temps en temps, un message retentit, et des groupes disparaissent derrière des portes imposantes marquées de numéros, ils vont trouver les trains qui les emmènent chez eux. Le panneau noir clignotant propulse la journée par à-coups, et nous rapproche de nos destinations.

J'attends que les lettres mobiles annoncent mon train. Je ne pense pas à ce que je suis en train de faire, encore moins à l'endroit où je vais. Je suis juste assise là, par terre, les yeux rivés sur le panneau. Si tu étais à Grand Central en ce moment, tu ne me remarquerais jamais. Je suis un individu parmi un millier d'autres attendant un train, se confondant avec les murs. Ça donne l'impression de disparaître.

Le trajet se passe sans incidents. La voix dans ma tête se dissout dans le ronflement du wagon sur les rails. Je pose le front contre la vitre froide, regarde dehors, mais ne vois rien. Juste un paysage terne. Je pourrais être n'importe où dans le monde.

Quand je descends à ma gare, un chauffeur de taxi patiente dans une voiture qui tourne au ralenti. On dirait qu'il m'attend. Je saute à l'arrière, je n'ai pas l'adresse exacte, mais il connaît l'endroit. Il a des photos de ses enfants collées sur la cloison de séparation en plastique, je les examine et les mémorise, comme si c'étaient des disparus sur un pack de lait. Des jumelles identiques, chacune avec deux tresses nouées sur le crâne. Celle de droite montre fièrement qu'il lui manque une dent.

Le chauffeur me dépose devant une entrée avec un gros mur de pierres, et je m'aperçois que je suis juste à deux ou trois rues du club de mon père. Je me demande s'il y est, occupé à distribuer tapes dans le dos et poignées de main. À moins qu'il ne soit en visite dans la famille d'Anne, mais je serais bien incapable de me souvenir d'où elle est. Du Maine, peut-être ? Elle porte le jean comme si elle était du Maine. Je donne un gros pourboire au chauffeur, deux fois le prix de la course.

— Merci, m'dame. Vous avez besoin que je vous attende ?

— Non, merci. Rentrez chez vous retrouver votre famille, dis-je. Joyeux Noël.

— Joyeux Noël ? répète-t-il, mais sans avoir l'air convaincu.

Je lui fais à nouveau oui de la tête, alors il redémarre et s'éloigne, ne laissant derrière lui qu'une odeur de gaz d'échappement.

Je suis devant le cimetière de Putnam et je me force à franchir le portail de métal ouvert pour entrer sous la voûte formée par les arbres. Il n'y a pas un seul bruit, pas même un bruissement de feuilles. Pour l'instant, je suis seule.

Je descends l'allée au hasard et erre parmi les tombes éparpillées. Des buissons sculptés et une barrière blanche délimitent et contiennent l'herbe verte. Je ne suis venue ici qu'une fois, cette première fois, le jour où nous avons enterré ma mère, et je ne sais pas trop où se trouve sa tombe. Ça a l'air horrible, je le vois bien, de ne jamais m'être donné la peine de grimper dans un train, de venir ici, apporter des fleurs. Mais je ne l'ai pas fait, et je ne vais m'inventer aucune excuse, du genre manque de temps, les années filent, ou je ne sais quelle autre connerie. Comme je ne crois pas à la vie après la mort et ne dispose d'aucune théorie cohérente qui ferait du carré de terre où ma mère est enterrée autre chose qu'un carré de terre, monter dans ce train me paraissait idiot. Venir au cimetière aurait seulement été une gymnastique. Le rappel supplémentaire qu'une stupide dalle de pierre est bien tout ce qui reste. C'est-à-dire rien.

Aujourd'hui pourtant, je m'en aperçois, venir ici est juste une affaire entre moi et moi-même. Qui a peu à voir avec le fait d'honorer ma mère.

Je traverse le cimetière en espérant trouver des indices qui me mettent sur la voie. Je lis chaque inscription sur les pierres. Tout en marchant, je fais beaucoup de calcul mental, des soustractions de dates. J'aime bien passer près des tombes de ceux qui sont morts vieux, surtout les maris et les femmes enterrés côte à côte. J'imagine leurs corps enfouis dans le sol, main dans la main, pour mieux résister au poids de la terre sur eux.

Des bébés sont enterrés ici.

Je passe devant une tombe marquée MacKinnon et me demande si c'est de la famille de Carl. Il y a quelqu'un de dix-sept ans. De quatre ans. Beaucoup de bien-aimés. Celui-là a soixante-seize ans. Il n'y a pas d'unité dans ce cimetière. Les pierres ont des formes et des tailles différentes, certaines sont gravées avec recherche. Certaines sont mates, d'autres brillantes. Il y en a deux qui ressemblent à des bancs, je suis tentée de m'asseoir, mais ne suis pas sûre qu'elles soient là pour ça. Il n'y a pas de distance fixe entre les tombes. Pas de frontières. Juste un éparpillement çà et là parmi les arbres.

Il n'y a pas de règles.

Il y a des mères, des filles, des fils, des maris, des femmes et des amis. Je ne vois pas une seule tombe marquée « avocat », « banquier » ou « pharmacien ». Je reconnais des noms célèbres. Certains Bush qui, vu la présence du drapeau américain, doivent être *les* Bush. Je vois au moins une tombe sans prénom. Petite Davenport.

J'ai envie de m'allonger sur un coin d'herbe gelé et de fermer les yeux. J'ai envie de rester ici pour toujours. Aujourd'hui, le silence ne me dérange pas. Pendant un moment, j'oublie que je cherche un endroit précis et erre juste sans but. Peut-être mon chez-moi est-il ici. Parmi les pierres, les arbres et les morts. Peut-être que je pourrais monter un commerce, un petit étal où je vendrais des fleurs à des gens comme moi, qui ont oublié d'en apporter. Je dirais à mes clients de ne pas avoir mauvaise conscience, que ça arrive tout le temps. Le soir, je dormirais dans un sac de couchage, à côté de la petite Jenny Davis, morte à quatorze ans, en 1991. Je me demande si elle aimait Madonna. Si elle portait un appareil dentaire et, si oui, si on le lui a enlevé avant de l'enterrer. Comment meurt-on à quatorze ans ? C'est un âge particulièrement cruel pour mourir. L'âge de comprendre que n'avoir jamais reçu un baiser, c'est important.

Je découvre ma mère parmi un groupe de tombes de la fin des années 1800. Elle est un peu à l'écart, mais je me demande comment elle s'est retrouvée dans cette parcelle. Ça paraît injuste. Il y avait un endroit parfait à côté de Jenny Davis. Mais je suis heureuse que mon père lui ait choisi une pierre tombale toute simple. Sans gravures sophistiquées. Rien qui puisse se démoder. Juste un rectangle vertical, avec une grande pelouse autour, de la place pour papi Jack, pour mon père et, j'imagine, pour moi aussi un jour.

Charlotte Haxby
1950-1992

J'aime bien le fait qu'il n'y ait ni « bien-aimée », ni « mère », ni « fille », ni « épouse ». Rien pour la cataloguer. Je tourne quelques fois autour de la pierre, en cercle. Je lis les lettres et je calcule, bien qu'il s'agisse d'informations déjà connues. Je ne sais pas trop quoi faire maintenant. Me mettre bien droite et la regarder ? Ça fait condescendant de regarder vers le bas. M'asseoir devant la pierre, sur la parcelle sous laquelle ma mère est enterrée ? Est-ce que je peux m'allonger ? C'est ce que j'ai envie de faire.

J'ai envie de me coucher à l'ombre de la pierre.

Je m'assois, mais ne m'allonge pas, au cas où quelqu'un viendrait. Je reste à peu près à un mètre de la pierre, assise en tailleur, et je me demande si c'est irrespectueux ou sacrilège de choisir cet endroit, d'ajouter du poids sur le cercueil. Je me dis que c'est sans importance et que, sinon, maman comprendra.

Salut, maman, dis-je dans ma tête. Pas tout haut. Si elle m'entend, peu importe que je parle tout haut ou pas, j'imagine. Au moins, parler dans ma tête ne me donne pas l'impression de m'adresser à un caillou rectangulaire. Je recommence :

Salut, maman. Ça fait un bout de temps qu'on ne s'est pas vues. T'appelles pas. T'écris pas.

OK, je reprends. Je devrais pas plaisanter.

Salut, maman, c'est moi, Emily. Mais tu le sais sans doute déjà.

Arrête. Fais ça correctement. Tu es venue pour ça.

OK, OK, OK.

Je me lève et fais encore une fois le tour de la pierre pour m'éclaircir les idées. Je respire profondément, façon yoga. *Je peux y arriver.* Je regagne ma position assise, en prenant garde de m'installer exactement au même endroit. Pour une raison quelconque, je vois désormais ce petit bout de terrain comme le mien.

Salut, maman. Je ne sais pas si tu m'entends, ni si c'est vraiment important que tu m'entendes. Pardon de ne pas avoir apporté de fleurs, d'avoir mis quinze ans à venir et d'avoir passé du temps avec Jenny Davis au lieu de venir te voir directement. Je ne sais pas comment tout ça fonctionne, mais si par hasard tu croises Jenny, dis-lui bonjour de ma part, et que je penserai à elle. Pourtant elle ne me connaît pas.

Je ne sais pas trop quoi dire. Est-ce que c'est mal de ne parler que de moi ? Je pourrais te dire à quel point tu me manques, plus que tu ne pourrais jamais l'imaginer. Je pourrais te dire que je pense à toi chaque jour. Pas toujours à toi-toi, ce dont je suis désolée, mais je ne me souviens pas de toi-toi aussi bien que je devrais. Par contre, les choses dont je me souviens, je m'y cramponne, peut-être trop. Et puis il y a toi en tant qu'idée, l'idée que tu étais tout, que tu étais ma mère et que tu n'es plus là. Ça, j'y pense tous les jours.

Si tu m'entends, ça ne me dérangerait pas que tu me refasses entendre ta voix de temps en temps. J'adorerais l'avoir dans ma tête un petit moment. Rien qu'un peu de ton bruit. Je l'ai perdu quelques semaines après ta mort, et je n'arrive pas à le retrouver. Malgré tous mes efforts. Je t'entends arrêter de respirer. Cet espace horrible entre les sons. Voilà ce qui me reste, et ça, je préférerais ne plus l'entendre. Si tu pouvais faire ça – m'envoyer un peu de ton bruit –, ce serait formidable. Mais si tu ne peux pas, je comprends.

Pardon aussi de ne pas t'avoir gravée dans ma mémoire quand c'était encore possible. Il y a beaucoup de choses que j'aurais dû faire et n'ai jamais faites, j'aimerais pouvoir tout recommencer depuis le début. Appuyer sur redémarrer. Je pense maintenant qu'il vaut mieux dire des choses sur lesquelles on ne pourra pas revenir, au lieu de ne rien dire du tout. J'aurais dû apprendre à faire du vélo. J'aurais dû dire à papa de ne pas annuler Noël, qu'on doit essayer d'être une famille, qu'il est inutile de continuer à faire semblant. Je devrais parfois dire tout haut que maintenant, ça suffit.

Je le ferai. Je le fais aujourd'hui.

Si seulement j'avais su tout me rappeler, je crois que je t'aurais un peu plus facilement laissée partir. Tu ne serais pas vraiment partie-partie, pas vrai ? Tu aurais été quelque part en moi, et je ne me sentirais pas si vide à présent. Parfois, j'essaie de m'imaginer ton visage la nuit, mais tout ce que je vois, ce sont des photos. C'est pas pareil. Cela dit, tu es très belle sur celle prise juste avant ta maladie, celle où tu es sur ton trente et un pour mon anniversaire. Le jour de mes treize ans. Je m'en souviens, tu avais beaucoup insisté sur le fait que je devenais officiellement une ado, tu te plaignais que je grandissais trop vite, que tu me perdais trop tôt.

Sur cette photo, tu ressembles à une personne que j'aimerais être.

J'aimerais pouvoir te dire que papa et moi, on va bien. Enfin si, on va bien, bien sûr. Bien sûr qu'on va bien. Mais tu te doutes qu'on est tous les deux un peu cassés, et on n'est pas bien arrivés à recoller les morceaux. Pourtant on essaie. Je crois qu'on essaie tous les deux ; j'espère qu'on va mieux arriver à être une famille. Une famille de deux personnes, c'est quand même une famille. Et je crois qu'il est temps que je me batte pour nous.

Papi Jack est en train de mourir, ce que tu sais sans doute déjà si tu peux m'entendre. Je vais aller le voir tout à l'heure et passer un moment avec lui. Je voudrais être là quand il partira. Tu prendras soin de lui, si je me trompe, s'il va vraiment quelque part, hein ? J'aime penser que toi, mamie Martha et tes parents, bien que je ne les aie pas bien connus, vous êtes tous ensemble en train de rire et de manger la dinde autour de la vieille table en chêne. Pardon de ne pas vraiment croire que vous soyez tous ensemble quelque part ; ces choses-là, je me les dis juste pour me consoler. Comme quand je pense que tu peux m'entendre en ce moment.

Après tout, quelle importance ? Je m'entends, moi, c'est déjà quelque chose. Il est temps que je me mette à m'entendre, moi.

Je ne m'en sors pas mal. Parfois, je suis fatiguée, même sans avoir rien fait. J'ai fichu en l'air des trucs importants récemment, mais je suis en train de me ressaisir, je crois. Je suis venue ici, c'est un bon début. Je me suis liée avec une femme qui s'appelle Ruth, tu ne l'as pas connue. C'est une amie de papi Jack, tu l'aurais adorée. Elle est intelligente, drôle et elle s'occupe de moi. Est-ce que c'est normal d'avoir encore besoin qu'on s'occupe de moi, à bientôt trente ans ?

Quand est-ce qu'on devient qui on doit être ? Ou bien est-ce que je suis moi-moi, une fois pour toutes ?

Je parle comme une petite fille, je sais. Dans la vraie vie, de l'autre côté de ces murs, je ne suis pas une petite fille. Enfin, juste de temps à autre. Mais peut-être qu'on est toujours un enfant avec ses parents ? Dieu sait si je suis toujours un enfant avec papa, et si papa en est un avec papi Jack. Dernièrement, j'ai menti à papa sur plein de choses, et il m'a menti aussi. Tout ça est très bête et ne mérite pas d'être ressassé maintenant. Disons qu'il faut qu'on bosse la communication.

J'ai parfois l'impression que, quand tu es morte, on a pressé le bouton sourdine chez moi aussi et que mon vrai moi est resté enfermé quelque part à l'intérieur.

J'ai quitté mon boulot ; à mon avis, c'est une bonne chose. Et j'ai rompu avec Andrew, tu ne le connais pas, mais il t'aurait plu. Putain, il est vraiment génial. Je sais maintenant qu'il faut s'accrocher aux gens à qui on donnerait un rein. Qu'on ne les laisse pas filer sous prétexte qu'on est trop paumée pour comprendre ce qu'on a. Ou qu'on a trop la trouille. Parce que c'est ça la vérité : j'avais la trouille. Si on avait continué, il aurait pu me hacher le cœur en mille morceaux, je le savais. Il aurait pu me manger toute crue.

À moins qu'on ne perde les gens parce que, quand on est aussi paumée que je l'étais, donner son rein, ça n'a pas beaucoup de sens. Aujourd'hui ça en a, car aujourd'hui je comprends ce que j'ai perdu, je comprends que je fuyais. Aujourd'hui mes morceaux perdus commencent à repousser. Aujourd'hui, donner un rein, ça a du sens. Et si tu peux avoir une quelconque influence sur lui, j'aurais bien besoin d'un coup de main, vu qu'il m'a clairement fait savoir qu'il ne veut plus rien avoir à faire avec moi. Je vais me battre pour lui quand même. Et pour de bon, cette fois. Même si c'est trop tard. Même si je dois y laisser ma putain de peau.

Désolée pour les gros mots. J'en dis souvent maintenant, je devrais sans doute arrêter. Je suis une avocate et une adulte, bordel de merde.

Je voudrais savoir si tu peux me voir ou m'entendre, et quand tu peux me voir ou m'entendre, car je ne suis pas sûre de vouloir que tu voies tout. Tout de même, à choisir, je préférerais que tu voies tout plutôt que rien, même si c'est gênant. Mais, à l'évidence, ça ne dépend pas de moi. Si ça ne tenait qu'à moi, tu serais près de moi à l'heure qu'il est, et on irait sur la tombe de quelqu'un d'autre, quelqu'un qu'on aimait, mais qui ne nous manquerait pas si fort.

Si ça ne tenait qu'à moi, je rembobinerais la bande, au moins jusqu'à ce matin, et je reviendrais avec des fleurs.

C'est juste une longue manière de te dire que je t'aime. Et que tu me manques. Et que je vais essayer de mieux m'y prendre dans la vie. C'est une chose que je te dois – ainsi qu'à moi, à moi aussi – d'au moins essayer. Et je t'aime, bien que tu sois morte, et que mon amour pour toi n'ait plus nulle part où aller. Et je t'aime, bien que je ne puisse plus t'entendre. Et je t'aime sans « bien que ». Je veux que tu saches que ça va aller pour moi. Oui, tout ira bien. D'accord ? D'accord. Ça ira parce qu'il le faut. Maintenant ça suffit. Je vais me battre pour moi.

Je me redresse, peut-être pour souligner mes propos et me dire à moi-même que j'ai fini. Au revoir, maman. Je tourne une dernière fois autour du rectangle de pierre. Frôle les sillons formés par les lettres et mémorise leur contact. Je ferme les yeux pour bien isoler la sensation. Puis je pose les doigts sur mes lèvres. Les embrasse. Effleure à nouveau la pierre. C'est pas vraiment des fleurs, mais c'est quand même quelque chose.

Je prends mon temps pour quitter le cimetière. Je passe encore une fois près de Jenny Davis, dépose un nouveau baiser sur mes doigts et touche sa pierre. *Je vais faire plus d'efforts, Jenny. Pour nous deux.*

En sortant, je remarque deux ou trois autres personnes.

Aucune ne me regarde, et je ne les regarde pas. C'est le lieu idéal pour être invisible. Un lieu où, l'espace d'un petit moment, l'absence de bruits est apaisante, attendue. Je marche sous la voûte formée par les arbres et sors par l'allée. Je franchis le mur de pierres. Je le tapote légèrement, du bout des doigts. Puis je quitte le cimetière de Putnam, laissant pour toujours derrière moi, à leur silence, tous ceux que nous avons perdus.

36

— Joyeux Noël, papa, dis-je dès que son numéro s'affiche sur mon portable.

Je suis à quelques rues de son club ; d'ici, je vois un défilé de Mercedes quitter l'allée. Je baisse mon chapeau sur mes oreilles, en partie pour avoir chaud, mais surtout pour ne pas être reconnue.

— Joyeux Noël, ma chérie, répond mon père.

Suit un pesant silence, aucun de nous deux ne sachant comment développer. Il ne m'a toujours rien dit pour papi Jack.

— Alors, papa ? Qu'est-ce que tu fais ?

— Pas grand-chose.

Je me demande ce que ça signifie ; est-ce *pas grand-chose* au sens de résoudre la crise budgétaire du Connecticut, ou *pas grand-chose* au sens de résister à un élan passionné pour son canapé ? Vu que je parle à mon père, qui s'assoit rarement – même pour prendre son petit déjeuner –, je penche pour la première version.

— J'écoute juste un peu de musique. Des vieux tubes à la radio.

— Tu es seul ?

— Oui. Anne est partie dans sa famille, dans le Maine.

Voilà qui confirme qu'il sort avec elle. *Je le savais. Je savais qu'elle était du Maine.*

— Écoute, je ne suis pas loin de ton club. Si tu venais me

prendre, on irait passer le reste de la journée de Noël avec papi Jack ?

Pendant un instant, mon père ne répond rien, et en fond sonore j'entends Frankie Valli me dire : « Marche comme un homme[1] ».

— D'accord, répond-il en toussant. Sans doute, oui. Oui, sans doute que je peux le faire.

Quand il arrive, je ne commente pas le fait qu'il n'est pas rasé et porte un jogging, et lui ne me demande ni pourquoi je suis à Greenwich, ni comment s'est passée ma matinée. Aucun de nous ne fournit spontanément une information. On ne peut pas changer des années d'habitude du jour au lendemain.

— Écoute, j'ai quelque chose à te dire, annonce-t-il après un long silence commun, et je me demande s'il n'était en train de préparer ses phrases dans sa tête.

Il s'éclaircit consciencieusement la gorge.

— Je sais déjà, papa. Pour papi Jack.

Je lui épargne l'effort de devoir le formuler. Je veux faciliter les choses. Pour nous deux.

— Ah.

— Papa ?

— Oui ?

— Pourquoi ne me l'as-tu pas dit plus tôt ?

— Je ne sais pas. Sans doute pour ne pas te faire de peine. Vous avez toujours été si proches, mon père et toi. (Il s'interrompt.) Je sais qu'il a plutôt été un père pour toi, or tu as déjà perdu un de tes parents. C'est injuste.

— Oui, dis-je, et je m'aperçois que nous souffrons tous deux d'une forme perverse de politesse.

Inutile de continuer à nous protéger l'un l'autre de la vérité.

— Je refusais que ce soit vrai. (Il se frotte le visage, puis

1. « Walk Like a Man », chanson de Frank Valli.

baisse les yeux sur sa main, comme si la sensation lui était inhabituelle, comme si cette barbe avait poussé par surprise.) C'est déjà assez dur comme ça.

— Sans doute.

Nous restons un petit moment assis dans la voiture sans rien dire, laissant l'autoradio combler le silence et nos bouches articuler les paroles des chansons par habitude. Il n'y a qu'une autoroute vide devant nous, un corridor entre les arbres maigres. Nous sommes les deux seules personnes qui restent sur cette route.

— Mais tout de même, dis-je.

— Je sais. Je suis désolé.

— Papa ?

— Oui ?

— Ça va. C'est le moment, cette fois. Il est prêt.

— Tu crois ?

— Oui, je crois. Moi aussi je suis prête.

— Vraiment ?

— Je crois. J'essaie de l'être.

— Mais c'est pas facile, pas vrai ? Tu sais, ta maman serait très fière de toi. Elle serait furax contre moi parce que je n'ai pas été présent comme j'aurais dû l'être. Je le sais. Mais elle serait très fière de toi.

— Vraiment ? Tu crois ?

— Bien sûr. Même si c'est une bêtise d'avoir rompu avec Andrew. Et si, un autre jour, il faudra qu'on parle de ta carrière – mon père continue de regarder devant lui, mais le coin droit de sa bouche se soulève, juste un peu. J'ai mes sources, ajoute-t-il.

— Je voulais te le dire. Je ne l'ai pas fait, je ne sais pas pourquoi.

Il a un geste qui signifie : ne te tracasse pas pour ça. Sa voix redevient sérieuse.

— Em, je ne sais pas comment faire ça, comment être une famille, sans Jack. Je vais essayer, je te le promets. Mais je ne sais pas comment m'y prendre. J'ai besoin de ton aide. Ça... enfin, nous... ça ne me vient pas naturellement.

— À moi non plus.

— Mais on peut essayer, pas vrai ?

— Bien sûr qu'on peut essayer, papa. Je ne suis pas sûre qu'on ait le choix.

Mon père me tend la main à travers le siège et serre la mienne. Son geste est à la fois tendre et maladroit.

Quand nous arrivons à Riverdale, papi Jack est assis dans son lit, il regarde un vieil épisode des *Feux de l'amour* qu'on a dû lui enregistrer. C'est une scène de mariage, et le pasteur demande aux personnalités présentes si quelqu'un s'oppose à cette union.

— Salut P'pa, dit mon père en prenant mon grand-père dans ses bras.

Il ne prend jamais personne dans ses bras. D'habitude, il serre la main. C'est un progrès.

— Joyeux Noël, papi, dis-je en lui donnant un baiser sur la joue.

Papi Jack attrape la télécommande et appuie sur « pause ». L'écran se fige sur un barbichu, debout, le doigt levé pour formuler une objection.

— Il est bien temps de vous pointer, vous deux, dit papi Jack, mais il sourit.

— Comment tu te sens, p'pa ? fait mon père, bien que la réponse saute aux yeux.

Mon grand-père est un modèle réduit de ce qu'il était autrefois. Ses yeux, oui, seuls ses yeux jaunes, sont énormes et lourds, hors de proportion dans son visage ratatiné. Où est-il passé ? Je me pose la question. Il ne doit pas peser plus de quarante-cinq kilos. Où tout cela est-il passé ? Dans l'air ? Est-ce lui que je respire en ce moment ?

— Je vais bien, répond papi Jack, confirmant ainsi que, chez nous, les Haxby, on ne peut pas s'empêcher de se mentir.

Serait-ce mieux s'il disait la vérité : *Mes boyaux sont en train de pourrir, et mourir fait un mal de chien ?*

— Ça me fait plaisir, répond mon père avec un hochement de tête. On dirait qu'il s'apprête à noter la réponse dans un dossier médical.

Papi Jack a l'air suffisamment petit pour qu'on puisse l'emmener sous son bras. Je pourrais peut-être le fourrer dans mon sac et le ramener chez moi incognito. Le prendre avec moi comme un Yorkshire nain, calé bien à l'abri sous mon aisselle.

J'ai beau connaître les règles du jeu, je ne suis pas sûre de pouvoir les respecter. J'ai l'impression que le sourire plaqué sur mon visage va me faire imploser. Papi Jack va mourir. Je le sais. Il le sait. Mon père le sait. Il est inutile de faire semblant.

— Papi Jack ?

— Oui, Emily.

Je me demande si c'est la dernière fois que je l'entends prononcer mon nom. *Souviens-t'en,* me dis-je. *Souviens-toi de ce timbre-là. C'est important.*

— Tu vas vachement me manquer, dis-je.

L'eau s'accumule sous mes paupières, et les larmes tombent l'une après l'autre, une seule à la fois. Mon père détourne les yeux, il regarde le parking par la fenêtre. Il ne veut pas se trouver mêlé à ce moment.

— Tu vas me manquer aussi, petite, fait mon grand-père. (Il a une voix de papier, une voix carbonisée.) Assieds-toi avec moi. Je te veux juste là.

Je lui prends la main et m'assois près de lui. Mon père traverse la pièce sans nous regarder. Puis il se ravise, fait volte-face et vient nous rejoindre sur le lit. Je suis sur le côté droit, mon père sur le gauche, l'un et l'autre nous étendons les jambes sur le lit. Il y a plein de place, papi Jack ne remplit pas l'espace entre nous.

Quelqu'un presse la touche « play » de la télécommande, et nous finissons de passer ce qu'il reste de Noël comme ça. Trois générations de Haxby – Papi Jack, mon père et moi – couchés sur un lit.

À regarder de vieux épisodes des *Feux de l'amour.*

Le volume de la télé est poussé à fond, le plus fort possible.

37.

Ma première pensée en débarquant à la porte d'Andrew à six heures du mat le lendemain, c'est que j'aurais peut-être dû appeler avant. M'amener à l'improviste, au petit jour, le lendemain de Noël, n'est pas la meilleure manière de lui prouver ni ma santé mentale, ni mon amour. J'ignore s'il est chez lui et, si oui, s'il est seul. Peut-être est-il à l'intérieur avec une autre, juste à trois mètres de moi, en train de baiser comme un bienheureux au son d'un chant de Noël, un bien gras, genre *La Mère Noël.* Ou pire, peut-être qu'ils dorment à poings fermés ; il a la bouche posée sur l'épaule de la fille, son corps s'enroule autour de ses bras, de ses jambes.

Je parie qu'elle est blonde et qu'elle vient de se faire faire une épilation brésilienne par une Russe.

Je devrais peut-être tourner les talons et rentrer chez moi. Envoyer un mail, une carte, ou décrocher le téléphone. Je devrais peut-être tourner les talons, rentrer chez moi et laisser tomber pour de bon. Admettre que j'ai tenté le coup, que j'ai tout loupé, et circuler. Mais je ne peux pas. Je ne veux pas. Je me bats pour nous. Construire à partir du vide.

En attendant, je suis paralysée, debout sur son paillasson « Bienvenue ! », incapable d'appuyer sur la sonnette et incapable de partir.

Je ne sais pas trop depuis combien de temps je suis debout devant cette porte, assez en tout cas pour avoir mal aux jambes et savoir que la peinture sur le chambranle est craquelée en exactement cent trente-deux endroits. Le « à trois, j'y vais », je l'ai fait quinze fois. J'ai lu deux fois les gros titres de son *New York Times.* J'ai essayé la respiration yogique.

Ça n'a servi à rien.

Je passe un bon moment à réfléchir à ce que je pourrais dire, si jamais j'étais capable de sonner et s'il était chez lui : deux énormes « si » qui mettent une distance clinique entre moi et la réalité de ce que je suis en train de faire. Si X et Y, alors Z. Je ne succombe pas à cette manie des amoureux sur le petit écran qui disent tout de suite à l'autre ce qu'ils ressentent. Moi, je ne ressens rien, sinon de la terreur, sachant qu'à un moment donné, dans un proche avenir, je vais devoir parler à Andrew en direct. Devoir m'exprimer. Expliquer mon comportement de ces derniers mois. M'excuser.

Devoir dire des trucs que je ne pourrai pas retirer et réparer des trucs qui semblent irréparables.

Je vais demander une nouvelle partie. Un *Essaie encore.* Je ne parierais pas sur mes chances. J'en ai plus de perdre que de gagner.

Je me sens nauséeuse et n'exclus pas, si je reste ici, de vomir sur le seuil de sa porte. J'ai l'impression que mes organes s'écrasent l'un contre l'autre, qu'il n'y a pas assez de place dans mon corps pour tous les morceaux qui vont dedans. Que je suis le jeu *Dr Maboul*, les pinces touchent mes bords et m'envoient des décharges électriques jusqu'à la moelle. Quand la sensation devient insupportable, mon doigt appuie sur la sonnette. J'y mets tout mon poids, elle tinte donc vigoureusement et pendant un bon bout de temps.

Ensuite j'attends. Je n'entends rien du tout de l'autre côté de la porte. Je sonne à nouveau ; la deuxième fois, c'est plus facile. Après j'attends encore.

Enfin, j'entends traîner des pieds à l'intérieur.

— Qui est-ce ? demande Andrew.

— C'est moi, dis-je, avant de réaliser que je ne suis plus dans le cercle intime du *c'est moi.* C'est Emily.

Je l'entends dire *Merde alors !*, suivi d'un gros bruit de choc, suivi d'un autre *Merde.* Puis c'est :

— Bordel. Saloperie de bordel de merde.

Je suis sûre qu'il a entendu la première fois, mais je répète tout de même :

— C'est Emily. Et tu as cent trente-deux craquelures à ta peinture.

— Quoi ? fait-il, puis la porte s'ouvre, et Andrew est là, devant moi.

Il porte le caleçon vert à pois que je lui ai acheté en solde chez Gap, mais pas de maillot. Ses yeux à demi fermés clignent face à l'assaut du matin. Sa main droite masse son coude gauche. Son petit juif. Ça ne le fait pas rire du tout. Il me regarde sans rien dire. Il ne m'invite pas à entrer, pas plus qu'il ne me dit de partir. Il reste juste là, debout, à cligner des yeux en se massant le coude.

— Salut, dis-je.

— Emily ? fait-il comme s'il venait tout juste de remarquer ma présence.

Ça fait du bien de l'entendre prononcer mon nom, même sur un ton qui n'a rien de chaleureux. Je répète *salut* et ajoute :

— Joyeux Noël. (Andrew penche la tête de côté et me dévisage.) Je peux entrer ?

Il ouvre plus grand la porte, et je le suis à l'intérieur. Je ne sais pas si je dois m'asseoir ou rester debout. Comme il ne s'assoit pas, moi non plus. Je peux le faire debout. Certes, j'avais imaginé cette conversation sur son canapé, mais je peux improviser. *Je peux le faire.*

— Je sais qu'il est tôt, pardon de te réveiller. Je voulais te parler, même si je sais que toi, tu ne veux pas me parler.

Je reprends mon souffle et jette un œil dans l'appartement. Je n'y suis pas revenue depuis les jours précédant la fête du Travail. Rien n'a changé, on dirait toujours un showroom de chez Ikea : convertible beige, tapis au brun improbable, photos noir et blanc pré-encadrées sur les murs. D'une certaine manière, c'est encourageant. Comme si ses meubles n'avaient pas bougé en attendant mon retour.

— Je tombe mal ?

— La question arrive un peu tard, tu ne crois pas ?

— Si. (Je regarde par terre. Je remarque une chips égarée

et suis tentée de la ramasser pour aller la jeter dans la poubelle. Je me retiens, ça aurait l'air présomptueux.) Tu es seul ? Enfin, c'est-à-dire que j'ai besoin de te parler seule à seul.

J'ai dû prononcer les mots qu'il ne fallait pas, Andrew a l'air furieux, comme s'il allait me hurler dessus.

— Il n'y a que moi. Personne d'autre. (Il crie sans crier.) Il est très tôt. Qu'est-ce que tu veux ?

— Juste parler. On peut s'asseoir ? (J'ai les jambes qui flageolent. Sans attendre la réponse, je m'assois. Il m'imite et va se poster à l'autre bout de son canapé, le plus loin possible de moi.) Tu sais que je ne suis pas très bonne pour parler.

Je m'arrête, espérant qu'il va venir à mon secours, mais il fixe le sol, il m'attend. Il piétinerait en thérapie : les silences pesants ne lui font pas peur.

— J'ai beaucoup de choses à te dire, j'espère que tu vas m'écouter. Je ne le mérite pas, vraiment, mais j'espère tout de même que tu vas m'écouter. Je sais que j'aurais dû appeler au lieu de débarquer à l'improviste. Je sais que ça fait bizarre, que ça n'a rien de charmant. Je te demande pardon pour ça. Je te demande pardon pour tout. Manifestement, je ne sais pas m'y prendre.

— Em, ce n'est pas un crime de rompre avec quelqu'un. Je m'en suis remis, répond-il, et il a un haussement d'épaules du genre : on ne va pas en faire un plat.

Il n'a plus l'air furieux, juste apathique. Je m'en aperçois maintenant, c'est pire, vraiment pire.

— J'ai merdé, fais-je. Enfin, je ne regrette pas d'avoir rompu avec toi.

— OK.

Il secoue la tête avec l'air de dire : *alors, qu'est-ce que tu fous là ?*

— Je devais le faire.

— OK.

— Parce que je n'étais pas prête pour toi. Enfin, j'étais à côté de mes pompes, et je ne le savais pas. Tu comprends ?

— Non.

— Je faisais comme si tout allait bien, mais ce n'était pas le cas. Je portais un gilet de sauvetage autour du cœur. Tu piges ?

— Non.

— Je tournais à vide, tu saisis ?

— Non. (Il faut que j'arrête avec les questions rhétoriques.) Aujourd'hui, j'ai changé. Je me suis réveillée. Aujourd'hui, j'ai un rein à donner.

Ce que je raconte n'a ni queue ni tête.

— Je n'ai pas besoin d'un rein.

— Mais s'il t'en fallait un, je te donnerais l'un des miens. Aussi sec.

— Merci.

— N'importe quand. Vraiment.

— OK. (Andrew se lève, signe que la conversation est terminée.) Eh bien, merci pour ce rein potentiel.

— Andrew... (Pour la première fois ce matin, je le regarde dans les yeux.) Andrew. Attends, s'il te plaît.

Je prends encore une ample respiration pour me calmer, mais elle produit l'effet contraire, et je me mets à pleurer. De gros sanglots, laids, hoquetants, hystériques, le genre de sanglots qui poussent à déguerpir, le cas échéant à regarder ça de loin, mais certainement pas à s'en mêler. Il faut dire, et c'est tout à son honneur, qu'Andrew reste sur le canapé et ne m'observe pas. Il garde une immobilité parfaite.

Au bout de quelques minutes, il se lève et part chercher un verre d'eau, ainsi qu'une boîte de mouchoirs en papier. Il pose le tout sur la table basse devant moi.

— Ça va bientôt s'arrêter, promis, dis-je. Ça va passer.

— Je sais. J'attendrai.

Sa voix provoque une sorte de déclic en moi : mon pouls ralentit, mes larmes cessent de couler. Je me sèche les yeux avec un mouchoir, me mouche le nez. Je vais dans la salle de bains me passer de l'eau froide sur le visage. Je jette un œil dans le miroir, c'est une version de moi bouffie et déformée qui me fixe. *Qu'est-ce que tu fabriques, Emily ? Fais ça comme il faut. Maintenant, ça suffit.*

Je regagne le canapé, m'assois et me tourne pour faire face à Andrew. *Je peux y arriver. Je suis prête.*

— OK. Désolée. Me revoici.

Andrew fait oui de la tête, mais il a l'air épuisé. Et fatigué de moi.

— Je sais que j'ai tout foiré. Mais je t'aime, Andrew. Et je t'aimais cette fois-là, au cinéma, le jour où je ne t'ai pas répondu, quand tu l'as dit en premier. Je t'aimais le jour de la fête du Travail, quand j'ai rompu. Je voudrais pouvoir tout t'expliquer, te dire pourquoi j'ai fui la meilleure chose qui me soit jamais arrivée, je vais essayer. Mais c'est compliqué. J'avais besoin d'apprendre d'abord à me connaître. À l'époque, je n'étais pas prête à te donner quelque chose. Je n'étais pas prête pour un Andrew. Et aujourd'hui ? Aujourd'hui, oui, je le suis. Je suis sortie de mon engourdissement, tu comprends ? J'aimerais que tout soit plus simple, pouvoir te dire : « Écoute, Andrew, je t'ai quitté parce que j'avais peur de t'aimer, de te perdre et de devoir endurer ça. » Ce serait vrai, mais ce ne serait pas tout. Ce n'est pas si simple.

Andrew change de position pour me faire face. Le mouvement est discret, mais suffisant pour être interprété comme un encouragement à poursuivre. Il écoute.

— Ce que j'essaie de te dire, c'est que j'ai tout foiré, mais que j'avais une bonne raison. Tu n'aurais pas voulu être avec la personne que j'étais il y a quelques mois. J'étais malheureuse et vide, et je ne le savais pas. Maintenant, eh bien, maintenant, je vais mieux, je crois. En tout cas, j'y travaille.

— OK, répond Andrew, je suis heureux que tu ailles mieux. Sincèrement. Mais, Emily, je ne sais pas ce que tu attends de moi. Tu m'as quitté, tu te rappelles ?

À présent, il baisse les yeux, et ses doigts se mettent à dessiner des ronds sur le canapé. Des ronds et des ronds et des ronds. Je continue :

— Je sais que je ne peux pas effacer les deux derniers mois. Je les vois comme une cassure. C'est moi qui nous ai cassés, et j'en porte l'entière responsabilité. Mais j'aimerais tellement, tellement, tellement qu'on puisse recommencer. Pouvoir rejouer. Essayer de nous remettre ensemble. Nous dé-casser. Ou nous recoller, enfin quelque chose.

Je reprends mon souffle et j'attends. *Voilà, on y est.* Aucun de nous ne bouge ni ne respire, et je me demande si on ne pourrait pas dériver sur cet océan de néant. Cette absence de bruit. Ça ne fait pas mal, vraiment. C'est comme arrêter de sentir. J'ai presque envie que ce moment ne finisse jamais, parce que, s'il s'arrête, je saurai. Sans doute est-ce pour ça que je suis restée si longtemps muette. Après tout, peut-être est-il plus facile de ne pas savoir. Au moins, on a l'espoir.

— Emily, fait Andrew, puis il s'interrompt. Emily.

— Oui, dis-je en baissant les yeux. (Il ne m'a pas prise dans ses bras. Il ne m'a pas embrassée. C'est terminé. *Fin de partie.*) C'est bon, tu n'as pas besoin d'ajouter quoi que ce soit. Je comprends.

Je me demande si on peut voir un cœur brisé. Oui, est-ce qu'Andrew peut le voir, là, par terre, fracassé en mille morceaux éparpillés au milieu des miettes de la chips ?

— Non, non, tu ne comprends pas, fait-il tout bas. D'une voix à peine audible. (Je retiens mon souffle.) Je t'aime et je ne sais pas quoi faire, bordel. Le jour de la fête du Travail, quand tu as tout cassé, cela ne m'a pas empêché de continuer à t'aimer, pourtant Dieu sait si je voulais le contraire. Mais avoir envie d'être avec toi, me faire du souci pour toi, m'intéresser à toi, ça ne m'a pas réussi, du moins pas ces derniers mois. Tu es comme un putain de fléau. Pourquoi crois-tu que je t'ai demandé de me foutre la paix ?

Il se lève et commence à arpenter la pièce devant le canapé ; à chaque mot, à chaque pas, sa voix enfle.

— Une putain de maladie, poursuit-il. Tu es comme une putain de gangrène. Mais tu es là, devant moi, et je ne sais plus. Il y a tant de choses qui sont restées dans le non-dit, et toutes ne sont pas ta faute. Ça, je le sais bien. (Il pointe le doigt vers moi, comme si c'était une accusation.) Non, ne va pas t'imaginer que je ne le sais pas. J'aurais dû insister, ne pas te laisser t'en tirer à si bon compte. Pourtant, c'est ce que j'ai fait. Je me disais, je ne sais pas... que tu finirais par comprendre ce qu'on avait. Que tu allais te réveiller. Mais tu ne t'es pas réveillée et tu nous as cassés. C'est exactement ça. C'est drôle que tu aies trouvé pile les mots qu'il faut pour ça. Tu nous as cassés, conclut-il en pointant à nouveau son index sur moi.

— Je nous ai cassés.

— Et maintenant tu essaies de nous réparer ? Putain, je sais pas. J'en sais rien.

Il s'arrête devant moi et se baisse, à genoux : nous sommes au même niveau. Il n'y a plus rien à dire, que l'essentiel, il est temps de foncer. Je ne peux pas retenir plus longtemps ces mots-là. Ce ne serait juste ni pour lui ni pour moi.

— Je t'aime, Andrew. J'aime quand tu ris en dormant. Tu connais quelqu'un d'autre, toi, qui rit en dormant ? Je n'ai jamais rien entendu de plus beau. Et ça vient de toi. Il y a six milliards de personnes sur cette terre, d'accord beaucoup sont des bébés, des gens qui ne parlent pas anglais, et des hommes et des femmes que je ne connais pas, mais ce n'est pas la question, hein ? La question, c'est que c'est toi. Voilà. Ce n'est pas compliqué. On peut faire comme si ça l'était, mais ça ne l'est pas. Au bout du compte, je ne peux pas faire abstraction de tout ça. Je n'ai plus peur. OK, c'est un mensonge. Je suis morte de trouille, mais je ne veux pas laisser la peur me retenir. Je ne peux pas et je ne veux pas.

Je dis cela comme si c'était le mot de la fin, comme si j'avais décidé pour nous deux, mais je sais bien que ce n'est pas vrai. Que, sans lui, ça ne marche pas.

— Je ris en dormant ? fait-il en posant ses mains sur mes joues.

— Oui. Tu ne le savais pas ?

— Non, je ne le savais pas.

Il approche son visage, comme pour mieux me regarder.

— Tu ris. Beaucoup. Ce n'est pas normal.

— Il y a six milliards de personnes dans le monde ?

— Peut-être pas loin de sept.

— Et toi, tu pleures en dormant. Ça non plus ce n'est pas normal.

— Je pleure ?

— Oui, tu pleures. Je n'ai jamais rien entendu de plus triste. (Il se penche encore de quelques centimètres. Ses mains reposent toujours légèrement sur mes joues, il m'embrasse le front. Je ferme les yeux et grave le baiser dans ma mémoire.) – Mais je ne vais pas te mentir. Ce n'est pas beau quand tu pleures. Pas beau du tout. C'est déchirant. Je t'en prie, je t'en prie, ne le fais plus, conclut-il avant d'embrasser ma joue.

Je ne veux pas le regarder. Je ne veux pas voir si c'est sa manière de dire *soyons amis.*

Mais il ne s'arrête pas. Il m'embrasse le bout du nez. Les paupières. Encore le front. Il agit au ralenti, posément, comme si chaque baiser était une décision délibérée. Un mot qu'il souhaite prononcer correctement.

Il prend mes mains dans les siennes et embrasse mes doigts, les parsème de légers picotements. J'ai envie de lui crier *embrasse-moi pour de bon,* mais je ne le fais pas. J'attendrai le temps qu'il faudra.

Je lui retire mes mains, dépose un baiser sur le bout de mes doigts et les glisse sur les sillons aux coins de ses yeux. Je les effleure lentement, note les endroits où les rides s'entrecroisent, essaie de voir si leur motif est différent de la dernière fois où je les ai vues de près. Elles ont l'air plus profondes, comme apparues depuis peu.

— Regarde-moi, dit Andrew, et je le regarde droit dans les yeux. (Le monde redevient silencieux.) Tu es sûre ?

— Je suis sûre.

Et je répète : *Je suis sûre,* plus fort, pour qu'il m'entende, pour que je m'entende. Une larme jaillit furtivement au coin de mon œil, il l'attrape d'un baiser.

— Et toi, tu es sûr ?

Mais il ne répond pas. Non, ses lèvres caressent les miennes, c'est l'ombre d'un baiser. Il m'embrasse encore, cette fois plus fort, et je lui rends son baiser avec avidité. Ce baiser est une promesse. Un serment. Une phrase déclarative.

Plus tard, nus dans son lit, nous sommes face à face. Nos membres sont enchevêtrés, cousus ensemble comme par une fermeture Éclair. C'est ici, à l'abri sous la couette grise, où il fait chaud et doux, qu'Andrew et moi commençons à parler.

— Je ne veux pas revenir là où on en était avant, dit-il en rangeant une mèche folle derrière mon oreille.

— Moi non plus.

Mes doigts montent et descendent sur ses bras. Je dessine des ballons, des cœurs, des cercles.

— Je parle sérieusement. On ne peut pas juste reprendre là où on s'était arrêtés. Je ne le ferai pas.

— Je sais. Ce n'est pas non plus ce que je veux. Je veux rejouer. On peut rejouer quand on est adultes ? Tu crois que c'est possible ?

— Je ne sais pas.

— Moi non plus, fais-je en haussant une épaule. (Andrew embrasse cette épaule nue.) Mais je veux essayer.

— Moi aussi.

— Vraiment ?

Je pose cette question, alors que nous sommes déjà nus et qu'apparemment la décision est prise. Mais je veux l'entendre le redire.

— Vraiment, dit-il, et je savoure le mot.

Je pourrais presque le cueillir dans l'air. *Vraiment.*

— Il faut que je sache ce que tu penses de Brooklyn.

— Brooklyn ?

— Oui, Brooklyn. Ou le Queens peut-être.

— Loyer moins cher.

— Plus d'espace.

— Ça pourrait être sympa.

— Vraiment ?

— On pourrait avoir un chien.

— Vraiment ?

— Oui, j'ai toujours eu envie d'un chien.

— Pourquoi ça ?

— Amour inconditionnel, répond Andrew.

Un moment après, nous avons enfoui nos têtes sous les couvertures. Maintenant, sous les draps dressés comme une tente, nous chuchotons avec la même application que des campeurs de dix ans.

— Papi Jack m'a dit de t'attendre, fait Andrew.

— Hein ?

— Quand je suis allé le voir. Je pensais qu'il ne me reconnaissait pas, mais pendant qu'on jouait au poker, soudain il s'est arrêté. Il m'a dit de t'attendre. C'est tout ce qu'il a dit. « Attends-la. » Et puis il s'est tout de suite remis à jouer.

— Il a dit ça ? Et qu'est-ce que tu as répondu ?

— Je n'ai rien répondu. Moi aussi je me suis remis à jouer. Ça n'avait pas vraiment d'importance. Même si je ne le voulais pas, même si je ne l'aurais jamais reconnu alors, je t'attendais déjà.

— Il faut que je te dise quelque chose, immédiatement, mais s'il te plaît, ne réponds rien. Pas encore, OK ?

— OK.

— Je t'aime.

Il ne répond rien, et je suis heureuse que ces mots ne soient pas réduits à un écho. Je n'ai pas envie qu'ils me soient répétés par les murs. Non, je veux attendre que nous soyons plus lourds, plus enracinés. C'est mon tour de patienter.

Je me blottis près d'Andrew et presse mon corps contre le sien, afin de gommer tout raccord. C'est ce qui se rapproche le plus de ce dont j'ai vraiment envie. À savoir le manger, en commençant par le bout de ses doigts peut-être, pour qu'il entre dans ma peau, qu'il fasse partie de mon ventre. Je veux mêler nos sangs, me remplir de la double hélice de son ADN, faire de nous un seul tout. Un seul être.

Je veux qu'il nous reste trois reins de secours. Je veux qu'il nous reste un cœur de secours.

38.

Aujourd'hui, je suis un super héros, habillée en avocate, habillée en super héros. Prête à sauver le monde. Je suis à nouveau en état de marche. Mieux que Humpty Dumpty. Reconstituée. Toute neuve.

Cela dit, mieux vaut ne pas trop en faire et ne pas flanquer un coup de pied dans la porte en claironnant *Zorro est arrivé* ! Non, mon capitaine. Je vais entrer, serrer la main de la personne qui me fera passer l'entretien et la séduire, elle et toute l'aide juridictionnelle, grâce à mes compétences juridiques affûtées et à mon esprit d'analyse. Je vais mentionner Yale. Je vais exagérer mon expérience. Je vais. *Avoir. Le. Poste.*

Je me suis préparée mentalement. Ai bu de multiples cafés dans mon mug *Wonder Woman.* Ai utilisé un gel douche exfoliant hors de prix. Me suis rasé les jambes. N'ai pas loupé les chevilles. N'ai pas sauté les genoux. J'ai étudié de près le site Web de l'aide juridictionnelle et mémorisé sa mission. Elle est devenue ma mission. Andrew m'a entraînée à l'entretien pendant des heures et m'a fait porter mon tailleur de « Suuuuuper Avocate » pour me donner de l'assurance. Je suis plus prête que jamais. À moi de jouer.

— Mademoiselle Haxby, Barry vous attend, dit la réceptionniste avant de me précéder dans un étroit couloir couvert d'une moquette grise industrielle, circulant dans un dédale de box séparés par des demi-cloisons.

Cet endroit est tout le contraire d'APT. Pas de plaques rutilantes pour les noms, pas de verre dépoli, pas de marbre. Et sûrement aucun laveur de carreaux. Plutôt du Formica, des classeurs métalliques bon marché (avec des étiquettes manuscrites) et des portes de fortune. C'est parfait.

— Barry Stein, ravie-de-vous-rencontrer, me dit une femme aux cheveux noirs frisottants et aux extrémités épaisses.

— Emily Haxby, fais-je tout en m'efforçant de masquer ma stupeur que Barry Stein soit une femme.

Cela signifie que, si je travaillais ici, mon patron serait une femme, ne materait pas mon décolleté et ne ressemblerait donc *en aucune manière* à Carl. Le pied, quoi.

— Bien, parlez-moi de votre expérience dans la défense de l'intérêt public.

— Eh bien, je n'en ai pas beaucoup. J'ai passé ces cinq dernières années dans un gros cabinet d'avocats, donc...

— Des affaires *pro bono* ?

— Pas vraiment. Non. Il y avait ces objectifs à atteindre pour les heures facturables, et jamais assez de temps...

Emily, reprends-toi. Ne rate pas ça.

— Mais vous avez une expérience en contentieux, n'est-ce pas ?

— Oui, absolument. Je suis très expérimentée. Je suis une avocate-conseil très expérimentée.

— Avez-vous déjà plaidé ?

— Oui. (*Non.*)

— Avez-vous déjà présenté un exposé préliminaire ?

— Oui. (*Non.*)

— Fait subir un contre-interrogatoire à un témoin ?

— Oui. (*Non.*)

— Été premier avocat ?

— Oui. (*Non.*)

— Dans quel genre d'affaires ?

— Euh, d'habitude dans des affaires mineures. Les avocats associés aimaient bien se réserver les plus importantes. J'ai eu quelques affaires d'assurances, quelques affaires immobilières. Je ne voudrais pas vous ennuyer avec les détails.

— Vous ne m'ennuierez pas.

— Non, franchement, c'est très austère. Assurances, réassurances, déclassement des créances, effet de préclusion ou estoppel collatéral, *carpe diem,* doctrine de l'immunité anti-entreprise, loi sur les retraites, sûretés constituées valablement.

— *Carpe diem ?*

— Je vous demande pardon ?

— Vous venez de dire *carpe diem.* Qu'entendez-vous par là ?

— Je n'ai pas dit *carpe diem.*

— Oh, j'ai cru que vous aviez dit *carpe diem.*

— Ha ! ha ! Non, vous devez avoir mal entendu. *Carpe diem !* C'est très drôle.

— Sans doute.

— Cueille le jour, c'est exactement ce que je suis en train de faire.

Emily, boucle-la. Boucle-la donc.

— Êtes-vous nerveuse ?

— Oui, désolée. C'est juste que c'est une opportunité vraiment formidable...

— Vous n'êtes donc pas sous l'emprise d'une drogue ?

— Une drogue ? Non.

— Bien. Vous sembliez l'être.

— Non. Absolument pas. Je suis bien trop coincée pour me droguer. J'ai juste dû pousser un peu sur le café ce matin.

— Ce qui explique la jambe.

— Hein ?

— Votre jambe. Elle n'arrête pas de gigoter.

— Trop de café.

— Bon.

— Bon.

— Voici le tableau. Vous avez de formidables références, vous avez fait vos études à Yale, travaillé dans l'un des cabinets les plus réputés du pays, blablabla, blablabla, blablabla. Vous êtes un peu bizarre, mais, heureusement pour vous, j'aime ce qui est bizarre.

— Vraiment ? Enfin, je veux dire... merci.

— Alors laissez-moi vous décrire le poste.

— D'accord.

— En fait, nous recherchons un avocat pour notre département droit familial. Vous réaliseriez les premiers entretiens, travailleriez sur les questions d'adoption, de gardes d'enfants, de divorces, ce genre de trucs. Nous effectuons un gros travail pour le compte des femmes battues. Ordonnances de restriction provisoires et autres ; en fait, c'est la raison pour laquelle je suis ici pendant les fêtes. Le nombre de dossiers grimpe en flèche en période de Noël. Pour une raison ou l'autre, les maris adorent tabasser leurs femmes pendant les fêtes. Et pendant la finale du *Super Bowl*.

— Vraiment ?

— Oui. C'est à vomir, pas vrai ? Sur le fond, nous avons besoin de gens agressifs, capables de prêter leur voix à ceux qui ne peuvent pas parler, d'offrir une tribune à ceux qui sont désarmés. Il nous faut des gens qui n'aient pas peur de parler haut et fort.

— C'est tout à fait moi. Mon portrait tout craché. Je parle toujours haut et fort.

— D'accord, mais il me reste une dernière question. Pourquoi ? Pourquoi êtes-vous ici ? Ce n'est pas une question existentielle. Mais, pourquoi voulez-vous ce poste ?

— Parce que, si je dois passer au moins soixante-quinze pour cent de mes journées à faire quelque chose, je veux que ce quelque chose ait un sens. J'en ai assez de perdre mon temps. Je veux que ma vie compte, je commence à le comprendre, et qu'elle compte de toutes les manières possibles.

— Enfin une réponse parfaite. Quand pouvez-vous commencer ?

— Vous me proposez le poste ?

— Oui, c'est ce que je suis en train de faire, je crois. La vérité, c'est que nous avons désespérément besoin d'aide. Alors, vous le voulez ? Le poste ?

— Oui. Oui, je le veux.

J'ai envie d'embrasser Barry Stein en plein sur sa bouche couleur fraise, ou de jeter mes bras autour de son cou grassouillet. J'ai envie de lui dire merci-vous-ne-le-regretterez-pas-je-serai-la-meilleure-avocate-jamais-embauchée-par-vous, vous-ne-le-regretterez-pas-je-vous-l'ai-déjà-dit ? Au lieu de cela, je lui serre la main avec une fermeté toute professionnelle, conviens avec elle de commencer dans une quinzaine et reprends le couloir moquetté. La démarche assurée. J'attends d'être quatre rues plus loin pour tendre les bras devant moi. Dévaler la rue. Simuler un envol. Et chanter « Suuuuuper Avocate ».

39.

C'est ici que ça finit. Pile ici, à l'étage « soins continus » de la maison de retraite de Riverdale. Nous sommes prêts. Préparés plutôt, car on ne peut jamais vraiment être prêt, n'est-ce pas ? On peut se faire mettre les points sur les « i » par le médecin, lui faire dire « c'est le moment », comme si ces mots avaient un sens. On peut être nerveux, s'être fortifié, entraîné dans sa tête. Mais on ne peut pas être prêt. Si on croit qu'on peut, on se fourre le doigt dans l'œil. Parce que plus tard, au cinéma, on pensera : *Tiens, papi Jack aurait aimé ce film.* Et, face un problème insoluble : *papi Jack aurait su quoi faire.* Et devant l'autel, en robe blanche, prête à engager sa vie : *papi Jack devrait voir ça.* Pendant très très longtemps, peut-être même pour toujours, ça va faire un mal de chien.

À la fin de cette journée, après le coup de massue, je n'aurai pas d'autre solution que d'essayer de régénérer mes morceaux perdus. Et parce que papi Jack est vieux, parce qu'il est prêt, et parce que c'est dans l'ordre des choses, je l'accepte.

Papi Jack est couché au milieu du lit. Mon père et moi sommes assis chacun d'un côté, à nos places accoutumées. Nous sommes venus presque chaque jour depuis Noël, nous avons nos habitudes maintenant ; moi à droite, mon père à gauche. Andrew passe quand il peut, saute dans un train entre deux gardes aux urgences et nous explique tous les appareils. Ce qui coule dans les tubes reliés aux avant-bras de mon grand-père, pourquoi les médecins continuent de lui prélever du sang alors qu'il ne semble plus lui en rester une goutte, qui sont les spécialistes en blouses blanches équipés d'écritoires à pince. Quand nous avons l'impression que des réalités brutes, plus froides, pourraient nous réconforter, nous nous tournons vers Andrew, et il nous fait consciencieusement notre shoot.

Papi Jack continue de rétrécir dans l'espace situé entre mon père et moi, et je me demande si c'est comme ça qu'il va partir. Peut-être ses molécules vont-elles se désagréger sous nos yeux, jusqu'à ce qu'il devienne juste un petit tas de matière sur des draps d'hôpital souillés. À moins qu'il n'implose et ne parte en spirale dans un vortex invisible. Ou qu'il ne s'envole, comme des papiers poussés par le vent.

Ces deux dernières heures, depuis qu'Andrew est retourné travailler, papi Jack n'a été conscient que par intermittence. Il n'a pas dit grand-chose. Quand il le fait, parler semble douloureux.

— Je t'ai apporté un cadeau, papi Jack, fais-je une fois que les infirmières ont fini de passer, comme s'il était mort avant d'être mort.

Je plonge la main dans mon sac et en sors mon diadème. Mon grand-père me sourit et me fait signe de le lui mettre sur la tête. Je pose le diadème en équilibre sur ses touffes de cheveux blancs, et il se transforme en un prince enfant. Chiffonné, royal, et sans peur.

— Merci. Petite. Me plaît. Beaucoup.

Chaque mot est une victoire.

Sans lui poser la question, je prends sa casquette sur l'appui de la fenêtre et la plante sur ma tête. Elle est à moi maintenant. Je n'ai pas besoin d'une chose aussi tangible pour garder papi Jack, mais je m'autorise tout de même cette petite consolation. Je tire la casquette assez bas sur mon front.

Mon père regarde son père, couché dans un lit avec un diadème et une chemise d'hôpital ; il laisse échapper un son, quelque chose entre le rire et le sanglot. On dirait le clic d'un appareil photo, et je nous imagine en train de prendre mentalement des clichés de papi Jack, le plus vite possible. *On se souviendra de toi. En chemise et en diadème, peut-être, mais on se souviendra.*

C'est à nous maintenant d'attendre mon grand-père. Quand il est conscient, nous lui parlons, lui racontons des anecdotes tirées du trésor des histoires familiales recyclables que l'on exhume de temps à autre. Nous nous efforçons d'y inclure ma grand-mère et ma mère, afin qu'il pense au fait de les retrouver plutôt qu'à celui de nous quitter. Je ne crois toujours pas que ça marche comme ça, mais, dans des moments comme celui-ci, ce qu'on croit n'a pas vraiment d'importance.

Nous caressons sa main, qui ressemble exactement aux nôtres, sauf que la sienne est marquée de veines bleues et de taches brunes. Toutes les cinq minutes, nous la pressons pour lui rappeler que nous sommes là. Qu'il n'est pas seul.

— Tu te rappelles, papi, quand j'étais en cours moyen, le jour où je me suis cassé le bras et où tu m'as emmenée à l'hôpital ? Tu te rappelles ?

Je pose la question, mais elle est de pure forme. Peu importe maintenant qu'il se rappelle ou pas. Je veux juste qu'il entende ma voix.

Mon père hoche la tête à cette évocation, comme si lui aussi se souvenait, même s'il n'était pas là. Des larmes jaillissent de ses yeux, elles défilent l'une après l'autre sur son visage, il les essuie avec sa manche.

— J'aurais dû t'écouter davantage, papa. J'aurais dû venir ici plus souvent.

Il pose son front contre les mains de papi Jack.

Il a le corps plié en forme d'excuse.

Mon père et moi parlons comme les jeunes enfants, sans les va-et-vient du dialogue, chacun suivant une route parallèle.

— Tu te souviens quand tu es venu me voir à Rome pendant mon année à l'étranger ? Tu disais que tu avais fait le voyage parce que la solitude s'entendait dans ma voix...

— Ne t'inquiète pas, j'ai trouvé ce que tu m'as demandé. Juste là où tu avais dit. Sous l'évier de la cuisine, à gauche...

— On avait mangé dans ce restaurant censé faire les meilleures pâtes du monde. On s'était si bien empiffrés qu'on avait failli se rendre malades. Tu te rappelles... ?

— Et je prendrai les dispositions que tu as choisies. C'est promis...

— Tu te rappelles le jour où tu as accompagné cette sortie scolaire au Muséum d'histoire naturelle ? Mon instit avait piqué une crise parce que tu n'employais pas un langage « convenable pour des enfants » ? Après, on a tellement ri qu'on a manqué se faire pipi dessus : on t'imaginait en train de copier cent fois au tableau : « Je ne dirai pas merde devant des enfants. » C'est devenu une blague entre nous. « Je ne dirai pas merde devant des enfants... »

— Je sais qu'on n'a pas toujours été d'accord, papa, mais...

— Tu me l'as chuchotée juste avant l'enterrement de maman. « Je ne dirai pas merde devant des enfants. » Tu as toujours su ce dont j'avais besoin. Mon Dieu, ça me fait encore rire. Même maintenant, alors que je suis ici avec toi comme ça...

— Je regrette. Tu ne peux pas savoir à quel point je regrette...

De temps en temps, je murmure à l'oreille de papi Jack, pour que lui seul entende ce que je n'ai pas encore pu lui dire.

— Merci d'avoir dit à Andrew d'attendre, papi, fais-je en rajustant le diadème afin qu'il tienne bien droit sur sa tête. Merci d'avoir attendu que je sois prête. Ça va aller maintenant. (J'arrange la couverture pour qu'il ait chaud, qu'il soit bien bordé. Pour tenir ses molécules en place. Et j'ajoute d'une voix enjouée, comme si on allait faire un truc amusant, du genre sauter d'un plongeoir :) Si tu es prêt, je suis prête.

J'emporte dans le couloir le plateau-repas auquel il n'a pas touché.

— Tu me manques déjà, dis-je quand papi Jack ne réagit plus, que ses yeux ne fixent plus rien. Je t'aime.

Et je répète les mots, encore et encore.

Plus tard, mon grand-père glisse à nouveau dans le sommeil, et nous sentons que c'est la dernière fois. L'air n'est pas le même. Il est plus lourd, chargé d'attente. Nous écoutons ses respirations, nous les comptons en silence. *Une deux. Une deux. Une deux. Est-ce que je suis prête à ce qu'il arrête ? Lui est prêt. Il est prêt. Une deux. Une deux. Je suis prête.*

Quand papi Jack arrête de respirer, quand le *deux* ne vient pas, la pièce est silencieuse. Une suspension du temps et du bruit, comme si l'univers prenait un instant pour s'adapter à la perte d'une nouvelle âme. C'est la fin d'une symphonie qui se répète.

Et même si mon père et moi voudrions faire n'importe quoi, n'importe quoi sauf attendre ici – sortir de la pièce en courant, crier, hurler, peut-être même applaudir –, nous ne le faisons pas ; non, nous nous forçons à rester et à nous imprégner du silence.

40.

Il doit être six heures et demie du matin et, bien qu'on soit au cœur de l'hiver, le soleil filtre tout de même par les fenêtres, une lumière vive et tranchante. Elle découpe le sol en longs triangles pointus. Si je traversais la pièce, je passerais de l'ombre à la lumière, de la lumière à l'ombre. J'ai la tentation de me lever, d'aller et venir sans autre but que réchauffer et rafraîchir la plante de mes pieds. Rester debout près du lit, à regarder Andrew respirer.

— Salut, toi, dit-il en se réveillant et en me voyant les yeux ouverts.

Je suis blottie contre lui, le dos contre son ventre, il pose la tête sur son coude pour voir mon visage. De son autre bras, il me serre encore plus près de son corps.

— Salut, dis-je en lui souriant dans un murmure. Il est tôt. On devrait se rendormir.

— Tu vas bien ? me demande-t-il, et il dépose un léger baiser sur le petit bout de nuque qui se trouve sous sa bouche.

— Oui. (Je ferme les yeux, puis les rouvre.) Je vais bien.

— Je regrette de ne pas avoir été là-bas avec toi l'autre jour.

Il tire les couvertures sur mon épaule. Un geste protecteur, un geste qui dit : *j'aurais essayé d'adoucir les choses.*

— Je sais, merci. Mais c'était sans doute mieux qu'il y ait juste mon père et moi. Juste nous pour lui dire adieu.

Je chuchote toujours, eu égard à cette heure matinale : le mot adieu est trop cru pour être prononcé avec force.

— Je comprends.

Andrew pose son nez à l'endroit qu'il a embrassé quelques instants plus tôt. Je me demande s'il fixe les souvenirs par l'odeur. *Est-ce sa manière à lui de me graver dans sa mémoire ?*

— Tu es prête pour aujourd'hui ?

— Aussi prête que je le serai jamais.

— Au moins, cette fois, ta tenue sera à ta taille. Pas de culotte qui remonte, j'espère.

— Non, pas de culotte qui remonte. Et, cette fois, tu seras avec moi. Ce sera plus facile.

Je m'accoude pour poser un baiser sur son soupçon de barbe. Puis je ferme les yeux et me rendors, juste un petit moment.

Mais je n'écoute pas le souffle d'Andrew. Je sais qu'il est là.

L'enterrement, contrairement à tous ceux auxquels j'ai assisté – et j'en ai vu un certain nombre par le passé, se déroule sur une bonne longueur d'onde. Certes, nous sommes dans une église du Connecticut, tous vêtus de noir, à écouter parler résurrection et autre, mais la tonalité n'est pas spécialement triste. Non, nous sommes tous convenus, par une sorte d'accord tacite, que ce jour doit être une célébration rock'n'roll de la vie de papi Jack.

Mon père fait en sorte qu'il y ait de la musique d'un bout à l'autre de la cérémonie. La musique des années 1940, celle qui donne envie de se taper sur les cuisses pour marquer la cadence. L'église se remplit du son de la trompette, du trombone et du piano. Avec nostalgie, énergie et optimisme. C'est un fond sonore assez fort pour être audible, mais pas assez fort pour détourner l'attention. Une musique qui n'a peur ni du silence, ni du sentimentalisme, ni du deuil.

L'église est bondée, au point que quelques personnes sont obligées de rester debout derrière les bancs, à se rafraîchir la nuque contre les murs. J'en reconnais certaines, mais pas toutes. Les cheveux blancs étant majoritaires, j'en déduis que beaucoup sont des amis de Riverdale. Une fois achevée son oraison funèbre, le pasteur invite tous ceux qui aimeraient dire un mot sur mon grand-père à se lever. Une file se crée immédiatement dans l'allée centrale jusqu'au lutrin.

Le premier à parler est un monsieur âgé, avec un buisson de poils dans le nez. Il récite le numéro comique que papi Jack interprétait à Riverdale, il le reprend mot pour mot. Les blagues sont enfantines et simples (*Deux escargots arrivent sur une plage et aperçoivent une limace : « Demi-tour ! Nous sommes sur une plage nudiste ! »*), mais il appuie sur toutes les chutes. *Nudiste !* Les rires et les applaudissements rendent l'air plus léger. Après quoi, il redescend lentement l'allée centrale pour rejoindre Marilyn, qui l'accueille d'un baiser sur les lèvres.

Quand vient mon tour, il apparaît clairement que tous mes exercices d'éloges funèbres ne m'ont guère préparée à la réalité de la chose. Je parle un peu de papi Jack, dis combien il était aimé, combien il va nous manquer, mais mes mots n'ont ni poésie ni originalité. Rien qui n'ait déjà été prononcé cent fois sur un cher disparu. J'ai beau répéter qu'il était beaucoup, beaucoup, beaucoup aimé, l'effet produit est d'une pauvreté injuste. Il y a des choses que je voudrais dire, mais ne dis pas : que papi Jack a été à la fois mon père et ma mère à une époque où j'avais le sentiment de n'avoir plus ni l'un ni l'autre. Que, même adulte, je le prenais pour mon super-héros personnel. Que je ne dirai pas merde devant des enfants.

Finalement, peu importe que je ne dise pas tout haut ces mots-là. Ils m'appartiennent.

— J'ai rencontré Jack alors que j'étais déjà vieille, commence Ruth, quand vient son tour de parler. C'était après la mort de mon mari, quand je pensais qu'une immense partie de moi était morte avec lui. Jack m'a fait voir les choses autrement. Il m'a appris qu'il y a de l'humour dans la perte et même dans la mort. Que ceux que nous aimons restent avec nous bien après leur départ, d'une manière qui va au-delà du souvenir, au-delà de la conscience. Merci de m'avoir appris cela et de m'avoir fait rire chaque jour.

Lorsque Ruth dit : « Au revoir, Jack, nous savons que, désormais, tu es ici, au fond de nous », l'assemblée tout entière baisse la tête et répète avec elle. Ces mots deviennent une prière collective, un vœu, un adieu.

Un homme à la moustache peignée et vêtu d'un maillot en synthétique vert prend place au lutrin après Ruth. À l'évidence, se trouver face à cette foule le rend nerveux, il sort un mouchoir pour éponger la sueur sur ses tempes.

— Je travaille au restaurant de Riverdale, dit-il dans un anglais chargé d'un fort accent. Jack était la personne la plus généreuse que j'aie rencontrée. Il était toujours chaleureux et laissait toujours vingt-cinq pour cent de pourboire. Toujours. Sauf quand il venait juste prendre un café. Là, il laissait deux fois le prix du café. Cent pour cent de pourboire. Même quand il ne m'a plus reconnu, il s'est quand même souvenu de laisser vingt-cinq pour cent. Permettez-moi de vous dire qu'il y a peu de gens sur cette terre qui laissent toujours vingt-cinq pour cent de pourboire, y compris quand il pleut. Vous saviez que les gens laissent moins de pourboire les jours de pluie ? Pourtant, c'est la vérité. Un jour, il m'a laissé trente dollars sur une note de deux dollars. Il neigeait. J'ai cru qu'il s'était trompé et je lui ai couru après pour les lui rendre. Il m'a dit qu'il ne s'était pas trompé. Qu'il les avait gagnés au poker et qu'il savait que je payais les études de ma petite Irena. Il m'a dit : « Prenez les trente dollars. J'aime bien transmettre les choses. » Je suis fier d'avoir connu quelqu'un qui aimait bien transmettre les choses. Il va me manquer. Merci de m'avoir écouté.

Le voilà. Le parfait éloge funèbre. Mieux que tout ce que j'ai jamais préparé dans ma tête. La main invisible derrière tous ces pickles, toutes ces tasses de café et ces milk-shakes à la fraise, quelqu'un que j'ai rencontré plus de cent fois et n'ai jamais rencontré du tout : c'est lui qui sait dire à l'assistance qui était papi Jack. *Quelqu'un qui aimait transmettre les choses. Quelqu'un que nous sommes tous fiers d'avoir connu.*

Quand vient le tour de mon père de prendre la parole, il ne s'approche pas du lutrin. Non, il fait parler la musique à sa place et monte le son le plus fort possible. Un pot-pourri des musiciens préférés de mon grand-père : Benny Goodman, Tommy Dorsey, The Ink Spots, un peu de Duke Ellington.

Nous fermons les yeux pour écouter et, l'espace d'un instant, toute l'église semble blottie autour d'une vieille radio. Ensemble, nous sommes tous pleins de jeunesse, de frayeur et d'espoir. Déjà nostalgiques d'aujourd'hui.

Après les obsèques, mon père propose de nous emmener déjeuner en ville, Ruth, Andrew et moi. Il n'y aura pas de réunion à la maison après la cérémonie. Cette cérémonie était notre au revoir. Elle était parfaite, maintenant elle est terminée. Quand mon père déclare avoir envie d'une grillade, Andrew le guide jusqu'à ce restaurant fatidique sur la Troisième Avenue, celui avec les crayons de couleur sur les tables et les cosses de cacahouètes par terre. Celui où je nous ai cassés.

Nous nous installons à une table beaucoup trop grande pour quatre, mais près d'un juke-box que nous ne cessons d'alimenter en pièces de vingt-cinq cents. Je ne suis pas sûre qu'il joue les chansons que nous demandons, toujours est-il que nous entendons encore un peu de Duke Ellington, de Radiohead, des Beatles et de Lynyrd Skynyrd. Dans ma tête, je me fais une liste de courses de musique en ligne, afin de pouvoir recréer la bande-son, au cas où j'en aurais besoin un jour.

— C'étaient de joyeuses funérailles, dit Ruth. Puis-je me permettre de dire cela ? Je ne voudrais pas que vous le preniez comme un manque de respect.

— Bien sûr que vous pouvez. Vous pouvez vous permettre de dire tout ce que vous voulez dans cette famille. C'est la nouvelle règle, fait mon père.

Je pense : *Nous sommes une famille. Il sait que nous sommes une famille.*

— Tu as tout à fait raison, dis-je. C'était un enterrement magnifique. Exactement celui que papi Jack aurait voulu.

— Ça ne fait aucun doute, renchérit Andrew en levant sa bière pour porter un toast. À papi Jack, ajoute-t-il.

Nous répétons « À papi Jack » en faisant tinter nos verres.

— Et à une heureuse année, parce qu'il aurait voulu cela aussi, complète mon père. Nous répétons « À une heureuse année » et faisons à nouveau tinter nos verres.

Le serveur nous apporte des ailes de poulet sauce piquante. Nous piochons dans le plat, cerclons nos bouches de sauce, nous brûlons les lèvres jusqu'à ce qu'elles gonflent, et comme des bébés, portons des bavoirs noués autour du cou. Nous sommes fiers de les maculer de traces de doigts rouges. Nous n'avons pas peur quand le serveur apporte une deuxième fournée, avec un supplément de sauce piquante. Et, si nous ne jouons pas à qui en mangera le plus, nous ne déclarons pas non plus forfait. Nous remportons la victoire.

Après avoir rempli nos estomacs, épuisé notre stock de pièces de vingt-cinq cents, n'avoir rien laissé derrière nous que trente dollars de pourboire et une pile d'os de poulet, après que moi, je me sente rassasiée pour la première fois de ma vie, nous pénétrons dans les remous de la Troisième Avenue.

Nous avançons de front, épaule contre épaule : mon père, avec les cheveux en bataille et des traces de baisers de condoléances sur les joues, Ruth, avec ses rides restituant des années d'expressions sur un seul visage, Andrew, le bout des doigts posés sur ma hanche, et moi, en attente.

Il n'y a pas d'appareil photo, il n'y aura donc pas de photo. Mais, pour une fois, je n'ai pas peur d'oublier. Cela, je vais me le rappeler, cette imbrication des instants, nous quatre ensemble, nous quatre saisis sur le vif, quelque part entre tenir et lâcher prise.

Remerciements

Merci, merci, merci, Elaine Koster, agent hors du commun, qui me guide avec franchise, patience et gentillesse. Ma reconnaissance est éternelle. Et, bien sûr, merci infiniment à Susan Kamil, mon éditrice, qui ne cesse de me surprendre par sa perspicacité, sa sagesse et son sens de l'humour et qui a su transformer toutes les étapes de ce processus en pur bonheur. C'est une vraie bénédiction pour moi, une chance incroyable et un réconfort infini d'être tombée entre les mains compétentes d'Elaine et de Susan.

Francesca Liversidge et toute l'équipe de Transworld, je n'oublierai jamais le soutien que vous m'avez apporté.

Merci tout spécialement à Chandler Crawford, David Grossman et Helen Heller.

Je dois beaucoup à mes premiers lecteurs, Pamela Garas, Lena Greenberg et Mark Haskell Smith, qui ont accepté de se frayer un chemin à travers un premier jet redoutablement accidenté. MHS, tu as été un mentor exceptionnel. Merci.

J'adresse tous mes remerciements à Laurie Puhn pour l'extrême générosité avec laquelle elle m'a prodigué son temps, ses conseils et ses instructions.

Et bien que la liste soit interminable, merci encore à Megan Dempsey, Melissa Fien, Meredith Galto, Marion Goldstein, Seth Greenland, Halee Hochman, Scott Korb, Liz McCuskey, Jenna Myers, Jonathan Pecarsky, John Schowengerdt (auteur du terme de « plaisemploi »), ainsi qu'à Walt et David Zifkin.

Merci à la famille Flore et à Sunny, bien sûr, à qui j'adresse un salut spécial – ne viens pas dire que je ne tiens pas mes promesses...

Tout mon amour et tous mes remerciements à mon père, Fred, et à mon frère, Josh, qui se sont abstenus de me traiter de folle quand j'ai décidé de démissionner de mon emploi pour écrire. Votre soutien a été irremplaçable. Et bien que tous ceux qui connaissent mon père le sachent déjà, je tiens à dire, une fois pour toutes, qu'il ne ressemble absolument pas au père fictif de ce livre.

Enfin, je n'ai pas assez de mots pour exprimer ma reconnaissance à mon mari, mon meilleur ami, mon complice. Indy, je t'aime jusqu'à la dernière de tes molécules.

La photocomposition de cet ouvrage
a été réalisée par
GRAPHIC HAINAUT
59163 Condé-sur-l'Escaut

IMPRIMÉ AU CANADA

Dépôt légal : mai 2009